AU BORD DU GOUFFRE

DU MÊME AUTEUR
CHEZ LE MÊME ÉDITEUR

La Fiancée du vent
La Fiancée de la Jamaïque
La Fiancée de l'ombre
L'Héritage des Wyndham
Le Tueur à la corde
La Cible

Catherine Coulter

AU BORD DU GOUFFRE

Traduction de Catherine Moran

Roman

Titre original : *The Edge*

Edition originale : G.P. Puthnam's Sons, New York

ISBN 2-258-05427-3

A CURRY ECKELHOFF

Ton incroyable compétence mise à part,
tu es une amie merveilleuse,
tu as un grand sens de l'humour,
tu es excessivement généreuse,
et blonde...
A nous toutes qui résistons dans le Palais rose.

C.C.

PROLOGUE

Edgerton, Oregon

Dans la nuit noire et calme, seul le bruit régulier du moteur de la Porsche troublait le silence. Pourtant, elle percevait de nouveau cette voix plaintive, sourde et profonde qui s'acharnait à la poursuivre sans répit de ses suppliques feutrées.

Il n'y avait personne à proximité. Jilly, seule au volant, avançait sur la route longeant la côte. L'océan mugissait mais, en l'absence de lune, il paraissait n'être qu'un espace obscur et vide. Répondant à la moindre pression de Jilly sur le volant, la Porsche dévia vers la gauche, en direction de la falaise et de l'immense étendue d'eau noire. Aussitôt la conductrice redressa sa trajectoire.

La voix de Laura fit entendre des sanglots, puis s'amplifia et devint si envahissante que Jilly eut envie d'exploser.

— Tais-toi !

Le cri de la jeune femme emplit la voiture l'espace d'un instant. Sa voix résonna, dure et laide, bien différente de celle de Laura, semblable à la voix plaintive d'une petite fille perdue et inconsolable. Seule la mort pourrait m'apporter la paix, se dit Jilly tandis que cette voix reprenait possession de son esprit. Les mains crispées sur le volant, elle fixa la route devant elle, en se répétant sans cesse que Laura devait absolument cesser de la hanter.

— Je t'en prie, murmura-t-elle. Je t'en prie, arrête. Laisse-moi tranquille. S'il te plaît.

Mais Laura s'obstinait. Maintenant, elle n'était plus cette enfant qui s'exprimait d'une petite voix douce, terrifiée. Elle était redevenue elle-même, et manifestait de la colère avec des mots orduriers. Jilly tapa du poing sur le volant de plus en plus violemment, avec la volonté de se débarrasser de cette voix malveillante. Puis elle ouvrit sa vitre pour pencher sa tête à l'extérieur. Le vent lui plaqua les cheveux en arrière et la fit larmoyer.

— Fais-la taire ! hurla-t-elle.

Tout à coup, la voix s'interrompit.

Jilly prit une profonde inspiration, rentra sa tête à l'intérieur de la voiture et but l'air frais qui s'y engouffrait à longues gorgées. Grâce à Dieu, c'était terminé, enfin terminé ! Elle releva la tête et tenta de deviner où elle se trouvait. Il lui semblait qu'elle conduisait depuis des heures, alors que, d'après l'horloge du tableau de bord, il n'était que minuit. Il n'y avait donc qu'une demi-heure qu'elle était sortie de chez elle.

Pourtant, pendant ce laps de temps, sa vie n'avait été que murmures et cris, jusqu'à l'insupportable. Maintenant, fort heureusement, le silence était retombé. Un silence absolu, profond.

Elle se mit à compter : un, deux, trois, sans entendre autre chose que sa propre respiration et le ronronnement de la voiture. Renversant la tête en arrière, elle ferma les yeux un instant et se délecta du silence ambiant. Puis elle recommença à compter. Quatre, cinq, six... et il n'y eut rien de plus que ce silence béni.

Sept, huit... Doux, très doux, tel un lointain bruissement de feuilles, un léger bruit se fit entendre. Non, ce n'était pas un bruissement mais un murmure. Laura recommençait. Elle ne voulait pas mourir, elle suppliait, implorait, jurait qu'elle n'avait jamais eu l'intention de coucher avec lui. C'était lui qui avait tout provoqué. Mais Jilly refusait encore de la croire.

— S'il te plaît, arrête, arrête, arrête !

Laura se mit alors à hurler que Jilly n'était qu'une lamentable garce, une idiote qui se trompait sur son compte. Cette fois-ci, Jilly écrasa l'accélérateur. La Porsche redoubla de vitesse, fila à 115, 125, 130 kilomètres-heure sur la route sinueuse. Jilly suivit la ligne blanche en se mettant à chanter. Laura cria plus fort, et Jilly chanta à tue-tête, tandis que le compteur marquait 135, 145 kilomètres-heure.

— Va-t'en ! Lâche-moi, bon dieu !

La tête baissée, le front touchant presque le bord du volant sur lequel ses mains se crispaient, Jilly entendit les hurlements de Laura amplifiés par les vibrations du bolide.

Soudain elle poussa un cri, provoqué soit par Laura, soit par la vue du précipice de plus de trente mètres au pied duquel s'entassait un éboulis de roches noires. La Porsche éventra l'épaisse rambarde de bois et de métal, prit encore de la vitesse, et plongea dans l'obscurité qui s'ouvrait devant elle.

Un dernier cri déchira le silence avant que le bolide pique du nez vers l'océan. Il n'y eut ensuite que le bruit de l'impact sur l'eau, puis celui d'un engloutissement bref. L'océan redevint alors tel qu'il était une seconde plus tôt, fondu dans la nuit paisible et muette.

1

Hôpital naval de Bethesda, Maryland

En un sursaut, je me redressai sur mon lit, plaquai une main sur mon cou et me pliai en deux de douleur. Je venais d'entendre crier un homme si près de moi que j'avais eu l'impression d'avoir sa bouche collée à mon oreille. Je suffoquais péniblement tandis qu'un type qui n'était même pas là hurlait quelque chose contre moi. Finalement je parvins à pousser un gros soupir intérieur et à aspirer une longue goulée d'air.

Je m'étais senti englouti par une montagne d'eau glacée tel Jonas par la baleine, sans pour autant me noyer. Je savais ce que se noyer veut dire depuis ce qui m'était arrivé à l'âge de sept ans. Alors que je nageais avec mon frère aîné, Kevin, qui flirtait en même temps avec des copines, je m'étais pris dans un paquet d'algues sous-marines. C'était Jilly qui m'avait arraché de là et donné de grandes claques dans le dos alors que j'étouffais.

Dans le rêve c'était différent. J'avais brusquement été submergé par toute cette eau sans qu'il y ait rien eu avant. Ni malaise ni questions, aucune peur, rien ; juste le vide.

Je balançai mes jambes par-dessus le bord du lit et

plantai fermement les pieds sur le vieux linoléum, en savourant le flot de douleur qui m'inonda le corps et me ramena ainsi dans ma chambre d'hôpital favorite, loin de ce cauchemar aquatique qui m'avait anéanti.

Toutefois, à l'instant où je me levai, ce fut le choc. Je basculai en arrière et, sur le point de tomber, attrapai la barre métallique de la tête de lit. Respirant profondément, je regardai autour de moi. Mes pieds étaient toujours sur ce lino blanc cassé qui, tout autant que les murs, vert pastel et ocre, me sortait par les yeux à force de le contempler depuis quinze jours. Il n'y a vraiment que l'armée pour choisir ce genre de couleurs ! Enfin, si je pouvais encore les détester, cela prouvait au moins que j'étais toujours en vie, et ce n'était pas pour me déplaire.

On avait dit et répété que j'avais eu de la chance. Le souffle de la déflagration n'avait endommagé aucun organe vital. Je ressemblais au bout du compte à un type qui se serait fait taper dessus avec une planche, et qui s'en tirait avec des contusions par-ci, un os cassé par-là, ou un muscle déchiré. Mes pieds et mon dos sortaient à peu près indemnes de l'aventure, et le bas-ventre aussi : une sacrée veine !

Je restai là, près de mon lit, à respirer avec délectation l'air environnant.

Si je regardais le lit en désordre, je n'avais nullement l'intention d'y retourner car je savais que le rêve, suspendu dans l'atmosphère, attendait le moment où je me rendormirais pour revenir. Lentement, prudemment, je m'étirai. Chaque mouvement provoquait encore une douleur vive dans une partie ou une autre de mon corps. Je respirai goulûment puis m'approchai de la fenêtre. Je me trouvais dans le nouvel hôpital, un bâtiment massif, construit en 1980 et rattaché au premier établissement datant des années trente. Tout le monde se plaignait d'être obligé de parcourir des kilomètres entre les différents services. Moi, j'aurais bien aimé être capable de faire simplement quelques mètres et de participer au mécontentement général.

Sur le parking de cinq niveaux, à ciel ouvert, je vis des lumières briller. Comme une demi-douzaine d'autres structures annexes, il était relié à l'hôpital par de longs corridors. Depuis ma fenêtre, je ne voyais qu'une dizaine de véhicules. Autour des bâtiments, des rangées de lampadaires éclairaient des espaces fleuris. Remarquant qu'il y avait même des réverbères parmi les arbres, je me dis, en bon flic que j'étais, qu'avec cette profusion d'éclairage, on ne risquait pas d'être agressé dans l'enceinte de l'hôpital.

Dans mon cauchemar, il n'y avait eu aucune lumière, seulement une profonde obscurité, et de l'eau. Lentement je me dirigeai vers la petite salle de bains ; prenant de l'eau dans mes mains en coupe, je bus avec avidité. Quand je me redressai, de l'eau coula sur mon menton puis dégoulina sur mon torse. J'avais rêvé que je me noyais, et pourtant ma gorge était plus sèche que si je venais de respirer l'air brûlant de la Tunisie. C'était incompréhensible.

Ou alors, c'était quelqu'un d'autre que moi qui s'était noyé. Soudain, dans le tréfonds de moi-même, je compris que c'était le cas. Je ne m'étais pas noyé, j'avais assisté à une noyade...

Je cherchai une présence autour de moi, une personne qui fût là, juste dans mon dos, prête à me taper sur l'épaule. Depuis que le souffle d'une bombe m'avait à demi enterré dans le sable du Sahara, il y avait toujours eu quelqu'un près de moi. On m'avait parlé doucement et fait un tas de piqûres. J'en portais les traces sur les bras, et mon fessier en était encore tout endolori par endroits.

De nouveau je me désaltérai, puis relevai lentement la tête, soucieux, comme à l'ordinaire, de ne jamais bouger trop rapidement. Je me regardai dans le miroir, au-dessus du lavabo. Moi qui avais l'habitude de voir le reflet d'un solide gaillard, je me trouvai gris et ramolli, et ne fus pas certain d'être bien en vie. Le type que je découvrais dans la glace manquait singulièrement de substance. Il avait tout d'un sac d'os. En lui souriant je découvris qu'au moins j'avais encore mes dents, et droites en plus. J'avais eu de la chance : le souffle de cette fichue bombe m'avait projeté contre une dune, quelque cinq mètres plus loin.

Lorsque mon ami Dillon Savich, un autre agent du FBI, me verrait en salle de gym, il secouerait probablement la tête et me demanderait si j'avais mon cercueil à portée de la main. Assurément il me faudrait six bons mois avant de retrouver le même niveau que lui.

Après une nouvelle goulée d'oxygène et encore quelques gorgées d'eau, j'éteignis la lumière dans la salle de bains avant de jeter un dernier coup d'œil dans le miroir. Mon reflet, enveloppé d'ombres, me parut plus avenant. Je revins dans la chambre où je distinguai la silhouette du lit et les chiffres qui s'affichaient en rouge sur la pendule électronique offerte par des amis. Il était juste 3 h 07 du matin, et je me souvins que la femme de Savich, Sherlock, également agent du FBI, m'avait fait remarquer, pendant que je flottais entre la douleur et l'effet de la morphine, que chaque nouvelle minute s'inscrivant sur cette horloge me rapprochait de la sortie et, par conséquent, de la reprise de mes fonctions.

Je m'avançai vers le lit et m'allongeai doucement sur le dos, en remontant sur moi le drap et la couverture. Je cherchai à me détendre, à décrisper mes muscles, mais sans avoir envie de me rendormir. Les paupières closes, j'essayai d'analyser le rêve. Oui, j'avais senti de l'eau, mais de l'eau qui m'avait submergé brutalement, pas de l'eau dans laquelle je me noyais. Ensuite, après cette sensation, il n'y avait plus rien eu.

Pendant deux minutes je me demandai si j'avais réellement rêvé, si je n'avais pas été victime d'un autre phénomène. Soudain, je me souvins d'avoir vu le visage de Jilly, aussi distinctement que les chiffres rouges de la pendule digitale.

Je n'aimais pas ça. C'était dingue, complètement dingue. Qu'est-ce que ma sœur était venue faire dans ce rêve bizarre où je me noyais sans me noyer ? La dernière fois que nous nous étions retrouvés c'était chez Kevin, à Chevy Chase, dans le Maryland, fin février. Jilly m'avait paru un peu étrange, je ne vois pas d'autre mot. Je m'étais cependant contenté d'enregistrer cette impression, sans y prêter une attention particulière. J'étais préoccupé par un tas de choses, dont mon incursion en Tunisie.

Je me revis parlant à Kevin de Jilly. Mon frère aîné avait simplement hoché la tête. Pour lui, notre sœur était devenue un peu excentrique depuis qu'elle vivait sur la côte Ouest, dans l'Oregon. Rien de plus normal, et il n'y avait pas à s'en faire. Militaire de carrière, père de quatre enfants, Kevin n'avait guère le loisir de penser aux bizarreries éventuelles de son frère et de ses sœurs. Nos parents, nous n'avions plus à nous en soucier depuis huit ans, depuis qu'ils étaient morts dans un accident de la route, victimes d'un chauffard ivre.

Jilly parlait beaucoup et indifféremment de sa Porsche toute neuve, de la robe qu'elle avait achetée chez Langdon, à Portland, d'une fille qui s'appelait Cal Tarcher et qu'elle n'avait pas l'air de porter dans son cœur, du frère de cette personne, Cotter, qu'elle considérait comme un vaurien.

Elle nous avait même entretenus longuement du plaisir qu'elle éprouvait à faire l'amour avec Paul, son mari depuis huit ans. Rien dans tout cela ne m'avait paru d'une importance particulière. Mais, maintenant, j'avais le sentiment qu'elle n'avait pas parlé sans raison.

Etait-ce elle qui s'était noyée dans mon rêve ?

Je ne voulais pas que cette idée m'obsède, mais elle avait déjà fait son chemin dans mon esprit et me harcelait. Ma fatigue était encore intense, même si elle diminuait progressivement depuis deux jours. J'étais en train de me refaire une santé. Les médecins hochaient la tête en échangeant des sourires, puis leurs sourires s'adressaient à moi, et ils me tapotaient l'épaule droite, celle qui n'avait pas écopé. Ils prévoyaient ma sortie pour la semaine prochaine. Je décidai de la précipiter.

Me rendormir était hors de question, étant donné que le cauchemar était là, à m'attendre. Oh, j'en étais certain ! En fait, j'avais même le sentiment qu'il s'agissait d'autre chose que d'un simple rêve. Quelque chose qui ne passerait pas tout seul.

Subitement je décidai qu'il me fallait à tout prix boire une bière et, d'un geste instinctif, appuyai sur la sonnette. Quatre minutes plus tard, selon ma pendule digitale, Midge Hardaway, mon infirmière de nuit, passait la tête dans l'entrebâillement de la porte.

— Mac ? Ça va ? Il est très tard. Vous devriez dormir. Que se passe-t-il ?

La trentaine, grande, avec des cheveux courts blond miel, et un petit menton pointu, Midge était quelqu'un de fiable, d'intelligent, sur qui l'on pouvait compter dans les situations critiques. A chaque fois que j'étais revenu à moi, au début de mon hospitalisation, je l'avais trouvée à mon chevet, en train de me parler avec douceur et de me caresser légèrement le bras.

Je tentai de la gratifier de mon plus beau sourire d'adolescent, plein d'un charme irrésistible. Mais, comme la chambre était dans la pénombre, je doutai que l'effet fût assuré. Je comptai alors sur le choix de mes mots.

— Midge, sauvez-moi. Je ne suis pas très à l'aise ici, et je commence à en avoir par-dessus la tête. Je vous en prie, aidez-moi. Vous êtes mon seul espoir.

Dans la lumière du corridor, je lui vis aussitôt un sourire de sympathie, qui frôlait sérieusement l'éclat de rire. Puis elle s'éclaircit la gorge.

— Mac, écoutez-moi. Vous avez été complètement HS pendant deux semaines. Maintenant que ça va un peu mieux, je comprends ce qui vous arrive. Mais, mon cher, je suis mariée ! Qu'en penserait Doug ? Vous savez, il a son caractère...

J'oubliai le charme juvénile et le pathétique pour insister lourdement.

— Qu'est-ce qui pourrait contrarier Doug ? Il n'est même pas présent. Il vous suffira de ne rien lui dire. Bien que je ne voie pas ce qui pourrait le gêner.

— Ecoutez, Mac, si j'étais célibataire, je me laisserais tenter ; cela dit, vous ne devez pas être très performant à l'heure actuelle. Mais, bon, je suis flattée. Vous êtes séduisant, ou du moins vous pouvez l'être si j'en crois la photo que la presse a diffusée. Et puis vous avez retrouvé l'usage de vos deux mains. N'empêche que, les choses étant ce qu'elles sont, je ne peux pas, Mac.

— J'ai l'impression de crever ici, Midge. Croyez-moi. Je ne vous mens pas. Juste une fois, et je vous laisse tranquille. Enfin, jusqu'à la nuit prochaine. Juste une fois, Midge. J'irai très lentement. J'en bave déjà d'envie.

Elle restait là à hocher la tête, les mains sur ses hanches que je trouvais très jolies. Je les avais remarquées neuf jours plus tôt, dès que j'avais été un peu moins abruti par les sédatifs.

Je soupirai.

— Bon, d'accord, si ça va vraiment à l'encontre de votre éthique... Mais, franchement, Midge, je ne vois pas où est le problème. Surtout pour votre mari. S'il était dans ce lit, à ma place, il serait sûrement lui aussi en train d'implorer son infirmière. Eh ! Pourquoi ne pas appeler Mme Luther ? Elle est sévère, mais peut-être qu'elle céderait quand même. On ne sait jamais. J'ai l'impression qu'elle m'aime bien.

— Mac, vous êtes fou ? Mme Luther a soixante-cinq ans. Bon sang, ne me dites pas que ça vous manque à ce point ! Ellen Luther ? Mais elle vous mordrait !

— Pour quelle raison ? De quoi parlez-vous ?

— Que vous soyez excité après quinze jours de célibat, je peux le comprendre. Mais Mme Luther...

— Ah, Midge ! Il me semble que nous ne parlons pas de la même chose. Mme Luther ne m'attire pas du tout. Vous, si, mais comme vous êtes mariée, l'idée me traverse simplement l'esprit une fois toutes les cinq minutes, ou plus quand je me sens mieux. Ce qui arriverait à n'importe quel homme. Non, ce n'est pas ça ; ce dont je crève d'envie, en fait, c'est d'une bière.

— Une bière ?

Midge me fixa longuement, puis éclata d'un rire qui s'amplifia tellement qu'elle préféra pénétrer dans la chambre et fermer la porte derrière elle, de crainte de déranger les autres malades.

— Vous voulez une bière ? reprit-elle, pliée de rire, en se

tenant les côtes. C'était de ça que vous me parliez ? Une bière ? Et vous irez très lentement, vous m'avez dit ?

Je pris mon air le plus innocent. Elle ouvrit la porte, s'attarda un instant avant de ressortir tandis qu'elle riait encore, puis me lança par-dessus son épaule :

— Vous voulez une Bud Light ?

— Je pourrais tuer pour une Bud Light.

La canette de bière était glacée ; je crus que mes doigts allaient y rester collés. Rien ne pouvait être meilleur que ça, pensai-je, tandis que la Bud descendait dans mon gosier. Je me demandai quelle infirmière assurait une réserve de bières dans le réfrigérateur de son service. Je bus d'un trait la moitié de la boîte sous le regard de Midge.

— J'espère que le mélange de bière et de médicaments ne vous fera pas vomir. Hé, doucement ! Vous m'aviez promis de la faire durer. Décidément, on ne peut pas faire confiance aux hommes quand il s'agit de bière.

— J'en étais privé depuis si longtemps, dis-je en léchant la mousse autour de ma bouche. Je ne pouvais pas me retenir. Ça va beaucoup mieux.

Je poussai un soupir de gratitude et avalai une petite gorgée, en me disant que Midge refuserait sûrement de m'apporter une deuxième canette. Au moins mon cauchemar ne me pesait plus sur les épaules ; il n'était plus là, prêt à me distiller sa terreur. Il me restait environ le quart de la boîte. Je la posai sur mon ventre.

Midge s'était approchée et me prenait le pouls.

— Mon voisin, M. Kowalski, arrose mes plantes quand je suis en ville ou à l'hôpital, lui dis-je. Il fait la poussière aussi. C'est un plombier à la retraite, plus vieux que le crépi de la maison de ma tante Silvia, mais il a toujours l'esprit vif. James Quinlan, un agent du FBI, chante des chansons à ses cyclamens. Je n'en ai jamais vu de plus beaux. Il adore les plantes. Sa femme est persuadée qu'elle va se réveiller un matin avec un pot installé douillettement dans son lit. Oh, merde ! Midge, je veux rentrer chez moi.

L'infirmière posa sa main sur ma joue.

— Je sais, Mac. Ça ne va plus tarder. Votre pouls bat normalement. Je vais prendre votre tension maintenant.

Elle ne m'indiqua aucun chiffre, mais chantonna quelque chose à mi-voix, un air de Verdi, me sembla-t-il. Je compris alors que c'était bon.

— Il faut vous rendormir, Mac. Votre estomac supporte la bière ? Pas de nausée ?

Je pris la dernière gorgée, gardai le rot au fond de ma gorge et adressai à la jeune femme un grand sourire.

— Ça va. Je vous dois une fière chandelle, Midge.

— Je saurai vous le rappeler un de ces jours, ne vous inquiétez pas. Vos plantes sont sûrement magnifiques. Hé ! vous voulez que j'aille vous chercher Mme Luther ?

Midge m'entendit gémir et sortit avec un sourire et un petit signe de la main. L'instant d'après, je vis réapparaître brusquement le visage de Jilly. Il faut que tu regardes les choses en face, me dis-je calmement dans la nuit silencieuse, en fixant la fenêtre qui donnait sur le parking pratiquement désert. Bien. Formule tes interrogations. S'agissait-il d'un rêve ou d'une prémonition ? Jilly courait-elle un danger quelconque ?

Non, c'était idiot. Complètement idiot.

Je fus cependant trop angoissé pour me rendormir. Je regrettais de ne pas avoir une autre bière. A 4 heures, Midge passa, me regarda, le front soucieux, et me fit avaler une pilule.

Je dormis sans rêver pendant les trois heures qui précédèrent l'apparition du type chargé des prises de sang. Il secoua mon épaule endolorie pour me réveiller et m'enfonça une aiguille à la saignée du bras, tout en me racontant qu'il avait envie de se retirer dans le Montana, avec juste un générateur et un revolver. Sans cesser une seule seconde de parler, il colla un sparadrap sur le nouveau trou qu'il venait de me faire dans le bras et repartit en sifflotant et en poussant dans le corridor son chariot de torture, chargé de seringues et de flacons de sang. Il se prénommait Ted et me semblait être le sadique parfait.

A 10 heures du matin, je compris que je ne pouvais plus attendre. Il fallait que je sache. Je composai le numéro de Jilly, à Edgerton, dans l'Oregon. Ce fut Paul, son mari, qui répondit à la seconde sonnerie.

— Jilly, dis-je d'une voix mal assurée. Paul, comment va Jilly ?

Silence.

— Paul ?

J'entendis un souffle tremblant, puis :

— Elle est dans le coma, Mac.

Tout au fond de moi, je sentis s'ouvrir ce paquet dont je connaissais déjà le contenu. Ce que je n'avais pas voulu entendre, je l'entendais sans être vraiment surpris. Je priai tout en demandant :

— Elle s'en sortira ?

Paul jouait nerveusement avec le fil du téléphone. C'était perceptible, et je l'imaginais en train de l'enrouler autour de sa main, de l'enlever, puis de recommencer.

— Personne n'ose s'avancer, Mac, finit-il par me répondre d'une voix blanche. On lui a fait une IRM qui n'a révélé que quelques infimes hémorragies et une enflure. Le cerveau n'a subi aucun dommage qui puisse expliquer le coma. Les médecins ne comprennent pas. Ils espèrent qu'elle va vite reprendre connaissance. Il n'y a qu'une chose à faire : attendre. Toi, tu te fais souffler par l'explosion d'une bombe dans un trou perdu, et maintenant c'est Jilly qui est victime de cet accident ridicule.

— Que s'est-il passé ? demandai-je tout en sachant déjà ce qu'il allait m'expliquer.

— Sa voiture est tombée d'une falaise, sur la route de la côte, hier soir, juste après minuit. Elle conduisait la Porsche que je lui avais offerte pour Noël. Elle serait morte sans l'intervention d'un policier de la sécurité routière qui passait par là. Il a assisté à la scène, et il a eu l'impression que Jilly laissait partir la voiture, puis qu'elle appuyait sur l'accélérateur au moment où elle défonçait la rambarde. Il a dit que la Porsche avait effectué un plongeon parfait. La profondeur de l'eau est d'environ six mètres à l'endroit où elle est tombée. Grâce à Dieu, les phares étaient restés allumés et la vitre côté conducteur était baissée. Il a réussi à sortir Jilly tout de suite. Un vrai miracle, a-t-il dit. Personne n'en revient et n'arrive à croire qu'elle est encore vivante. Je t'appelle dès qu'il y a du nouveau ; dans un sens ou dans l'autre. Je suis navré, Mac, vraiment navré. Et toi, tu vas mieux ?

— Oui. Beaucoup mieux. Merci, Paul. On reste en contact.

Je reposai doucement le combiné. Paul était évidemment trop bouleversé pour se demander ce qui m'avait conduit à l'appeler au sujet de Jilly, à 7 heures du matin, heure locale sur la côte Ouest, si peu de temps après l'accident. Je me demandai quand cela le frapperait et quand il me rappellerait pour m'en parler.

Ce que j'allais lui répondre, je n'en savais encore strictement rien.

2

— Mac, pour l'amour du ciel, que fais-tu debout ? Les médecins n'ont aucune intention de te laisser sortir maintenant. Regarde-toi. Tu es aussi gris que de vieux rideaux miteux.

Lacey Savich, Sherlock pour ses collègues du FBI, me poussa vers mon lit. J'avais réussi à enfiler mon jean et j'étais en train de me battre avec ma chemise à manches longues lorsqu'elle était entrée.

— Recouche-toi, Mac. Tu ne vas nulle part. Comment as-tu réussi à mettre ton jean ?

Me prenant sous les bras, elle chercha à me faire regagner mon lit, mais je résistai.

— Ecoute, Sherlock, je suis remis d'aplomb. Laisse-moi partir. Ne mets pas le nez sous mes aisselles. Je ne me suis pas encore douché.

— Peu importe. Tu ne sens pas le putois, et je ne bougerai pas tant que tu ne seras pas au moins assis et prêt à me raconter ce qui se passe.

J'avoue que j'avais bien besoin de m'asseoir, mais pas sur ce lit.

— Puisque tu insistes tellement, ajoutai-je tout en restant figé.

Je souris à Sherlock, à cette jolie petite femme pourvue d'une crinière de cheveux roux et bouclés qu'elle avait ce matin ramenée sur la nuque à l'aide d'une barrette dorée. La peau laiteuse, elle possédait le plus ravissant sourire du monde, un sourire doux et chaleureux qu'elle prodiguait volontiers quand elle n'était pas d'humeur guerrière et capable de tout broyer sur son passage si elle l'estimait nécessaire. Nous étions entrés au FBI ensemble, deux ans auparavant.

Malgré mon poids, elle parvint à me faire bouger et à me manœuvrer, si bien que je me retrouvai dans un fauteuil. Une fois assis, je lui souris de nouveau, en me souvenant de nos exercices conjoints lors des épreuves physiques de l'examen final, avant l'entrée au FBI. Craignant qu'elle échoue, je l'avais encouragée et soutenue quand il avait fallu grimper à une corde raide. Si elle manquait de force dans les bras, elle avait d'autres ressources, bien plus importantes : des tripes et du cœur. Elle m'appréciait d'ailleurs certainement plus que je ne le méritais.

— Tu vas me raconter. Les médecins hochent la tête. Ils ont déjà appelé ton patron, et je parie qu'ils préféreront te faire passer à travers le plancher plutôt que de te laisser approcher de cette porte. Dillon, viens m'aider à comprendre ce que Mac a en tête. Regarde, il avait déjà mis son jean.

Dillon Savich leva un sourcil noir, et je pus facilement traduire son expression par : « Qu'il ait son pantalon dans l'état où il est, je crois que ça vaut beaucoup mieux ! »

Je me rejetai au fond du fauteuil. Cinq minutes de patience n'allaient pas aggraver la situation. Je tenais à sortir de là, et je sortirais. Par ailleurs, il valait mieux qu'au moins deux personnes sachent ce qui se passait.

— Ecoutez, les amis, je dois rentrer chez moi, faire ma

valise et partir pour l'Oregon. Ma sœur a eu un accident la nuit dernière. Elle est dans le coma. Je ne peux pas rester plus longtemps ici.

Sherlock s'agenouilla à côté du fauteuil et prit ma main dans les siennes.

— Jilly est dans le coma ? Qu'est-il arrivé ?

Je fermai les yeux, comme pour m'éviter de revoir le rêve dément, qui n'en était d'ailleurs pas vraiment un.

— J'ai appelé chez elle, ce matin, de bonne heure. C'est son mari, Paul, qui m'a appris la nouvelle.

La tête penchée sur son épaule, Sherlock m'observa pendant quelques instants.

— Pourquoi as-tu appelé là-bas ?

Sherlock n'avait pas seulement des tripes et du cœur. Elle avait aussi un cerveau.

Imposant, avec son air d'homme très en forme et implacable, Savich se tenait encore près de la porte ouverte, le regard fixé sur sa femme qui attendait que je lui déballe ce que j'avais dans le ventre. Et c'était exactement ce que je m'apprêtais à faire.

— Détends-toi et ferme les yeux, Mac, me conseilla-t-elle. Voilà, comme ça. Je ne laisserai personne t'ennuyer. Si je pouvais te donner de ce whisky que Dillon fait venir spécialement du Kentucky, je t'assure que tu te détendrais plus vite que Dillon ne se lève quand il entend Sean pleurer.

— C'est peut-être inutile ce que je vais te dire, mais hier soir Midge m'a laissé boire une bière. Et je n'ai pas vomi. C'est très bien passé et c'était drôlement bon.

J'étais bien en dessous de la vérité. Cette Bud Light avait été encore meilleure que la plus réussie des relations sexuelles.

— Je suis contente pour toi, remarqua Sherlock.

Elle me tapota la main et attendit. Je la regardai se tourner vers son mari, calme, détendu, les bras croisés sur la poitrine. Je regrettais toujours qu'il n'y en ait pas plus comme lui au Bureau, au lieu de ces ronds-de-cuir interchangeables et incapables d'innover un peu. Ça me dégoûtait en permanence, et je priais pour ne pas finir comme eux. Peut-être que l'antiterrorisme, ma spécialité, m'éviterait d'en arriver là. Les bureaucrates restaient à Washington. Sur le terrain, les règles ne comptaient plus. On était seul, ou du moins on l'était si on tombait, par exemple, sur un groupe de terroristes en Tunisie.

— Un rêve, dis-je finalement. Ça a commencé par un rêve, cette nuit. J'ai rêvé que je me noyais, ou que quelqu'un se noyait. Je pense que c'était Jilly.

Je racontai ce dont je me souvenais, c'est-à-dire à peu près tout. Puis je haussai les épaules.

— Voilà pourquoi j'ai téléphoné si tôt, ce matin. Et j'ai découvert que ce rêve, ou cette vision, correspondait à la réalité. Jilly est dans le coma.

Qu'est-ce que cela signifiait ? Je me le demandais. Survivrait-elle ? Deviendrait-elle un légume ? Faudrait-il prendre la décision d'arrêter l'assistance respiratoire ?

— J'ai peur, avouai-je en regardant Sherlock. Jamais je n'ai eu si peur de ma vie. Même quand je me suis retrouvé face à ces terroristes, un Magnum Express 450 comme seule arme. Et me faire éjecter d'une voiture piégée, ce n'était finalement rien à côté de ça, crois-moi.

— Tu as éliminé deux de ces terroristes, Mac, dont le chef. Et tu aurais été déchiqueté, sans un peu de chance ; l'angle de la déflagration a été moins ouvert qu'ils ne l'avaient prévu, et il y avait une dune très bien placée.

Je restai un instant sans réaction puis hochai la tête.

— Ça, je le comprends, mais le rêve, je n'y comprends rien. Ça me fait froid dans le dos. J'ai senti l'impact de l'eau sur Jilly. J'ai eu mal, puis plus rien, comme si j'étais mort... J'étais avec elle, ou j'étais à sa place, ou je ne sais quoi. C'est dingue, mais je ne peux pas faire comme si je n'avais pas vécu ça. Il faut que j'aille dans l'Oregon. Pas la semaine prochaine, pas même après-demain. Aujourd'hui.

Parce que Sherlock était là, près de moi, parce que j'étais si angoissé que j'avais envie de hurler et de pleurer tout à la fois, je me penchai vers elle et la pris contre mon côté indemne. Un petit bras menu se glissa autour de mon cou. Je sentis des sanglots me monter à la gorge, mais je n'avais pas l'intention de les laisser éclater. Je me contentai de serrer Sherlock contre moi, de sentir ses cheveux me chatouiller le nez. Je regardai Savich. Ils étaient mariés depuis un an et demi. J'avais été le témoin de Sherlock. Savich était célèbre au Bureau, et on l'aimait beaucoup. Tous les deux travaillaient à la Criminelle, section créée par Savich trois ans plus tôt, et que depuis il dirigeait.

Parvenant à me ressaisir, je remarquai :

— Tu as vraiment une femme très chouette, Savich.

— Oui, je sais. Et en plus, elle m'a donné le gosse le plus réussi de tout Washington. La dernière fois que tu as vu Sean, il avait un mois, Mac. Maintenant, il en a cinq. Il est temps que tu le revoies.

— Je viendrai dès que je pourrai.

— J'y compte bien. Hé ! Sherlock, tu te sens bien ? Ne t'inquiète pas pour Mac. Il va aller dans l'Oregon voir ce qui se passe, et s'il a besoin d'aide, on le rejoindra. Il n'y a que cinq heures d'avion, non ?

— Mac, tu es sûr de pouvoir te remettre en selle ? Tu n'as pas encore une mine terrible. Pourquoi ne viendrais-tu pas passer deux jours à la maison avant de partir ?

On te donnera la chambre à côté de la nursery. On s'occupera de toi gracieusement, puisque tu ne peux pas allaiter en échange.

Finalement, je supportai tant bien que mal de passer un jour et demi de plus à l'hôpital. Deux fois par jour, je parlais à Paul. L'état de Jilly restait stationnaire. Les médecins continuaient à réserver leur diagnostic. Kevin était en Allemagne avec ses fils, et mon autre sœur, Gwen, qui travaillait comme acheteuse pour Macy's, se trouvait en Floride. Je leur dis que je les tiendrais au courant de l'évolution de la situation.

Le vendredi, je pris un vol matinal à Dulles. En arrivant à l'aéroport international de Portland, je louai une Ford Taurus bleu ciel, qu'on me laissa choisir avec une liberté inhabituelle.

Il faisait beau. Pas d'humidité, pas de nuages menaçants, mais une douce brise et seulement vingt et un degrés. Depuis toujours j'appréciais la côte Ouest, et en particulier l'Oregon, avec ses montagnes arides, ses gorges profondes et leurs rapides rugissants. Sans oublier l'océan qui vient buter contre quelque cinq cents kilomètres de côte : un spectacle sauvage et magnifique.

N'étant pas en grande forme, je pris mon temps, soucieux de ne pas me sentir au bord de l'écroulement. Je m'arrêtai un moment à Tufton, une petite ville près de la côte. Une heure et demie plus tard, en bordure de la 101, je vis le panneau qui indiquait la direction d'Edgerton. Il fallait bifurquer vers l'ouest, en empruntant la 101 W, une petite route pavée de six kilomètres qui conduisait vers l'océan. Edgerton avait eu la chance d'échapper au sort de ces centaines de villes coupées en deux par l'autoroute côtière le jour où l'Etat avait décidé de faire passer l'autoroute un peu plus à l'intérieur des terres, donc plus à l'est. Des panneaux signalaient trois *Bed and Breakfast.* Celui du Buttercup, le plus grand, en forme de fleur psychédélique pourpre et jaune, annonçait que l'établissement se trouvait juste sur la falaise, et montrait une construction victorienne plutôt lugubre et d'aspect inquiétant. Il me sembla que Paul m'avait dit un jour que les gens d'Edgerton appelaient cette maison le *B and B* psychotique. Un autre panneau faisait de la publicité pour un petit restaurant, l'Edwardian, qui se targuait d'offrir le meilleur de la cuisine britannique ; ce qui, si j'en croyais mon expérience pendant l'année que j'avais passée à étudier l'économie à Londres, devait être une incongruité.

Je me souvins d'un petit hôtel, sur la plage étroite d'Edgerton, qui avait été balayé par une tempête, au cours de l'hiver 74. J'essayai d'imaginer la scène sans y parvenir. Mais, en me rappelant le film où on voyait un gigantesque tsunami emporter Manhattan dans ses flots, je souris. A l'époque, je m'étais demandé si les Indiens auraient eu envie de racheter l'île après ça. La tête hors de la voiture, je respirai l'air océanique, frais, âpre et salé. L'odeur m'enchantait, et je sentais quelque chose se dilater en moi comme à chaque fois que je me trouvais à proximité de la mer. Je respirai à fond cet air merveilleusement poisseux et iodé. Ce fut un peu douloureux, mais sans commune mesure avec ce que j'aurais éprouvé une semaine plus tôt si j'avais essayé de faire la même chose.

Je ralentis afin de négocier une fondrière. Bien qu'il fût le mari de Jilly depuis huit ans déjà, je ne connaissais pas très bien mon beau-frère, Paul Bartlett. Ils s'étaient mariés juste après que Jilly eut passé sa maîtrise de pharmacologie.

L'année précédente, Paul avait obtenu le doctorat. Il avait grandi à Edgerton puis était allé à Harvard. Je l'avais toujours trouvé un peu distant, un peu froid, mais qui sait exactement ce que les autres sont ? Je me souvins que ma sœur m'avait dit combien elle prenait plaisir à faire l'amour avec lui, ce qui m'avait fait penser qu'il ne devait pas être aussi froid qu'il en avait l'air.

Six mois plus tôt, j'avais été surpris par le coup de téléphone de Jilly m'annonçant que tous deux quittaient Philadelphie et le laboratoire pharmaceutique VioTech qui les employait depuis six ans pour s'installer à Edgerton.

« Paul n'est pas à l'aise ici, m'avait-elle expliqué. On ne veut pas le laisser poursuivre ses recherches. Et lui ne pense qu'à ça.

— Mais toi, que vas-tu devenir ? » avais-je demandé.

Après un bref silence, Jilly m'avait répondu :

« Je ne rajeunis pas, Mac, et nous voulons un enfant. Je vais me mettre au vert pendant quelque temps et essayer d'en avoir un. Nous en avons longuement parlé, nous sommes sûrs de notre décision. »

J'étais presque arrivé à Edgerton. Les quelques kilomètres qui me restaient à parcourir jusqu'à l'océan traversaient un terrain accidenté qui avait découragé les Ponts et Chaussées et les avait incités à fairer passer l'autoroute plus à l'est. Ravins et collines se succédaient, un pont enjambait le lit d'un torrent, et on se heurtait à une bonne douzaine de fondrières qui devaient attendre d'être comblées depuis la Seconde Guerre mondiale. En ce début de printemps, la verdure était encore rare. Un panneau annonça : « Edgerton. 150 mètres au-dessus du niveau de la mer. 602 habitants. » Mon Edgertonienne favorite était à l'hôpital Tallshon, à une vingtaine de kilomètres au nord de la ville, et dans le coma.

Jilly, pensai-je, les doigts crispés sur le volant, es-tu intentionnellement sortie de cette fichue route ? Et si oui, pour quelle raison ?

3

J'étais tout au fond de moi-même, et je me sentais réconfortée. Mais je ne m'étais pas rendu compte que j'étais encore en vie sans subir un choc. Comment avais-je réussi à survivre ? J'avais lancé la Porsche par-dessus la falaise, et fait un vol plané jusqu'au plongeon final, sans bavure, comme un coup de poignard dans cette eau noire et calme.

De ce qui s'était passé ensuite, je ne gardais aucun souvenir.

Je ne sentais pas mon corps, et c'était peut-être une bonne chose. Il y avait des gens autour de moi, je le savais. Des gens qui murmuraient comme l'on murmure autour des blessés graves ; mais je ne pouvais saisir leurs paroles. Bizarrement, ils ne me semblaient pas vraiment présents. Ils flottaient, telles des ombres sans substance. J'étais comme eux. Si seulement j'avais pu entendre et comprendre ce qu'ils disaient ! Cela aurait été délicieux.

Enfin, j'étais seule. Complètement seule. Laura n'était plus dans ma tête. Elle avait dû tenir sa revanche quand j'avais hurlé comme une folle avant de plonger du haut de la falaise. Si elle avait encore été avec moi, je crois que j'aurais tout simplement arrêté de respirer.

Des gens allaient et venaient. Des gens qui comptaient peu à mes yeux. J'imagine qu'ils m'examinaient et me soignaient, mais rien ne m'importait vraiment.

Puis, brusquement, tout changea. Mon frère, Ford, entra dans la chambre, et je le vis clairement. Il était bien réel, la peur se lisait sur son visage, et j'aurais voulu le rassurer ; mais bien entendu, j'en étais incapable. Il est grand et séduisant, mon petit frère, encore plus beau que notre père qui était un vrai bourreau des cœurs, comme le disait toujours notre mère avec tendresse. Nos parents sont morts tous les deux, n'est-ce pas ? me demandai-je, soudain incertaine.

Ford ne semblait pas être tout à fait lui-même. Peut-être avait-il l'air moins autoritaire, moins imposant ? N'avait-il pas été blessé ? Je ne savais plus. Je ne comprenais pas grand-chose. Mais il était là, ça j'en étais sûre. Je me souvins aussi que j'étais la seule à l'appeler Ford au lieu de Mac. Pour moi, il n'avait jamais été Mac.

Comment était-ce possible ? Pourquoi le voyais-je, lui, nettement, et pas les autres ?

J'aurais voulu être capable de lui parler. Mais j'étais inerte, je ne ressentais rien, sinon ce sentiment de joie paisible devant la présence de ce frère qui était accouru alors que j'avais besoin de lui.

J'eus un second choc lorsque je l'entendis me dire, penché sur mon visage :

— Mon dieu, Jilly, c'est insupportable ! Que s'est-il passé ?

Je saisis clairement ses paroles. Je fus encore plus sidérée lorsque je sentis, oui, je sentis vraiment, ses larges mains couvrir la mienne. Mais je ne sais plus laquelle… Il me communiqua sa chaleur et je la gardai en moi. C'était extraordinaire. Je ne savais que penser. Par quel miracle étais-je si sensible à la présence de Ford alors que je n'éprouvais rien avec les autres ?

— Je sais que tu ne peux pas me répondre, Jilly, mais peut-être que tout au fond de toi-même tu m'entends ?

Oh, oui, aurais-je voulu lui répondre, je t'entends ! J'aimais sa voix qui résonnait, profonde et envoûtante. Un jour je lui dirai combien sa voix m'avait réchauffée de la tête aux pieds. Il m'avait dit que c'était la voix avec laquelle il interrogeait les suspects au FBI, mais c'était faux. Il a toujours eu cette voix apaisante, enveloppante.

Il s'assit à côté de moi, sans cesser de parler, sans lâcher ma main, et sa chaleur m'enivrait. Comme j'aurais aimé pouvoir au moins serrer ses doigts !

— J'étais avec toi, Jilly, me dit-il.

Je faillis cesser de respirer. Qu'est-ce que cela signifiait ? Il avait été avec moi où, quand ?

— J'étais avec toi, au moment de l'accident. J'étais terrorisé. Dans mon lit d'hôpital, je me suis réveillé en nage, et tellement effrayé que j'ai cru en mourir. J'ai franchi le bord de la falaise à tes côtés, Jilly. D'abord j'ai eu l'impression de mourir avec toi, mais ni toi ni moi ne sommes morts. Ce policier t'a sauvée. Maintenant, je dois découvrir ce qui s'est passé. Bon dieu, j'espère que tu m'entends.

Ford s'interrompit, le regard posé sur moi. J'aurais donné n'importe quoi pour être capable de lui faire comprendre que je l'entendais. Mais je n'étais qu'une masse inerte sur ce lit d'hôpital que j'aurais sûrement trouvé très inconfortable si j'avais pu le sentir. Je me réduisais au fonctionnement de mon cerveau et à cette main que Ford tenait dans les siennes.

Qu'avait-il voulu dire en me racontant qu'il avait franchi le bord de la falaise avec moi ? C'était insensé, comme d'ailleurs tout ce qui se passait actuellement.

Une silhouette floue, blanche, entra dans mon champ de vision. Ford me tapota la main, la reposa sur le lit, puis s'avança vers la silhouette.

— Paul, je viens d'arriver. Je parlais à Jilly, dit-il.

Paul. Paul était ici. Je ne pus comprendre ce qu'il répondait à

Ford, mais d'après le long silence de mon frère, il dut dire un tas de choses. Tous les deux s'éloignèrent de moi, et je n'entendis plus rien. Je souhaitais avant tout que Paul s'en aille, mais il restait. Que racontait-il à Ford ? Je voulais mon frère, qui représentait mon seul lien avec la réalité, avec ce qui existait au-delà de mon corps inerte.

Après un moment, je renonçai à attendre et je m'endormis. Mais avant, je priai pour que Ford ne me laisse pas seule ici, pour qu'il revienne me voir. J'éprouvai du chagrin pour ma Porsche devenue une épave que l'océan allait ronger.

Je garai la Ford sur l'un des six espaces vacants du parking, face au Buttercup, un nom bien saugrenu pour cette maison de style victorien, laide à faire peur, qui se dressait à deux doigts du bord de la falaise. Il n'y avait certainement pas plus d'un mètre entre elle et un épais mur de pierres sèches qui permettait de sauter directement sur une étroite plage rocheuse.

Tout aussi saugrenu était le nom de la rue principale d'Edgerton, baptisée la Cinquième Avenue. La seule fois où j'étais venu ici, j'en avais hurlé de rire. De chaque côté de cette artère partaient quatre rues parallèles qui coupaient à angle droit des voies nord-sud, à bonne distance les unes des autres, avant d'aller se perdre sur les falaises.

A première vue, peu de choses avaient changé. Le long de cette Cinquième Avenue s'alignaient des petites villas, construites dans les années vingt, qui ressemblaient à des boîtes aux couleurs pastel. Les rues secondaires étaient bordées de grandes maisons, du style ranch. Sur les hauteurs, en bordure des falaises, on voyait des villas modernes, d'inspiration californienne ; d'autres étaient disséminées dans les vallées peu profondes qui partaient de la côte. Il y avait aussi quelques vieux cottages et d'antiques cabanes, nichés parmi d'épais bouquets d'épicéas, de cèdres et de pins maritimes.

Je n'entrai au Buttercup que pour m'entendre dire par une femme menue, arborant une fine moustache noire, qu'il n'y avait plus de chambre libre. Pensant au parking vide, et ne voyant absolument personne dans la pension, je regardai cette femme qui, derrière son comptoir d'acajou ciré, avait un air circonspect et borné.

— C'est la période chargée de l'année ?

— On a un congrès en ville, répondit mon interlocutrice en rosissant.

Elle fixa derrière mon dos le papier mural représentant d'énormes choux roses, d'un parfait style victorien.

— Un congrès à Edgerton ? Aurait-on, par hasard, organisé le Rose Bowl ici ?

— Oh, non ! Ce ne sont pas des fleuristes. Non, des... pour la plupart des dentistes, des orthodontistes, plus précisément, qui sont venus de tout le pays. Désolée, monsieur.

En retournant vers ma voiture, je me demandai ce qui était considéré comme la basse saison à Edgerton. Pour quelle raison cette femme n'avait-elle pas voulu me louer une chambre ? Savait-on déjà qu'un agent du FBI rôdait en ville ? N'était-il pas souhaitable d'héberger un flic ? Pourtant, je me considérais comme le client le plus sûr que l'on pût trouver.

Dans la Cinquième Avenue, je tournai à gauche et filai vers le nord en empruntant Liverpool Street, une rue sinueuse et en pente, parallèle à la 101 sur une bonne quinzaine de kilomètres. Le long de cette partie de la rue, je découvris de nouvelles maisons, en retrait, qui pour la plupart se dérobaient soigneusement au regard des automobilistes ou des joggeurs passant par là. A un endroit particulièrement agréable, apparut au pied d'une petite colline, couverte d'épicéas et de cèdres, une grande demeure sombre en briques rouges. Seule une allée étroite y conduisait en pénétrant sous les arbres qui l'entouraient, et dont la première rangée subissait visiblement les conséquences des tempêtes venues de l'océan.

C'était la maison de Paul et Jilly, au numéro douze de Liverpool Street. Elle avait dû être construite seulement trois ou quatre ans plus tôt. Si je ne l'avais pas cherchée, je ne l'aurais pas vue.

J'étais en train de remarquer combien elle ressemblait à leur maison de Philadelphie lorsque je vis une voiture de police stationnée devant chez eux, de l'autre côté de l'allée.

Tout en me demandant si Paul reviendrait bientôt de l'hôpital, je me garai dans la voie déserte, et m'avançai vers la voiture de police, une Chrysler blanche à quatre portes portant sur un flanc l'inscription « Shérif » en lettres vertes.

Je passai la tête par la vitre ouverte, côté passager.

— Que se passe-t-il ? Vous êtes venu pour voir Paul ?

Le shérif était une femme, proche de la trentaine. Elle arborait un uniforme beige, impeccablement repassé. L'étui d'un SIG Sauer 9 mm, modèle 220, un charmant automatique que je connaissais bien, était accroché à sa large ceinture de cuir noir.

— Oui, répondit-elle. Et vous, qui êtes-vous ?

— Je suis Ford MacDougal, le frère de Jilly. Je viens de Washington pour la voir et essayer de comprendre ce qui lui est arrivé.

— Vous êtes du FBI ? demanda la femme d'une voix chargée de suspicion.

Je lui tendis la main.

— Les nouvelles vont vite, à ce que je vois. Appelez-moi Mac.

Elle portait des gants noirs dont le cuir me procura une agréable sensation de douceur et de fraîcheur lorsqu'elle me serra la main.

— Je suis Maggie Sheffield, shérif d'Edgerton. J'aimerais moi aussi savoir ce qui s'est passé. Vous revenez de l'hôpital ? Pas de changement ?

— Non. J'ai laissé Paul au chevet de Jilly. Il est dans un sale état.

— J'imagine. Ce doit être un enfer pour lui. Ce n'est pas tous les jours qu'un homme apprend que sa femme a fait plonger sa voiture du haut d'une falaise, qu'elle se retrouve quand même à l'hôpital plutôt qu'à la morgue, laissant une Porsche sous six mètres d'eau.

Maggie Sheffield semblait au bord des larmes, mais j'ignorais si c'était à cause de Jilly ou de la voiture.

— Il vous est arrivé de conduire la Porsche de ma sœur ?

— Une fois. Et bizarrement, moi qui ne fais de la vitesse que si j'y suis obligée, dès que j'ai été au volant et que j'ai regardé à travers le pare-brise, j'ai appuyé sur l'accélérateur. Je suis montée à 120 sans même m'en rendre compte. Heureusement qu'il n'y avait pas de flic dans les parages !

Maggie sourit et, pendant quelques instants, détourna le regard.

— Jilly était tout excitée par cette voiture. Elle descendait et remontait la Cinquième Avenue, en sifflant, en hurlant, en klaxonnant. Les gens sortaient de l'épicerie ou de chez eux, riaient, lui criaient qu'elle allait bousiller sa voiture si elle continuait à faire la folle comme ça.

— C'est ce qui est arrivé.

— Mais pas parce qu'elle s'amusait comme une adolescente. Il s'est passé autre chose.

Après avoir pris un ton presque léger, la voix de Maggie était redevenue sourde et de nouveau chargée de suspicion. Soudain elle me surprit en tapant sur le volant de son poing ganté.

— C'est une histoire insensée ! D'après Rob Morrison, le flic qui l'a sortie de là, la voiture a accéléré alors qu'elle avait déjà défoncé la rambarde. Or, à cet endroit, le terrain est en pente, ce qui signifie que Jilly a appuyé sur l'accélérateur comme si elle tenait à plonger dans le précipice. Et c'est ce que je trouve incroyable. Jilly n'était pas du genre suicidaire.

Le front plissé, Maggie marqua une pause en regardant les arbres de l'autre côté de l'allée.

— Vous ne savez rien, j'imagine, me dit-elle.

J'aurais dû répondre non, puisque je ne tenais pas à passer pour un fou.

— Si, je sais quelque chose. Le problème c'est que ça ne m'aide pas à comprendre.

La jeune femme éclata d'un rire franc qui emplit la voiture.

— Il va falloir que vous me donniez une explication, il me semble. Ecoutez, avant tout, vous êtes un agent fédéral. Le frère de Jilly, oui, mais d'abord un fed.

— J'appartiens au FBI, c'est exact. Mais je suis en congé. Ici, je suis le frère de Jilly, rien d'autre. N'ayez crainte, shérif, je ne vais pas chercher à vous supplanter. Ecoutez, pour le moment, en attendant que Paul revienne et m'héberge, puisque je ne peux pas descendre au Buttercup en raison du congrès d'orthodontistes, je crois que je vais aller déjeuner. Je meurs de faim, ajoutai-je alors que mon estomac ne cessait de gargouiller.

— Un congrès d'orthodontistes ? C'est ce qu'Arlene

vous a raconté pour se débarrasser de vous ? Elle manque d'imagination.

— Elle a essayé d'en avoir. J'ai dû lui faire peur.

— Oh, sûrement ! Arlene Hicks a une attitude bizarre avec les flics.

— En tout cas, je peux dire que les nouvelles circulent vite ici.

— Paul a parlé de votre arrivée à Benny Pickle, l'armurier. Et Benny est le plus grand bavard de la région.

— Mais les gens n'ont rien à reprocher à un agent du FBI comme moi. Je suis propre, poli, je ne crache pas par terre, et je ne pars jamais sans payer mon addition.

— Arlene n'apprécie pas non plus ma présence. Et pourtant elle me connaît bien. Ce qui n'est pas votre cas. Elle doit croire que vous êtes aussi peu fréquentable que son percepteur. Vous venez de Washington, n'est-ce pas ? Un lieu de péché et de corruption.

— Vous me faites penser qu'elle a peut-être quelque chose à cacher.

Maggie écarta cette hypothèse d'un geste.

— Bon. Vous êtes ici, Mac, et vous voulez comprendre ce qui est arrivé à Jilly. Moi aussi. Par conséquent, on aurait intérêt à faire équipe, au moins un minimum. Reste à savoir si vous êtes prêt à jouer le jeu avec moi.

— Je ne pensais pas jouer avec qui que ce soit, remarquai-je, le sourcil levé. Mais quand je joue, je suis habituellement réglo. Je ne vois pas, d'ailleurs, pour quelle raison il en irait autrement.

— Vous êtes un fed, une pointure. Vous avez l'habitude de vouloir prendre les choses en main, en traitant les locaux comme vos larbins. Et je n'ai rien d'un larbin.

— Je vous répète que je ne suis pas en service. Je suis venu pour ma sœur. Comme vous, je veux connaître la vérité. Je vous remercie de mener une enquête, alors que vous auriez pu décréter qu'il s'agissait d'un suicide, et vous rabattre sur un psy. Ne vous inquiétez pas. Je jouerai franc jeu avec vous. Avez-vous déjà quelque chose à m'apprendre ? Jilly avait-elle une raison pour plonger de cette falaise volontairement ? Vous voulez être la première à jouer à parts égales ?

Maggie parut se détendre un peu.

— Quand avez-vous été blessé ? Et dans quelles circonstances ? me demanda-t-elle soudain.

— Comment savez-vous que j'ai été blessé ? Serais-je encore aussi gris que du porridge vieux d'une semaine ?

Je vis Maggie se tourner vers moi, pencher la tête et me regarder bien en face. Elle était probablement plus jeune que je ne l'avais d'abord pensé. Mais les lunettes noires qu'elle portait comme aimait le faire tout agent de la sécurité routière, afin d'intimider les contrevenants, empêchaient toute certitude. Les verres me renvoyaient mon reflet, mais je regardais ses cheveux. Epais, bouclés, noirs, avec des reflets roux, elle les avait tressés en une grosse natte enroulée sur le sommet de la tête et fixée à l'aide d'une sorte de longue baguette. Elle portait un rouge à lèvres d'un rouge corail pâle, exactement la teinte préférée de mon ex-petite amie anglaise, Caroline. Mais cette dernière, qui travaillait comme modéliste, n'avait jamais affiché la dureté et la confiance en soi de Maggie Sheffield.

Bien entendu, elle savait que je la détaillais, et elle me laissa faire un moment avant de me dire :

— J'ai toujours détesté le porridge. Fort heureusement, vous n'avez rien qui me le rappelle. Seulement, vos mouvements manquent d'aisance. Vous marchez comme un vieux monsieur, vous portez encore des traces d'hématomes sur la joue gauche, vous utilisez de préférence votre bras droit et vous semblez soucieux de protéger vos côtes. Que vous est-il arrivé ?

— Je me suis trouvé à proximité d'une voiture piégée qui a explosé.

— On n'a pas entendu parler d'un fed pris dans l'explosion d'une bombe.

— Ça s'est passé en Tunisie. Un pays charmant où on a du sable plein la bouche dès qu'on l'ouvre. Du moins, dans le Sud. Et ceux à qui j'ai eu affaire n'étaient pas vraiment ce qu'on appelle des gens agréables.

Voilà que je venais de raconter à une parfaite étrangère tout un tas de trucs qui habituellement ne sortaient pas du Bureau, et ne devaient surtout pas arriver jusqu'aux oreilles d'un flic local. Eh bien, au moins, j'y allais franchement ! « Je partageais », comme quelqu'un de politiquement correct aurait dit, et rien que de penser à cette expression j'éprouvai un certain effroi. Cela mis à part, si Maggie savait quelque chose, mon déballage spontané, qui je l'espérais ne se renouvellerait pas, devait m'aider à le lui faire avouer.

— Je vous emmène déjeuner à l'Edwardian, m'annonça-t-elle. Ça se veut un pub anglais, mais grâce à Dieu, c'est autre chose. La cuisine est bonne, les plats copieux, et j'ai l'impression que vous avez besoin de vous remplumer. Vous avez perdu combien de kilos ? Sept, huit ?

— Quelque chose dans ce genre, oui.

Il n'était que 14 heures, et j'avais envie d'un lit moelleux, d'une chambre obscure, et de trois heures de tranquillité absolue.

— Suivez-moi.

— Merci, dis-je.

Je la regardai mettre le contact puis effectuer un demi-tour en douceur dans Liverpool Street.

Quelque vingt minutes plus tard, quand nous eûmes passé la commande à M. Pete, un vieux chacal grisonnant qui était seul pour servir dix clients, je me rejetai contre le dossier de la banquette de bois.

— Je suis venu ici il y a environ cinq ans. Je rentrais de Londres, et ma sœur m'avait invité pour faire la connaissance des parents de Paul. Je me souviens très bien d'Edgerton. Rien n'a changé apparemment. Depuis combien de temps êtes-vous le shérif de cette ville ?

— Bientôt un an et demi. Le maire est également une femme : Mlle Geraldine Tucker. Quand elle m'a engagée, elle traversait une phase féministe. Elle l'a elle-même reconnu, en m'expliquant qu'elle avait raté la grande vague quelques années auparavant. A l'époque, j'étais flic à Eugene et j'avais eu quelques ennuis, ce qui me donnait envie de changer d'air. Ça tombait bien. Ici, j'ai une secrétaire, un adjoint et je peux faire appel à une douzaine de volontaires en cas de besoin. Jusqu'à présent ça ne s'est jamais produit. Comme vous pouvez l'imaginer, il y a peu de criminalité. Seulement des histoires de contraventions, des gamins qui se déchaînent de temps en temps, un ou deux cambriolages par mois, sans doute le fait d'étrangers. Enfin, rien que de très normal. Depuis peu, nous avons quelques cas de violence conjugale, mais rien à voir avec Eugene.

Maggie me lança un regard signifiant : « Qu'est-ce que je pourrais vous dire de plus ? »

— Que s'était-il passé à Eugene ? demandai-je en souriant.

Elle pinça les lèvres.

— Je crois que je vais garder ça pour moi, si vous n'y voyez pas d'inconvénient.

— D'accord. Ah ! J'espère que ce repas va me profiter. J'en ai bien besoin. Que vouliez-vous dire à Paul ?

Avant que Maggie pût répondre, un homme âgé s'avança vers notre table d'un pas sautillant, une casquette de l'équipe de base-ball d'Oakland entre ses mains noueuses aux grosses veines apparentes. La chevelure blanche, abondante, les dents tachées par la nicotine, il me souriait. Je lui donnais plus de soixante-dix ans, et lui prêtais une vie de labeur.

— Charlie ! dit Maggie en se penchant pour lui serrer la main. Quoi de neuf ? Auriez-vous observé quelque chose qui pourrait m'intéresser ?

— Oui, répondit l'homme d'une voix faible, éraillée et fragile. Mais ça peut attendre. Vous êtes le jeune gars qui vient de Washington ? demanda-t-il en se tournant vers moi.

Maggie fit les présentations. Charlie Duck, citoyen d'Edgerton depuis quinze ans, hocha la tête et, plutôt que de me serrer la main, joua avec sa casquette.

— Vous êtes occupé pour l'instant, Mac. Mais plus tard, quand vous aurez un moment, j'aimerais vous parler, annonça-t-il.

— D'accord, dis-je en me demandant quel genre de révélations il allait me faire.

Charlie Duck eut un hochement de tête solennel, et retourna du même pas sautillant se rasseoir seul dans le box qu'il avait quitté pour venir vers nous.

— Vous voyez, il y a des gens à qui je ne déplais pas.

— Charlie est quelqu'un de bien. Si vous le revoyez, vous l'apprécierez.

— Que vouliez-vous dire à Paul ? demandai-je de nouveau à Maggie.

Elle prit sa fourchette et la fit tourner entre ses doigts, comme l'avait fait Charlie avec sa casquette. Puis elle retira ses gants. Je vis qu'elle avait des mains blanches, des ongles courts, des pouces calleux.

— Je voulais simplement parler avec lui, expliqua-t-elle. Je n'arrive toujours pas à croire que Jilly ait eu tant de chance. Le flic qui lui a sauvé la vie est arrivé troisième au triathlon de l'homme de fer, à Kona, l'année dernière. Cette épreuve consiste à parcourir trois kilomètres de natation, cent cinquante de cyclisme, et cinquante de course à pied. Il est doté d'une forme étonnante, et lui seul pouvait sortir Jilly de là. Mais même quand je tiens compte de ce facteur chance, je reste ébahie.

— Le triathlon de l'homme de fer, dis-je, à la fois reconnaissant et envieux. J'ai un ami qui a voulu y participer. Il a été sélectionné, mais ensuite il a eu des crampes pendant le marathon. J'aimerais rencontrer ce type, tout en regrettant de n'avoir que mes remerciements les plus chaleureux à lui offrir.

— Après le déjeuner.

Maggie prit le verre de thé glacé que venait d'apporter M. Pete, qui s'était mis un tablier rouge et mâchait un cure-dents. Il appelait la jeune femme « mademoiselle le shérif ».

— En ce moment, Rob Morrison travaille la nuit, et dort pendant la journée. Il va bientôt se réveiller, je pense. Comme j'ai envie de le réentendre raconter ce qu'il a vu, je vous accompagnerai. Vous avez astucieusement demandé de quoi je voulais parler avec Paul. Eh bien, je veux savoir qui ou quoi a poussé Jilly par-dessus la falaise ! Il n'y a que lui qui puisse connaître la réponse.

Je n'étais pas encore prêt à me dire ce genre de chose.

— Ils ne sont ici que depuis cinq mois et demi. Paul a grandi à Edgerton, vous le saviez ?

— Oui, mais il n'a plus de famille ici. Ses parents ont péri il y a trois ans dans le crash d'un petit avion de tourisme, dans les montagnes, aux environs de Tahoe. Ils allaient souvent faire du ski là-bas. Leurs corps n'ont jamais été retrouvés, ce qui est assez bizarre car la plupart des avions qui s'écrasent en montagne sont retrouvés à la fonte des neiges. Paul avait un oncle qui est mort d'un cancer il y a à peu près deux ans, et ses cousins sont éparpillés à travers le pays.

« On peut donc se demander pourquoi il est revenu ici. Edgerton est un trou perdu, et franchement je ne vois pas ce qui pouvait attirer ici deux chercheurs ; et qui plus est deux chercheurs de renom, d'après ce que m'a dit Jilly.

M. Pete m'apporta une énorme salade de laitue, de poivrons rouges, de pommes de terre et de petits pois, le tout recouvert d'une sauce crémeuse qui me mit l'eau à la bouche.

— Allez-y, mangez, me dit Maggie.

J'enfournai une grosse bouchée, déclarai que ce n'était pas mauvais du tout, et recommençai six fois.

— Ouf, ça va mieux… Quand Jilly m'a appelé il y a environ six mois, elle m'a expliqué que VioTech, le laboratoire pharmaceutique qui les employait tous les deux, ne voulait pas laisser Paul continuer ses recherches. Il était, paraît-il, très déçu et voulait revenir ici pour poursuivre son travail.

— Et quels étaient les projets de Jilly ?

— Elle m'a dit qu'il était temps qu'elle ait un enfant.

— Jilly vous a dit ça ?

Maggie, qui était en train de se beurrer un petit pain, s'arrêta net, me regarda et secoua la tête.

— Oh, non ! C'est impossible.

— Pourquoi ?

— Elle m'a répété au moins dix fois que ni Paul ni elle ne voulaient de marmots. Elle pensait qu'ils s'étaient trop habitués à vivre égoïstement.

Jilly avait dû changer d'avis puisqu'elle m'avait dit tout autre chose.

— Il n'y a plus de pâté à la viande, vint annoncer M. Pete, avec un air satisfait. Pierre n'en avait pas fait suffisamment. Presque tout était déjà parti à l'heure des petits déjeuners. Que diriez-vous d'un bon petit poisson avec des frites et des oignons ?

Tout ce gras nageant dans mes artères ne s'annonçait pas comme une si mauvaise chose, en l'occurrence.

4

Rob Morrison habitait un bungalow niché dans un bosquet d'épicéas malingres, à environ trois kilomètres au sud d'Edgerton. Un chemin de terre, baptisé Penzance Street, menait chez lui en serpentant à travers des vallées et des collines. Juste derrière la maison, se trouvait une large ravine. Je sortis de la voiture, me retournai afin de contempler un instant l'horizon, et me mis à envier sérieusement Rob Morrison. Quand il se réveillait, il bénéficiait, à travers les épicéas, d'une vue incroyable sur le Pacifique. On avait l'impression d'être à la lisière de l'infini.

Maggie frappa à la porte de chêne.

— Rob ? Allez, réveillez-vous ! Vous reprenez votre service dans quatre heures. Debout !

J'entendis un mouvement à l'intérieur de la maison. Finalement, une voix masculine, profonde, répondit :

— C'est vous, Maggie ? Qu'est-ce que vous faites ici ? Que se passe-t-il ? Où en est Jilly ?

— Ouvez, Rob, et je vous raconterai tout.

La porte s'ouvrit sur un homme de mon âge, en jean serré, le dernier bouton ouvert, et la barbe matinale bien fournie. Le shérif avait vu juste : ce type avait une forme du tonnerre et, grâce à Dieu, s'était trouvé sur le lieu de l'accident au bon moment.

— Qui êtes-vous ?

— Je m'appelle Ford MacDougal, annonçai-je, la main tendue. Le frère de Jilly. Je tiens à vous remercier de lui avoir sauvé la vie.

— Rob Morrison, me répondit-il en serrant ma main dans sa forte poigne. Ah, je suis désolé qu'une chose pareille soit arrivée ! Comment va-t-elle ?

— Jilly est toujours dans le coma, l'informa Maggie.

— On peut se parler ? demandai-je.

Rob fit un pas de côté et nous invita à entrer.

— M. Thorne est venu il y a deux jours, ce qui fait que la maison est encore aussi propre que les souvenirs d'une vierge.

Maggie se tourna vers moi.

— Vous ne trouverez donc rien d'intéressant ici. Et surtout pas de la poussière.

— Oui, c'est nickel, dis-je.

— Je fais du café ? L'un de vous en prendra ? Noir comme du goudron et du genre dynamite ? ajouta Rob en me voyant acquiescer.

— C'est ça.

— Vous voulez un Earl Grey, Maggie ?

La jeune femme accepta, et nous traversâmes le séjour pour suivre notre hôte dans la petite cuisine.

— C'est agréable chez vous, dis-je. Qui est ce M. Thorne ?

Rob se retourna en souriant.

— La personne chargée de l'entretien de la maison. Il m'empêche de vivre comme un porc en venant une fois par semaine. C'est un ancien pêcheur de saumons descendu de l'Alaska. Il appelle ma maison son éprouvette.

Nous nous assîmes sur des tabourets devant le bar qui délimitait le coin salle à manger, face à deux larges fenêtres donnant sur le Pacifique. Bientôt je respirai avec bonheur l'odeur du café.

— Le petit noir de l'Edwardian avait un goût d'instantané bon marché, remarquai-je.

— Ce n'était pas autre chose, dit Rob. M. Pete aime le café en sachet et le prépare avec de l'eau tiède. Je ne serais pas étonné d'apprendre qu'il le touille avec son doigt.

Rob me tendit la tasse qu'il venait de remplir. Il versa ensuite de l'eau bouillante sur un sachet de thé, ajouta une sucrette qu'il fit dissoudre dans l'eau et présenta sa préparation à Maggie.

— Il n'y a pas de meilleur rituel au monde, commentai-je en soupirant.

— Pourquoi n'iriez-vous pas mettre une chemise, Rob ? proposa Maggie. Nous vous attendrons sagement.

— Pas question. Il faudrait d'abord que je prenne une douche. Discutons un peu. Je m'habillerai quand vous serez partis.

Devant Rob Morrison, je me sentais minable de la tête aux pieds. Ce type était probablement capable de m'envoyer par-dessus son épaule d'une seule main, et de m'abandonner là en sifflotant. C'était déprimant à en pleurer. Heureusement, le café me réveillait, et toutes mes douleurs avec moi. J'avais encore besoin d'une sieste, seulement, face à Rob Morrison, assis sur son tabouret, les jambes croisées, la tasse de café contre son ventre musclé, je me voyais mal m'affaisser ou même bâiller.

— Rob, dit alors Maggie en se penchant en avant, la tasse de thé entre les mains, racontez-nous en détail tout ce dont vous vous souvenez. Je vais vous enregistrer. D'accord ?

— Oui, pas de problème. Seulement je vous ai déjà tout dit.

— Mais je n'ai rien enregistré. Et puis, il faut que Mac vous entende. Reprenons par le début.

Maggie enregistra quelques commentaires préliminaires puis, après deux faux départs, Rob commença son récit, lentement et avec précision.

— Il était près de minuit, dans la nuit de mardi ; le 22 avril. Je remontais la corniche vers le nord. Je n'ai rien remarqué jusqu'à ce que je voie la Porsche blanche de Jilly en sortant d'un virage en épingle à cheveux. La voiture allait tout droit sur la rambarde. A aucun moment elle n'a ralenti. Elle a même accéléré. J'étais juste derrière. Je suis arrivé au bord de la falaise, quelques secondes après qu'elle l'a franchie. J'ai plongé à l'endroit précis où je voyais les phares sous l'eau. La Porsche s'est enfoncée jusqu'au fond, soit à environ six mètres. Comme sa vitre était complètement baissée et qu'elle n'avait pas bouclé sa ceinture, j'ai réussi à sortir Jilly sans perdre de temps. Puis j'ai pris de l'élan en donnant un coup de pied sur le fond et je suis remonté tout droit. Je pense qu'elle n'est pas restée sous l'eau plus de deux minutes.

« Ensuite, je l'ai tirée sur le rivage, et je me suis assuré qu'elle respirait encore. J'ai alors escaladé la falaise et j'ai appelé une ambulance depuis ma voiture. Ils sont arrivés au bout de douze minutes et l'ont conduite au Tallshon qui a au moins l'avantage d'être tout près. Voilà. C'est tout, Maggie. Je ne me souviens pas d'autre chose.

— Vous aviez reconnu la Porsche de Jilly ?

— Oh, ça ! Je l'aurais reconnue n'importe où, comme chacun de nous en ville.

— Vous aviez une idée de ce qu'elle voulait faire ?

— Non. J'ai appelé, j'ai hurlé, mais sans résultat. J'avais

l'impression qu'elle ne me voyait ni ne m'entendait. C'était peut-être le cas.

— Avez-vous vu quelqu'un ou quelque chose d'autre ?

— Non. Rien. Personne.

— Selon vous, Jilly Bartlett a-t-elle volontairement franchi le bord de la falaise ?

— C'est l'impression que j'ai eue.

— Croyez-vous fermement qu'elle a voulu se tuer ?

Rob Morrison m'adressa un regard désolé, et frotta son poing sur les poils noirs qui envahissaient son menton.

— Je suis vraiment désolé, mais c'est bien ce que je pense.

— N'aurait-elle pas perdu le contrôle de sa voiture à cause d'un problème mécanique ?

— Je n'ai rien remarqué de cet ordre. Les pneus sont intacts, il n'y avait pas de fumée qui sortait du capot, et aucune marque de dérapage n'a été relevée sur la route. Je suis navré, Mac.

Une demi-heure plus tard, j'étais assis avec Maggie dans sa voiture, devant la maison de Paul et de Jilly.

— Vous avez l'air sur le point de vous écrouler, me dit-elle. Pourquoi ne pas vous reposer un moment avant le retour de Paul ?

— Je n'ai pas la clef de la maison, et je me suis fait jeter du Buttercup... Mais je peux toujours me recroqueviller sur l'un des fauteuils de la véranda.

— Votre carrure vous en empêchera, observa Maggie tout en pianotant sur son volant. En attendant, puisque nous avons décidé de partager nos informations, vous devriez m'avouer ce que vous pensez de toute cette affaire. Vous m'avez dit qu'il y avait quelque chose que vous ne compreniez pas. De quoi s'agit-il ?

— Vous avez bonne mémoire. Mais si je réponds à votre

question vous allez penser que je suis fou, ou bien, comme j'étais à l'hôpital, que j'ai fait une réaction psychotique aux médicaments.

— On va voir. Dites toujours.

Je détournai le regard pour me remémorer la nuit du cauchemar.

— Dans mon lit d'hôpital, la nuit de l'accident, j'ai rêvé que Jilly était en difficulté. D'une certaine façon, j'étais avec elle quand elle a plongé.

Prêt à me moquer de moi-même, je me contentai de hocher la tête.

— Vous me prenez pour un malade, n'est-ce pas ?

Le regard posé sur moi, Maggie me répondit lentement :

— Je ne sais que penser. Qu'avez-vous fait ?

— Le lendemain, j'ai appelé Paul à la première heure, et j'ai découvert que mon rêve correspondait à la réalité. Je suis incapable de m'expliquer comment ce lien psychique s'est établi.

— Seigneur...

— Après je n'ai eu qu'une idée : sortir de l'hôpital. J'ai tout de même dû attendre deux jours. Les deux jours les plus longs de ma vie.

Maggie resta silencieuse un long moment, avant de se frotter la cuisse du plat de la main. Le pli de son pantalon était encore impeccable, comme si elle venait juste de s'habiller.

— Vous n'aviez jamais eu ce genre de lien avec Jilly, avant ?

— Non. Nous sommes quatre enfants dans la famille. Nos parents sont morts depuis un certain temps. Jilly a trois ans de plus que moi. Je suis le cadet. Nous n'avons jamais été très proches, et en plus, depuis des années, nos activités respectives nous séparent. Mais il y a eu ce fichu rêve. J'ai eu l'impression que quelque chose, ou quelqu'un, avait poussé Jilly à franchir la falaise. Elle était seule sans l'être.

— C'est incompréhensible.

— Oui. Pour le moment, en tout cas. Vous voulez que je vous surprenne un peu plus ? A la fin du rêve, j'ai entendu un homme crier. Et c'était la voix de Morrison. Je l'ai reconnue tout à l'heure.

— Mon Dieu...

— Une tentative de suicide me semble absolument exclue. Je ne pourrais y croire que si Jilly me l'avouait.

Je dégustais à petites gorgées un savoureux pinot noir, produit du vignoble Gray Canyon, dans la Napa Valley.

— Tu aimes le vin ? me demanda Paul.

— C'est un liquide plus noir que tous les péchés, dis-je en faisant lentement tourner dans le verre le vin qui clapotait en douceur contre le cristal. J'ai rencontré Rob Morrison, celui qui a sauvé Jilly.

— Oui, c'est effectivement lui. J'ai fait sa connaissance peu de temps après notre installation ici. Il m'a collé une contravention pour excès de vitesse. On m'a dit que tu avais aussi passé un certain temps avec Maggie Sheffield.

— Exact. J'ignore encore ce que je dois penser d'elle, mais elle m'a semblé correcte, une fois débarrassée de son a priori à l'égard des agents du FBI.

Paul se pencha en avant, les mains jointes, crispées l'une contre l'autre.

— Tu devrais te méfier d'elle, Mac.

— Pourquoi ?

— Ne crois pas que je sois trop dur ou sexiste. Mais il faut que je te le dise : c'est une garce, une emmerdeuse.

— Je n'ai pas eu cette impression.

Je coupai un autre morceau de mon steak. C'était bien meilleur que la salade de l'Edwardian.

— Elle veut découvrir pourquoi Jilly est passée par-dessus la falaise, et je trouve ça normal. Tu devrais être dans le même état d'esprit. Qu'est-ce que tu redoutes de sa part ? Qu'elle te colle une contravention, comme Morrison ?

— Non. Elle veut me rendre responsable de l'accident. Elle ne m'a jamais aimé. Elle estime que je ne mérite pas Jilly, et je n'apprécie pas ça du tout.

— Elle n'a pas eu un mot à ton sujet, Paul. Quand je suis arrivé, elle t'attendait dans sa voiture pour te parler.

— J'aimerais convaincre Geraldine de la licencier. Cette femme représente une menace. Elle n'aime pas les hommes, elle leur cherche tout le temps des noises. Tu as vu ce revolver qu'elle porte à la ceinture ? C'est ridicule. Edgerton est une petite ville tranquille. Personne ne devrait porter une arme. Evidemment, j'ai déjà parlé avec elle après l'admission de Jilly à l'hôpital.

— Qu'il soit un homme ou une femme, il est normal pour un policier de vouloir interroger quelqu'un plusieurs fois, remarquai-je calmement, surpris par le discours sexiste de Paul. Dans le stress et l'agitation du moment, il y a des choses que l'on oublie. Je parierais que toi-même tu auras plus à lui dire que la première fois.

— A quel sujet, bon sang ? Jilly est passée par-dessus cette foutue falaise, et je ne sais strictement pas pourquoi. Elle était un peu déprimée, mais qui ne l'est pas de temps en temps ? Il n'y a rien d'autre, Mac.

Je finis mon steak et me rejetai contre le dossier de la chaise. Après m'être frotté l'estomac, je pris une nouvelle gorgée de pinot. Pâle, les traits tirés, Paul avait l'air malade, apeuré. Ou bien c'était mon reflet que je voyais sur son visage. Je n'étais vraiment pas très frais.

— Es-tu certain qu'il n'y a rien d'autre, Paul ? Pour quelle raison Jilly était-elle déprimée ? Elle prenait des médicaments ? Elle voyait un médecin ?

Paul eut un rire tendu, crispé.

— Ecoute-toi : tu fais le super-flic avec toutes tes questions ! Non, ce n'était pas le cas. Je suis exténué, Mac. Je n'ai plus la force de parler. D'ailleurs, il n'y a rien d'autre à dire. Je vais me coucher. Bonne nuit, ajouta-t-il en se levant. J'espère que le grand lit de la chambre d'amis te conviendra. Il est peut-être un peu juste pour toi.

— Ça ira, Paul. J'ai dormi cet après-midi dans un des fauteuils de la véranda. Je crois que je vais aller à l'hôpital voir Jilly. Bonsoir.

Ford est revenu et m'a tenu la main comme lors de sa première visite. La chaleur de son contact était de nouveau indescriptible. Grâce à Dieu, je n'avais pas déliré. Je ne voulais pas perdre l'esprit après avoir perdu mon corps.

Mais à quand remontait sa première visite ? A ce matin ? A l'année dernière ? C'était bizarre de ne plus avoir conscience du temps. Je savais encore ce qu'était le temps, mais cela ne signifiait plus rien pour moi.

Il y avait derrière Ford d'autres personnes, floues, qui finalement nous laissèrent seuls.

— Jilly, dit-il.

J'aurais voulu pleurer de soulagement en entendant sa voix, mais j'ignorais si ce corps que je ne sentais plus était seulement capable de faire surgir des larmes.

Je voulais lui demander si l'on avait sorti ma Porsche de l'océan.

— Ma chérie, me dit Ford, je ne sais pas si tu m'entends. J'espère que tu le peux. J'ai parlé à Kevin et à Gwen, et les ai informés de ton état. Ils t'adressent leur affection et prient pour toi. Maintenant, Jilly, j'aimerais savoir pourquoi tu étais déprimée.

Déprimée ? Que voulait-il dire ? Je n'ai jamais été déprimée de ma vie. Qui avait prétendu le contraire ? Je hurlai tout cela à Ford, mais naturellement il n'entendit pas : mes paroles ne faisaient que résonner dans ma tête.

— Il faut que je sache ce qui t'a poussée à passer par-dessus cette falaise, Jilly. Je n'arrive pas à croire à ta déprime. Je ne t'ai jamais vue déprimée, même pas quand Lester Harvey t'a laissée tomber pour Susan, ton amie qui avait de gros seins. Je me souviens que tu as secoué la tête, affirmé qu'il n'était qu'une merde, et puis tu es allée de l'avant. Toutefois les choses changent. Nous ne nous sommes pas beaucoup vus ces cinq dernières années. Tu étais avec Paul. Bon sang, Jilly, que t'est-il arrivé ?

Ford appuyait son front sur ma main. Je sentais le doux sifflement de sa respiration sur ma peau. Non, je n'étais pas déprimée, voulais-je le rassurer. Comme il cherchait ce qui avait pu m'arriver, je lui dis :

— Ecoute, Ford, tu aimes faire l'amour ? Moi, ça ne m'intéressait pas beaucoup, jusqu'au jour où quelque chose s'est produit. Quelque chose de merveilleux.

Je me demandai si ma bouche n'esquissait pas un sourire. Sans doute que non. J'entendais la respiration calme, régulière de Ford. Il s'était endormi. Pourquoi ? Je me souvins tout à coup qu'il avait été à l'hôpital. Il me semblait me rappeler aussi qu'il avait été blessé.

J'aurais tellement voulu glisser mes doigts dans ses cheveux ! Ford a de beaux cheveux noirs, que le FBI aimerait bien voir plus courts. Mais ce sont ses yeux que je préfère depuis toujours. Des yeux d'un bleu foncé, exactement comme ceux de maman.

Des yeux au regard profond, doux, et parfois trop intense. J'avais entendu dire un jour qu'il sortait avec une certaine Dolores, résidant à Washington. Chaque fois que j'entendais son nom, j'imaginais une danseuse de flamenco. Aimait-elle faire l'amour avec lui ?

A bien y réfléchir, qui se souciait de mon sort ? J'étais là, dans cet hôpital, comme en prison, et Paul était libre de faire ce qu'il voulait. Mais ce n'était pas de lui que j'avais peur, mon Dieu, non ! C'était Laura qui m'effrayait. Elle était dangereuse, non ? Elle m'avait trahie. Elle avait pris possession de mon esprit et failli me tuer. Oh, Ford ! Si elle revenait, je ne pourrais pas le supporter. J'en mourrais.

Allongée sur mon lit d'hôpital, avec l'impression de flotter, je pensais à Laura, à sa trahison. Laura, toujours elle.

Une infirmière me réveilla quelques heures plus tard en posant la main sur mon épaule. Je levai la tête, la regardai, et dis :

— Toujours Laura. Laura l'a trahie.

L'infirmière leva un sourcil.

— Laura ? Qui est Laura ? Vous allez bien ?

Je regardai Jilly, muette et si pâle que sa peau semblait translucide.

— Oui, ça va, répondis-je.

Qui était Laura ? Je levai de nouveau les yeux vers l'infirmière, une toute petite femme, à la voix douce et veloutée comme celle d'une enfant. Je hochai la tête brièvement puis revins à Jilly dont les traits étaient presque invisibles dans la pénombre de la chambre. A l'évidence, quelqu'un était entré, m'avait vu endormi et avait éteint la lumière.

— Il faut que je la retourne, annonça l'infirmière calmement, et que je la masse. Afin d'éviter les escarres.

Je l'observai tandis qu'elle dénouait la blouse de Jilly dans le dos.

— Dites-moi. Que savez-vous sur le coma ? J'ai déjà parlé avec les médecins, mais je n'ai pas bien compris leur pronostic.

La petite femme commença à masser les épaules de Jilly avec une épaisse crème blanche.

— Vous vous souvenez de ce film avec Steven Seagal, où on le voyait sortir d'un coma de sept ans ?

Je me souvenais et du film et de l'admiration que je vouais à cet acteur depuis mon adolescence.

— Il avait une longue barbe, reprit l'infirmière, il était très faible, et il avait dû suivre un traitement pour retrouver ses forces. Mais au bout d'une semaine c'était fait. Seulement ça c'est Hollywood. En réalité, si une personne reste dans le coma au-delà de quelques jours, le risque d'une atteinte sérieuse augmente rapidement. Si vous l'ignorez, je suis désolée de vous apprendre qu'il existe plusieurs sortes d'atteintes cérébrales possibles : lenteur mentale, incapacité de marcher, de parler, et d'autres choses tout aussi effrayantes. La plupart du temps, les malades sortent très vite de leur coma, et n'ont pas de séquelles. Si Mme Bartlett sort du coma dans, disons, un jour ou deux, elle a une chance d'échapper à des séquelles graves. Mais ce n'est pas certain. On ne peut pas savoir à l'avance. On fait des prévisions, on émet des hypothèses basées sur des statistiques, mais en fin de compte chaque malade réagit à sa manière. Nous ne pouvons qu'espérer et prier.

« Dans le cas de votre sœur, on n'a rien pu déceler sur le plan anatomique. On se demande pourquoi elle est dans le coma. Ce qui prouve qu'on connaît encore bien mal ce genre de phénomène. Je regrette, monsieur MacDougal, mais je ne peux rien vous dire de plus.

L'infirmière m'avait donné de quoi réfléchir longuement. Je restai à l'hôpital jusqu'au matin, puis je regagnai sans me presser le 12, Liverpool Street. Dans mon sommeil, j'avais rêvé de Maggie Sheffield. Elle criait que Paul était un salaud qu'elle chasserait d'Edgerton.

5

Quand j'arrivai devant chez Paul, le lendemain à 10 heures, la voiture de Maggie Sheffield était, comme la veille, garée de l'autre côté de la rue.

Au moment où je pénétrais silencieusement dans le séjour, je l'entendis dire à Paul :

— J'ai appelé l'hôpital en cours de route. Mme Himmel m'a expliqué qu'il n'y avait pas de changement. Elle m'a dit aussi que Mac était resté toute la nuit au chevet de Jilly.

Paul marmonna.

— Comment se fait-il que vous passiez moins de temps que lui à l'hôpital, Paul ?

— Laissez-moi tranquille.

Paul ne paraissait pas particulièrement agacé, mais plutôt extrêmement las. A sa place, j'aurais eu envie de frapper Maggie.

Je m'avançai dans le séjour, une pièce très agréable qui faisait toute la largeur de la maison. De larges baies vitrées donnaient sur l'océan, et les murs étaient d'une blancheur immaculée. Egalement blanches, les grandes dalles qui couvraient le sol contrastaient avec le mobilier noir : le décor était minimaliste. Moi, ce genre d'épure me faisait grincer des dents. Je ne me voyais pas me détendre dans ce séjour, m'y asseoir tranquillement avec un bon livre, ou installer une télévision dans un coin et suivre un match de foot. C'était une pièce qui me donnait plutôt envie de fuir. Les tableaux – une dizaine de peintures abstraites se limitant à des coups de pinceaux jetés en noir et blanc sur la toile – étaient alignés, comme des soldats, sur un long mur blanc. Je voyais mal quelqu'un vivre dans une atmosphère aussi stérile. Jilly moins que quiconque. Je me souvenais de sa chambre d'adolescente, avec ses bleus, ses verts, ses couleurs orangées. Elle avait aussi, bien sûr, des posters de rockers sur les murs. On change, certes, mais à ce point... Etait-ce l'influence de Paul ?

Assise sur un long canapé de cuir noir, Maggie tenait un bloc-notes ouvert sur ses genoux.

— J'espère que vous allez bien, shérif, lui dis-je.

Elle portait un uniforme beige avec des chaussures de jogging. L'espace d'un instant, je l'imaginai sans son uniforme, comme dans mon rêve, la nuit précédente. Puis je remarquai qu'elle avait attaché à la hâte ses cheveux sur la nuque, à l'aide de l'une de ces barrettes que Sherlock, ma chère collègue, appelait une banane. Celles de Sherlock avaient toutes les couleurs de l'arc-en-ciel.

Maggie se leva.

— Mac, je vais bien, merci. Et Jilly ?

— Rien de nouveau.

— J'en suis navrée. Comment vous sentez-vous ?

— Ça va. Pas de problème.

— Vous avez bien meilleure mine. Hier vous aviez l'air d'avoir un pied dans la tombe. Venez vous asseoir. J'ai encore deux ou trois choses à voir avec Paul.

Assis sur une chaise de cuir noir, penché en avant, les mains sur les genoux, Paul n'avait pas bougé. Il semblait étudier une dalle à ses pieds.

— Il y a une petite rayure, observa-t-il.

— Une rayure ? Quelle rayure ? s'étonna Maggie.

— Là. Dans le coin droit, en haut. Je me demande comment ça a pu arriver.

— Ecoute, Paul, dis-je le plus sérieusement du monde. Je vais aller chercher des journaux et on les empilera sur la rayure.

— Bien sûr, Mac. Bien sûr. Tu es un philistin. Tu ne connais ni la sophistication ni même l'ordre. Allons, qu'on en finisse avec cette histoire. Je dois retourner à mon travail.

— Jilly m'a dit qu'à Philadelphie ils ne voulaient pas te laisser poursuivre ton projet, et que c'est pour cette raison que tu es venu t'installer ici.

— Exact.

— Mais en quoi consistent tes recherches ?

Je marchai sur un tapis aux dessins géométriques, dans les tons de la pièce, afin de m'approcher de l'une des baies vitrées.

— Je mets au point une fontaine de jouvence. Une pilule qui inversera le processus du vieillissement.

— Mon Dieu, Paul ! s'exclama Maggie, prête à tomber du sofa. C'est incroyable ! Pourquoi a-t-on voulu que vous arrêtiez ? Ça vaut tout l'or du monde, ce genre de découverte. C'est la fortune assurée.

— Ah, tout le monde voudrait retrouver sa jeunesse ! lança Paul avec un rire moqueur. Mais j'aurais d'abord dû trouver une pilule pour faire repousser mes cheveux, ajouta-t-il en montrant sa calvitie naissante.

— Si l'on pense à Jean-Luc Picard, dans *Star Trek*, on se dit que même au XXIVe siècle, il y aura encore des chauves. C'est mal parti pour vous, Paul.

— Sur quoi travailles-tu vraiment, Paul ? demandai-je.

— Ecoute, c'est quelque chose que je ne peux pas divulguer pour le moment, et qui d'ailleurs ne vous regarde ni l'un ni l'autre. Ça n'a rien à voir avec Jilly. Lâchez-moi, maintenant.

Maggie se rejeta au fond du canapé et fit cliqueter son stylo à bille.

— J'ai besoin de savoir ce que Jilly et vous avez fait mardi soir. Revenez en arrière. C'est l'heure du dîner. Vous avez pris votre repas ici, ou vous êtes sortis ?

— Pour l'amour du ciel, Maggie ! Ce que nous avons fait à cette heure-là importe peu, il me semble.

— Vous avez dîné ici, Paul ? demandai-je, toujours debout près de la fenêtre, les bras croisés.

— Oui. On a dîné ici. On a fait du flétan grillé. Jilly a préparé des toasts à l'ail, moi, une salade d'épinards. Du travail m'attendait après le repas. Jilly a dit qu'elle allait faire un tour en voiture, ce qui n'avait rien d'extraordinaire. Elle adorait conduire cette Porsche. Elle est sortie aux alentours de 21 heures.

— Morrison l'a vue franchir la falaise vers minuit. Donc, trois heures plus tard. C'est très long pour une simple balade.

— J'ai travaillé, puis je me suis endormi sur mon bureau. J'ai même laissé l'ordinateur allumé. Si Jilly est revenue entre-temps, je n'ai pas pu m'en apercevoir. Tout comme j'ignore si elle est restée trois heures dehors. Tout ce que je sais c'est que je l'ai vue sortir d'ici à 21 heures.

— Comment était-elle pendant le dîner ? Quelle était son humeur ?

— Maggie, vous connaissez Jilly. Elle plaisante tout le temps. Je me souviens au moins d'une plaisanterie sur le Viagra.

— Et votre travail, Paul, en quoi consiste-t-il ? Vous cherchez à cloner des petits Paul Bartlett ?

— Non, Maggie. Je n'aurais pas l'idée de me cloner avant d'avoir trouvé le moyen de me faire repousser les cheveux. Par contre, toi tu pourrais m'intéresser, dit-il en se tournant vers moi. Tu as de bons gènes, Mac. Tu aurais plu aux nazis, comme tu as plu au FBI. Tu serais partant ?

— Ainsi tu rapproches le FBI du nazisme...

Qu'est-ce que Paul nous cachait ? Comment pouvait-il y avoir un lien entre sa pilule miracle et l'accident de Jilly ?

— A mes yeux, remarqua-t-il en haussant les épaules, on peut établir plus d'un parallèle.

Je laissai courir.

— Donc, tu disais que Jilly t'a paru parfaitement normale pendant le dîner ?

— Oui. Elle a fait un repas léger. Elle voulait perdre deux ou trois kilos.

— Prenait-elle quelque chose pour maigrir ? demanda Maggie.

— Pas autant que je sache. Je regarderai dans l'armoire à pharmacie.

— D'accord.

— Est-ce vrai que vous faisiez l'amour tous les soirs ?

Au lieu de rougir jusqu'à la racine des cheveux, comme je m'y attendais, Paul s'emporta.

— Pourquoi cette question, Mac ? Tu crois que ça te regarde ?

— En février dernier, Jilly m'a parlé de sa vie sexuelle. C'était la première fois qu'elle le faisait si ouvertement.

— Qu'a-t-elle dit ? demanda Maggie.

Je la regardai et j'aurais juré qu'elle manifestait brusquement plus qu'un simple intérêt professionnel.

— En fait, elle m'a parlé indifféremment de sa nouvelle

robe, de Paul qui lui faisait l'amour chaque soir, de sa Porsche qui lui plaisait tant, d'un frère et d'une sœur, Cal et Cotter Tarcher. Et tout ça sur le même ton, presque sans émotion. Maintenant, quand j'y repense, je me dis que c'était plutôt bizarre.

On sonna à la porte à cet instant-là, et Paul se leva d'un bond.

— Oh, mon Dieu ! J'espère qu'il n'est rien arrivé à Jilly !

Pendant qu'il se précipitait dans le hall, Maggie se tourna vers moi.

— Mac, il y a quelque chose que vous n'avez sûrement pas envie d'entendre, mais dont il faut que je vous parle. Des rumeurs circulaient au sujet de Jilly. Ce n'était peut-être pas avec Paul qu'elle faisait l'amour si souvent.

J'aurais pu la frapper. Qu'est-ce qu'elle racontait ? Que Jilly avait des aventures ? Non, ça ne lui ressemblait pas. Mais je n'eus pas le temps de questionner Maggie : Paul revint, accompagné d'une jeune fille d'environ vingt-cinq ans. Deux barrettes de plastique retenaient ses cheveux bruns, épais et bouclés. La peau plus blanche que mes caleçons quand ils venaient d'être lavés, sans aucune tache de rousseur, elle portait des lunettes rondes, cerclées de métal doré, un jean trop grand et une chemise blanche qui lui descendait aux genoux, avec les manches roulées jusqu'aux coudes.

— Bonjour, Cal, dit Maggie en se levant lentement. Qu'est-ce qui t'amène ?

Ciel ! Cal Tarcher, en personne. La fille qui avait dû être jalouse de la nouvelle robe de Jilly. La sœur de Cotter, la petite brute épaisse. Elle releva la tête puis lança un regard furtif à Paul.

— C'est mon père qui m'envoie. Je suis heureuse que

vous soyez ici, Maggie. Vous êtes tous invités à la maison demain soir. Vous êtes le frère de Jilly ? me demanda-t-elle.

— Oui. Ford MacDougal.

— Moi, je suis Cal Tarcher. Comment va Jilly ?

— Son état est stationnaire. Elle est toujours dans le coma.

— C'est navrant. Hier soir, je suis allée la voir. L'infirmière m'a dit de lui parler de tout et de n'importe quoi, du temps, du dernier film de Denzel Washington. A propos de demain, vous viendrez tous ?

— Bien sûr, répondit Paul, un soupçon d'impatience dans la voix. Ton père donne des ordres, et on se bat pour être au premier rang.

— Vous êtes injuste, Paul, observa Cal sans nous regarder.

Elle fixait un tableau fait de deux longues diagonales noires qui traversaient la toile d'un blanc cassé.

— Nous nous faisons tous du souci pour Jilly, Paul. Papa espère que vous pourrez prendre le temps de passer au moins un petit moment à la maison. Il a très envie de rencontrer le frère de Jilly. Maggie, savez-vous si Rob travaille demain soir ?

— Question piège ! Pourquoi crois-tu que je connais son emploi du temps ?

— Vous êtes dans la police tous les deux.

— Ça, c'est sûr.

Cal Tarcher semblait mal à l'aise, gênée sans doute. Que fallait-il comprendre ? J'avais l'impression d'être arrivé au milieu d'une pièce de théâtre dont je ne connaissais pas du tout l'intrigue.

— Je l'appellerai, annonça la jeune fille à mi-voix.

Puis elle regarda Maggie dans les yeux.

— En fait, je pensais qu'il viendrait plus volontiers si

c'était vous qui le lui demandiez. Il vous écoute toujours. Moi, il ne m'aime pas. Il me trouve idiote.

— Ne sois pas ridicule, Cal, intervint Paul. Rob n'est hostile à personne. Il n'a pas d'énergie mentale à gaspiller. Je lui téléphonerai moi-même. D'accord ?

— Merci, Paul. Maintenant, je vais aller inviter Mlle Geraldine. Elle avait attrapé froid, mais elle se sent mieux. J'ai un gâteau fait maison pour elle. Mon père l'admire énormément, vous savez.

— Oui, mais ça me dépasse ! Mlle Geraldine Tucker est notre maire, ajouta Paul à mon adresse, et un ancien professeur de maths. Elle dirige aussi la ligue communale, l'assemblée des citoyens d'Edgerton, si vous préférez. Ses membres ont entre zéro et quatre-vingt-treize ans, l'âge de la doyenne, Mère Marco, qui tient encore la station d'essence sur la 76.

— Monsieur MacDougal, vous serez en fait le seul invité qui n'appartienne pas à la ligue, intervint la jeune fille.

— Bon. C'est tout ce que tu voulais nous dire, Cal ? demanda Paul. Nous sommes très occupés, tu sais. Maggie se comporte avec moi comme si j'étais responsable de l'accident de Jilly. Comme si c'était moi qui avais été au volant. Elle me harcèle de questions.

Maggie pointa son stylo sur Paul.

— C'est exact, Paul. Vous êtes d'autant plus suspect que Rob vous a aussi sorti de la Porsche, plaisanta Maggie. Avant que tu partes, Cal, dis-moi si tu as vu Jilly, mardi soir.

— Il y avait beaucoup de brouillard ce soir-là, remarqua Cal en regardant ses chaussures. Je me souviens que la petite amie de Cotter a annulé leur rendez-vous parce qu'elle ne voulait pas conduire avec ce temps-là.

— Jilly a eu son accident à minuit, dis-je. Il y avait encore du brouillard à cette heure-là ?

— Pratiquement plus, affirma Maggie. Ici, les changements sont rapides. Il arrive que le brouillard passe, léger comme un voile de mariée. Ou bien il tombe, épais comme une couverture, mais peut très bien disparaître en un clin d'œil. Ce fut le cas mardi dernier. La copine de Cotter devait passer chez vous ?

Cal hocha la tête et me regarda bien en face pour la première fois.

— Cotter apprécie que les filles viennent le chercher. Il dit que si elles conduisent, ça leur donne un sentiment de puissance. Et si elles s'ennuient avec lui, elles peuvent tout simplement le faire descendre et le laisser sur le bord de la route.

— Alors, tu as vu Jilly, ou non ? insista Maggie.

J'avais bien l'impression que le shérif n'aimait pas Cal Tarcher, et je me demandai pourquoi. Cal me semblait parfaitement inoffensive. Elle était en outre d'une timidité presque gênante, tout à fait le contraire de Maggie. C'était peut-être, d'ailleurs, ce que cette dernière n'appréciait pas.

— Oui, je l'ai vue, avoua Cal.

Elle se rapprocha de la porte, comme si elle avait envie de se sauver.

— Il devait être environ 21 h 30. Elle descendait la Cinquième Avenue au volant de sa Porsche, avec la radio presque à fond. Je dînais à l'Edwardian. Il y avait une dizaine d'autres clients. Nous sommes tous sortis pour lui faire signe. Elle chantait à tue-tête.

— Elle chantait ? m'étonnai-je.

— Oui. Des airs d'*Oklahoma*. Et elle riait. Oui, je m'en souviens, elle riait, et elle nous a crié qu'elle allait donner la sérénade à tous les morts du cimetière. Ensuite elle a fait demi-tour et elle a remonté l'avenue.

— En gros, tous les témoignages se rejoignent, remarqua Maggie. Le cimetière se trouve juste à la sortie sud de la ville, à proximité de l'océan. Mais, beaucoup plus tard, Jilly est allée vers le nord, en suivant la route de la corniche.

Je me souvins que Rob Morrison vivait au sud d'Edgerton. Non, me dis-je, Jilly n'était pas infidèle, non, pas elle. Elle voulait un enfant, et elle le voulait avec Paul. Je sentais cependant que je n'en resterais pas là. Que j'interrogerais Maggie à ce sujet.

— Elle est peut-être allée au cimetière, et il est arrivé quelque chose, avança Cal.

— Que veux-tu dire ? lui lança Maggie.

— Je ne sais pas exactement, admit Cal en détournant le regard. Quelquefois on voit des ombres bizarres là-bas, on entend des murmures, des petits bruits. J'ai l'habitude de me dire que ce sont les arbres qui se parlent entre eux ; les cyprès donnent toujours l'impression de se regrouper autour des tombes. On peut imaginer que leurs racines s'enroulent autour des vieux cercueils et arrivent peut-être à les faire craquer et à libérer...

Cal haussa les épaules, puis tenta de sourire.

— Non, tout ça, ce ne sont que des idioties, n'est-ce pas ?

— Oh, oui ! s'exclama Maggie. De vraies idioties. Les morts ne sont que de vieux os qui tombent en poussière, et qui ne risquent pas de sortir du cimetière. Ecoute, Cal. Mac ignore que tu es un peu excentrique et que tu ne manques pas d'imagination. Il ne doit rien comprendre. Arrête ton petit jeu.

— N'empêche que je n'irais pas là-bas la nuit. Même si j'avais bu. C'est un endroit qui donne froid dans le dos.

— Vous voulez dire que Jilly semblait ivre quand vous l'avez vue, à 21 h 30 ? demandai-je.

Devant le silence de Cal, Maggie reprit la parole.

— Aucun témoin n'a suggéré que Jilly avait peut-être bu. Elle était de très bonne humeur, a dit M. Pete, et ça lui ressemblait. J'ai interrogé les médecins sur les résultats des tests. Son taux d'alcoolémie indiquait qu'elle avait dû boire deux verres de vin. Rien de plus. Quant à la drogue, le test était négatif. Alors oublions cette histoire d'ivresse. Est-ce que tu l'as revue plus tard, Cal ?

La jeune fille hocha la tête mais, tandis qu'elle faisait un pas de plus vers la porte, je m'empressai de me rapprocher d'elle tout en m'adressant à Maggie et à Paul.

— Pendant que vous continuez de parler tous les deux, je vais raccompagner Mlle Tarcher à sa voiture.

Je crus que Cal allait sortir en courant afin de m'échapper. Qu'est-ce qui ne tournait pas rond ? Qu'avait-elle ?

— Attendez, Cal !

J'avais adopté ma voix profonde, pleine d'une froide autorité ; le ton parfait de l'agent du FBI. La jeune fille s'arrêta net. Je la pris alors par le coude et l'entraînai dehors.

C'était un matin clair, frais, traversé par un petit vent agréable qui vous ébouriffait gentiment. Je respirai avec bonheur l'air océanique encore tout nouveau pour mes poumons.

Je la suivis silencieusement jusqu'à sa voiture, une BMW Roadster, bleu clair. Elle marchait d'un pas rapide, en regardant de nouveau ses chaussures, visiblement pressée de se débarrasser de moi. Quand elle ouvrit sa portière, je lui touchai l'épaule.

— Une minute, mademoiselle Tarcher. Qu'est-ce qui ne va pas ? Qui vous fait si peur ?

Levant la tête, elle me regarda. Elle avait des yeux gris-bleu, un regard posé, intelligent, mais avec quelque chose de plus qui m'échappait. Elle se redressa, le torse en avant, et je m'aperçus qu'elle était moins petite que je ne l'avais cru. En fait, elle me parut même plutôt grande tandis qu'elle se tenait devant moi avec une arrogance certaine.

— Ça, monsieur MacDougal, ça ne vous concerne pas. Bonne journée. Je vous verrai demain soir, à moins que vous ne décidiez de quitter Edgerton plus tôt que prévu.

Elle regarda la maison pendant quelques instants, puis ajouta :

— Qui se soucie de ce qui peut me faire peur ?

— Moi.

Elle eut un petit hochement de tête indifférent, monta dans sa voiture et, dix secondes plus tard, disparaissait dans le virage, sans avoir jeté le moindre coup d'œil derrière elle.

Apparemment, il y avait en elle deux facettes bien distinctes, et ça me rendait fou de constater que je n'étais au courant de rien, que je ne connaissais personne et ne disposais d'aucun moyen d'y voir un peu plus clair.

Je me tournai vers l'océan, calme, à l'horizon infini. Un seul bateau, un bateau de pêche, voguait sur ses flots paisibles à quelque deux cents mètres du rivage. On apercevait deux personnes, assises et immobiles sur l'embarcation. Je soupirai, fis demi-tour et me dirigeai lentement vers la maison.

Maggie redescendait en courant les marches du perron

tout en remettant son téléphone portable dans la poche de sa veste.

— A plus tard, Mac. Le Dr Lambert vient de m'avertir que Charlie Duck s'est fait assommer. Grâce à Dieu, Charlie et le Dr Lambert sont voisins. Charlie a réussi à ramper jusqu'à sa porte avant de perdre conscience. Mais il paraît qu'il a reçu un sacré coup. Je vais là-bas tout de suite.

— Il s'agit du vieux monsieur que vous m'avez présenté à l'Edwardian, hier ? Il voulait me parler. Qui pouvait avoir envie de l'assommer ? Bon dieu, c'est insensé !

— Je suis bien de votre avis. Allez, j'y vais. A plus tard.

J'espérai que le vieux Charlie se remettrait. Mais un sévère traumatisme crânien est rarement sans conséquence. Que voulait-il me dire ? Qu'est-ce qui avait poussé quelqu'un à l'assommer ?

6

Sur la Cinquième Avenue, j'achetai à la viennoiserie deux sandwiches que je rapportai à Liverpool Street. Je dus arracher Paul à son labo pour qu'il vienne s'asseoir, à 12 h 30, à la table de la salle à manger.

Il posa devant nous une canette de bière fraîche.

— Je n'ai pratiquement rien fait, annonça-t-il en s'asseyant. Je n'arrive plus à me concentrer, à résoudre la moindre difficulté.

Il retira son sandwich du papier qui l'enveloppait.

— Ah, du roast-beef bleu ! Ce que je préfère. Comment le savais-tu, Mac ?

— Jilly m'a dit un jour que tu ne mangeais le roast-beef qu'à moitié cru. Et avec une bonne couche de mayonnaise. La vendeuse aussi le savait.

Paul se figea.

— Je ne peux pas croire que Jilly ne soit pas ici en train de me traiter de crétin parce que j'ai oublié quelque chose qu'elle m'a demandé de faire, ou de me prier de la laisser travailler tranquillement, comme si son travail était plus important que le mien. Elle m'engueule et, la minute suivante, elle rit, se penche vers moi et me mord l'oreille. Bon sang, c'est dur, Mac !

— Paul, qui est Laura ?

Je crus qu'il allait avoir une crise cardiaque. Il sursauta, renversa de la bière sur sa main et son poignet. Sans un juron, sans le moindre mot, il regarda fixement le liquide goutter de sa main sur l'acajou de la table.

Je lui tendis sa serviette de papier, et, quand il eut fini d'essuyer, je répétai :

— Qui est Laura, Paul ?

Il mordit dans son sandwich et mâcha lentement en évitant mon regard. Puis il prit une longue gorgée de bière.

— Laura ? dit-il finalement. Il n'y a pas de Laura.

A trente-six ans, maigre comme un clou, Paul s'appliquait à ne jamais être négligé. Ce jour-là, il portait un tee-shirt Ralph Lauren, d'un vert sombre, un pantalon kaki et des mocassins italiens beiges. Jilly l'avait toujours considéré comme un génie. Rien de moins. Elle avait peut-être raison, mais pour ce qui était de mentir, il était nul, et je n'avais pas l'intention de faire semblant de le croire.

— Laura, Paul. Parle-moi d'elle. C'est important.

— Pour quelle raison, en l'occurrence ? Mais d'abord comment connais-tu son nom ?

— Je l'ai entendu dans la bouche de Jilly.

Je n'allais pas lui raconter que je m'étais réveillé à l'hôpital, le front sur la main de ma sœur, en l'entendant prononcer le prénom de Laura. Ça ressemblait trop à une histoire de fou.

Renversé contre le dossier de ma chaise, je précisai :

— Elle ne m'a rien dit de plus à son sujet. (« Sinon que Laura l'avait trahie », ajoutai-je pour moi-même.) Je ne connais que son prénom.

J'eus l'impression que Paul paraissait soulagé, et je pensai que je venais de commettre une gaffe. Jamais je n'aurais dû lui dire que je ne savais rien de cette femme. On m'avait entraîné à mentir, à bluffer, et je commençais à fléchir. Mais qu'est-ce qui poussait Paul à dissimuler la vérité ? Je m'étais à peine posé la question que je compris ce que Jilly avait voulu dire. Laura l'avait trahie avec Paul, son mari.

Il mordit de nouveau dans son sandwich. De la mayonnaise déborda sur les côtés et tomba sur sa serviette. Je le vis mâcher consciencieusement ; une façon de gagner du temps pour préparer une réponse.

— Elle ne compte pas, expliqua-t-il finalement après un long silence. C'est simplement une femme qui vit dans la région, à Salem. Je ne suis même pas sûr qu'elle soit la Laura dont Jilly t'a parlé. Pour autant que je sache, Jilly ne l'a jamais rencontrée et n'a même pas entendu parler d'elle. Je ne comprends pas comment elle a pu prononcer ce prénom.

D'une main ferme cette fois-ci, Paul prit sa bière et but.

— Comment l'as-tu connue ? Quel est son nom de famille ?

— Encore des questions, Mac, à propos d'une personne que Jilly a évoquée incidemment ? Où veux-tu en venir ?

— Jilly a ajouté qu'elle avait été trahie par Laura. Que voulait-elle dire ?

Paul n'aurait pas eu l'air plus sonné si je lui avais envoyé mon poing dans la figure. Il secoua la tête, comme pour s'éclaircir les idées.

— Bon. Allons-y ! Il y a eu une Laura, mais je ne la vois plus depuis des mois. J'ai rompu. J'avais perdu la tête. Je me suis rendu compte que je tenais à Jilly par-dessus tout et je n'ai pas revu Laura depuis mars.

— Elle a donc été ta maîtresse ?

— Ça te dépasse, Mac ? Tu me regardes et tu vois un intello, avec dix ans de plus que toi, et qui ne te ressemble en rien. Je n'ai pas tes muscles. Je ne suis pas un flic macho, avec tous ses cheveux, une carrure à faire frémir, et des terroristes dans le collimateur. Tout ce que tu peux te dire c'est que je dois être assez brillant, intellectuellement, puisque j'ai plu à ta sœur.

Je m'efforçai de prendre une autre bouchée de mon sandwich au thon, en songeant qu'ainsi Jilly avait été trahie et par cette Laura et par son mari. Sauter par-dessus la table et arracher la tête de Paul Bartlett ne m'aurait pas déplu. Je m'appliquai à mâcher lentement, comme Paul venait de le faire, ce qui me donna le temps de me calmer. J'avais avant tout besoin de garder mon sang-froid.

— Je tiens à être clair, Paul, dis-je au bout d'un moment, sans la moindre trace de colère dans la voix. Je trouve difficile de croire que tu aies couché avec une autre femme, parce que tu es un homme marié, et apparemment satisfait de son mariage. Un type marié n'est pas censé tromper sa femme.

— Je le regrette, bon dieu ! Je ne voulais pas faire de mal à Jilly. Tu vois bien que je suis désolé.

— Quel est le patronyme de cette femme ?

— Scott. Laura Scott. Elle est bibliothécaire à Salem. C'est sur son lieu de travail que je l'ai rencontrée.

— Qu'étais-tu allé faire à la bibliothèque de Salem ?

Paul haussa les épaules.

— On y trouve beaucoup de livres scientifiques. J'y allais pour mes recherches, de temps en temps.

— Comment Jilly a-t-elle découvert que tu couchais avec Laura ?

— Je n'en ai aucune idée. Je ne le lui ai jamais dit. Elle connaît Laura. Elles sont amies.

— Donc Jilly allait aussi là-bas ?

— C'est un endroit qui lui plaît. Mais ne me demande

pas pourquoi. Ecoute, Mac, Laura est timide, renfermée. Ce n'est pas elle qui a pu raconter quoi que ce soit à Jilly. Je ne vois vraiment pas comment elle a pu l'apprendre. Ce sont deux femmes à l'opposé l'une de l'autre. Jilly est belle, talentueuse, expansive, comme vous l'êtes tous dans la famille : toi, Gwen, Kevin. Elle a un maintien altier, et dégage une constante confiance en elle-même. Elle est sûre d'être la meilleure. Laura, elle, est tout le contraire. Elle est si effacée qu'elle pourrait passer pour une ombre.

— Pourquoi cette liaison avec elle, Paul, si elle est effacée à ce point ?

Mon beau-frère regarda les restes de son sandwich.

— Tu connais la vieille ritournelle : on n'a pas constamment envie de manger le même plat tous les jours... J'ai dû avoir besoin d'un petit changement.

— Laura Scott est toujours à Salem ?

— Je n'en sais rien. Elle l'a mal pris quand je lui ai annoncé que c'était fini. Mais j'ignore si elle est restée là-bas ou non. Quelle importance ? Je te le répète, Jilly n'aurait jamais dû être au courant. J'ai peut-être prononcé le prénom de Laura en rêvant. Mais qu'importe, Mac ! C'est du passé.

Je cachai à Paul que, pour ma part, j'accordais une importance capitale à cette histoire. La trahison de Laura avait tant marqué Jilly qu'elle en avait parlé du fond de son coma. Etait-ce à cause de cette femme que Jilly était passée par-dessus la falaise ?

Une heure plus tard, je roulais sur l'autoroute en direction de Salem.

Capitale de l'Oregon, Salem est située au cœur de la vallée de la Willamette, au bord de la rivière du même nom, à moins de soixante-dix kilomètres de Portland ; un saut de puce, comme disent les Indiens. Je me souvins que Jilly m'avait expliqué un jour, en buvant son troisième verre de vin blanc, que le nom indien de la ville, *Chemeketa*, signifie « lieu de repos ».

En arrivant à Salem, je m'arrêtai sur un petit parking et appelai les renseignements. Il n'y avait pas de Laura Scott dans l'annuaire, seulement un certain L.P. Scott. Je demandai le numéro de la bibliothèque municipale. Il ne me fallut que dix minutes pour trouver le grand bâtiment de béton, entre Liberty et Commercial Street, tout près de l'université Willamette, au sud du centre-ville. Une grande cour reliait la bibliothèque à l'hôtel de ville, comme si elle était surveillée par les bureaucrates. Dès qu'on y pénétrait, on oubliait la laideur de l'extérieur. La pièce était aérée, lumineuse, avec une moquette turquoise, des étagères orange. Je n'aurais pas choisi ce genre de couleurs, mais elles devaient empêcher les lecteurs de s'endormir. Je me dirigeai vers le bureau des emprunts et demandai si Mme Scott travaillait là.

— Mme Scott est la responsable de notre service, m'apprit un homme au fort accent du Centre-Est.

Il me montra l'angle droit de la grande salle de lecture vers lequel je me dirigeai après l'avoir remercié.

Je m'arrêtai à côté de la section consacrée à l'art de la Renaissance et regardai la femme qui parlait doucement à un étudiant boutonneux dont le jean frôlait le bas des fesses et tombait comme un sac trop large.

Quand il s'éloigna pour aller chercher quelque chose dans la section périodiques, il me permit de découvrir entièrement Laura Scott. En pensant que Paul m'avait dit qu'elle était terriblement timide et renfermée, je me demandai si cet imbécile était aveugle. En fait, il m'avait suffi de poser les yeux sur elle pour éprouver une telle attirance sexuelle que je dus m'appuyer aux rayonnages supportant les livres consacrés à l'histoire anglaise du XIXe siècle… Comment avait-il pu prétendre que Laura Scott était une femme d'apparence insignifiante ? Grande, svelte, elle avait une allure folle, même dans un tailleur un peu trop long et d'un vert olive plutôt terne. Elle aurait eu sur le dos un sac à pommes de terre que ça n'aurait rien changé. On distinguait dans ses cheveux plusieurs nuances qui allaient du châtain foncé au blond cendré. Elle les portait aplatis sur la tête, retenus par de multiples barrettes ; je les devinais cependant longs et luxuriants. Elle avait vraiment une très belle chevelure qui me donnait envie d'envoyer toutes ces barrettes au panier. Je compris que Paul ait pu perdre la tête au premier regard. Mais pourquoi m'avait-il raconté qu'elle était quelconque ? Voulait-il éviter que je m'intéresse à elle ?

J'avais devant moi une femme affichant une allure stricte, professionnelle et qui, pourtant, étincelait. Je m'appuyai de nouveau contre les bouquins d'histoire anglaise. Oui, je la trouvais étincelante. Bon dieu, je m'emballais ! Cherchait-elle à paraître passe-partout afin de tenir les hommes à distance ? En tout cas, avec Paul, ça n'avait pas marché.

Et avec moi, l'effet était tout aussi raté. Je me ressaisis en songeant que cette femme et Paul avaient trahi Jilly. Je me le répétai plusieurs fois pour être bien certain de ne pas oublier.

Dès que l'étudiant dans son pantalon flottant eut disparu derrière une étagère orange, je m'approchai de Laura.

— Ah, ces étudiants d'aujourd'hui ! Quelquefois j'ai envie de tirer sur leur jean et de leur donner une bonne fessée. Rien ne serait plus facile. Celui à qui vous parliez, il lui aurait suffi de tousser pour se retrouver en slip.

Le visage jeune, lisse, elle me regarda pendant trois secondes sans changer d'expression, comme si elle ne m'avait pas entendu. Puis elle se tourna vers l'étudiant qui se penchait sur une étagère afin de prendre une autre revue, la braguette au niveau des genoux. Quand elle revint à moi, elle resta encore trois secondes sans réaction, puis me surprit en éclatant de rire, la tête rejetée en arrière. Ce fut comme un roulement de tambour dans le silence de la bibliothèque.

L'homme qui m'avait renseigné leva les yeux de son travail, regarda autour de lui, bouche bée, et son étonnement fut sensible malgré la distance qui nous séparait.

Le rire de Laura n'était pas du tout celui d'une femme effacée. Il résonnait, plein, profond et charmant. Je lui souris, la main tendue.

— Bonjour. Je m'appelle Ford MacDougal. Je viens d'arriver et de commencer mes cours à l'université. J'enseigne la politique du continent européen, essentiellement au cours du XIXe siècle. Je voulais jeter un coup d'œil à la documentation que mes étudiants peuvent trouver hors campus. J'aime beaucoup les étagères orange et la moquette turquoise.

— Dois-je vous appeler « monsieur » ou « docteur » ?

— Oh ! « Docteur » m'a toujours paru un peu bizarre, du moins en dehors de l'université. Pour moi, ce titre appartient au corps médical. Je ne voudrais pas avoir l'impression de pratiquer des examens de proctologie quand je préfère de beaucoup parler des guerres en Lettonie.

De nouveau, elle resta impassible. Puis elle ouvrit la bouche et laissa échapper un éclat de rire tonitruant qu'elle s'empressa cette fois-ci d'étouffer de la main.

— Pardonnez-moi, dit-elle en s'efforçant de se contrôler au risque de suffoquer. Je ne suis pas comme ça d'habitude. Je suis très sérieuse au contraire. Je ne ris jamais.

Elle s'éclaircit la gorge, tira sur les revers de sa veste, et ajouta :

— Donc, je vous appellerai simplement monsieur MacDougal. Mon nom est Laura Scott. Je suis la bibliothécaire en chef de cet établissement.

— Vous avez un rire splendide, dis-je tandis que nous nous serrions la main. Vous savez, tout le monde m'appelle Mac, ajoutai-je.

Elle avait de la force, des mains étroites, des doigts effilés, des ongles soignés.

— Depuis quand travaillez-vous ici ?

— Presque quatre mois. Je suis originaire de New York, mais je suis venue suivre des cours à Willamette pour obtenir un diplôme de bibliothécaire. C'est mon premier travail, ici, sur la côte Ouest. La seule chose négative, c'est le salaire très peu princier qu'ils m'accordent. J'ai à peine de quoi nourrir Grubster, un chat de gouttière que j'adore. Et puis Nolan aussi a un sacré appétit. Oh ! c'est mon oiseau.

Comme j'aimais les animaux domestiques, je l'avais écoutée jusqu'au bout. Mais je pensais surtout à sa bouche que je trouvais magnifique avec ses lèvres pleines, à peine fardées, et dont j'avais du mal à détacher mon regard. Je me grattai la gorge, conscient de me comporter comme un adolescent.

— Vous avez raison. Les questions d'argent sont toujours pénibles. Moi qui mange beaucoup, j'ai la chance de ne pas être obligé de partager mes céréales avec un Grubster ou un Nolan. Je n'ai que moi à nourrir.

L'université cherche aussi à faire des économies sur notre dos. J'ai un bureau avec des fenêtres, mais le chauffage central doit remonter au Déluge : on entend la vapeur siffler quand elle sort des tuyaux.

Cette fois-ci, Laura battit des paupières au moins une dizaine de fois, s'abstint de pouffer, mais eut quand même un petit rire irrépressible. Il était évident qu'elle me trouvait drôle, et cela me rendait heureux.

Alors que j'étais venu pour jouer un rôle, lui faire avouer la vérité, la charmer s'il le fallait, j'éprouvais maintenant l'envie de l'enlever et de l'emmener à Tahiti. Et je détestais ça.

— Vous savez déjà où vous allez dîner ? demandai-je. Comme je vous l'ai dit, ajoutai-je devant son silence, je viens d'arriver. Par conséquent, je ne connais personne. Si vous craignez que je sois un autre Jack l'Eventreur, on pourrait toujours rester par ici. Comme ça je ne risquerais pas de vous kidnapper, ou de vous sauter dessus, ce qui est très malséant quand on connaît à peine quelqu'un. Que diriez-vous du café Amadéus que j'ai remarqué au rez-de-chaussée ?

— Plutôt mourir que de manger une autre salade dans ce tord-boyaux.

Laura jeta un coup d'œil à la grande horloge ronde, juste au-dessus de la section médiévale, me sourit et hocha la tête.

— Je connais un endroit sympathique, au bout de la rue.

Une heure plus tard, après une visite solitaire de la bibliothèque, je descendais avec elle Liberty Street pour aller au Mai Thai, un endroit qui se révéla un excellent restaurant, en dépit de ses abords sombres et poussiéreux.

Avant de sortir de la bibliothèque, Laura avait défait ses cheveux. J'avais envie de glisser mes mains dans cette chevelure qui tombait sur ses épaules tandis qu'elle se penchait vers moi. A aucun moment je ne l'avais trouvée timide et renfermée. Au contraire, elle était ouverte, rieuse, et me donnait le sentiment que j'étais le type le plus fascinant de la planète. Elle avait eu vingt-huit ans en mars, elle était célibataire, vivait dans un appartement au bord de la rivière, pratiquait le tennis, le squash, et adorait l'équitation. Son manège préféré se trouvait à la sortie de Salem.

La sentant à l'aise avec moi, je n'avais pas envie que ça change, et je m'inventai une vie d'universitaire typique, truffée d'histoires que m'avaient racontées des amis et des parents. Mais, tout en la regardant manger les derniers morceaux de son poulet au saté, je sus que le jeu était terminé. Je n'étais pas venu pour flirter et entreprendre une liaison avec une femme séduisante.

— J'ai de la famille à Edgerton, annonçai-je en l'observant comme un serpent une mangouste. C'est une petite ville de la côte, dans l'Oregon, juste à une heure d'ici.

Laura Scott continua de mâcher son poulet, mais un changement se produisit instantanément en elle. Merde ! me dis-je. Son regard, jusque-là doux et vague derrière ses lunettes, révéla une attention aiguë. Mais elle resta silencieuse.

— Mon cousin, Rob Morrison, est dans la police. Il habite une petite maison, presque au bord de la falaise. Vous regardez par la fenêtre, et vous avez l'impression d'être sur un bateau. Si vous fixez l'océan, au bout d'un moment, vous croyez sentir le roulis. Vous avez déjà entendu parler d'Edgerton ? Vous connaissez quelqu'un là-bas ?

Allait-elle mentir ?

— Oui, dit-elle. Je connais quelqu'un qui y vit et qui m'en a parlé.

La surprise faillit me faire tomber de la banquette. Mais ne devais-je pas cet aveu au fait que je sois pour elle un parfait étranger et qu'elle n'ait aucune raison de se méfier de moi ?

— Vous connaissez mon cousin ?

— Rob Morrison ? Non. Je ne crois pas l'avoir rencontré.

— Non, sans doute. Sinon vous vous souviendriez de lui. C'est un athlète. Une vraie armoire à glace.

Elle poussa un profond soupir, et, les mains sur la poitrine, roula les yeux. Personne sur cette planète n'aurait prétendu qu'elle était insignifiante. Décidément, je la trouvais magique.

— Alors, effectivement je ne le connais pas. Mais je connais les Bartlett : Jilly et Paul Bartlett.

— Le monde est petit, dis-je en espérant que ma voix n'avait pas tremblé. Je les connais aussi.

Je pris une cuillerée de potage au lait de coco avant de reprendre :

— Vous êtes un peu plus jeune que Jilly. Vous n'étiez donc pas à l'université ensemble. Comment vous êtes-vous rencontrées ?

— Elle est venue à la bibliothèque, il y a environ cinq mois. Nous nous sommes parlé. Elle cherchait quelque chose sur la stérilité. Je lui ai suggéré de consulter Internet, en lui proposant de lui montrer comment faire à partir de la bibliothèque ; mais elle m'a dit ne rien comprendre aux ordinateurs. Par la suite, je l'ai vue une ou deux fois par semaine, ici ou à Edgerton. J'ai ensuite fait la connaissance de Paul, il y a trois mois, je crois.

Appuyé au dossier de la banquette en vinyle rouge sombre, je me mis à jouer avec ma fourchette. Pourquoi Jilly avait-elle menti à propos des ordinateurs ? Depuis toujours, elle les adorait. Et que venait faire cette histoire de stérilité ?

— Ainsi, Jilly est une amie à vous ? dis-je finalement.

— Oui.

— Vous n'avez jamais été la maîtresse de Paul Bartlett ?

Je vis Laura pencher la tête sur le côté, ses beaux cheveux glissant par-dessus son épaule, presque au ras de son assiette.

— Qu'est-ce que tout cela signifie, monsieur MacDougal ? C'est Jilly qui vous envoie ? Que se passe-t-il ?

— Mademoiselle Scott, je vous ai menti. Je n'enseigne pas à l'université de Salem. Je ne sais rien des guerres en Lettonie. Je ne suis entré à la bibliothèque que pour vous rencontrer. Une seule chose est vraie : mon nom, Ford MacDougal. Je suis le frère de Jilly. Elle est à l'hôpital Tallshon. Dans le coma.

Laura laissa tomber sa cuillère de porcelaine dans le potage. Elle avait tellement blêmi que je crus qu'elle allait s'évanouir. A moitié debout, je me rassis quand je compris qu'il n'en était rien. C'était plutôt moi qui n'allais pas fort.

— Je suis désolé de vous avoir menti, mais je ne pouvais pas faire autrement, en dépit de ce que j'ai ressenti pour vous dès que je vous ai vue.

Si mon patron m'avait entendu, il aurait hurlé de rire.

— Mon Dieu, Jilly est dans le coma ? dit Laura, redevenue maîtresse d'elle-même. C'est ahurissant. Impossible.

— Pourquoi ?

— Je l'ai encore vue mardi soir, à Edgerton.

7

Je ne m'étais pas senti aussi idiot depuis le lycée, le jour où Mme Zigler m'avait fait remarquer que *Wuthering Heights*[1] n'était pas du tout un quartier chic de Londres.

Pendant un bon moment, je regardai Laura Scott, ébahi.

— Vous étiez avec Jilly et Paul, mardi soir ? demandai-je finalement.

— Oui. Ils avaient préparé une sorte de petite soirée. Mais j'ai dû partir tôt, et j'ignore ce qui s'est passé ensuite.

— Qui était présent ?

— Oh, seulement eux et moi ! J'ai cru comprendre qu'ils attendaient d'autres personnes, mais je suis partie avant. Mon chat, Grubster, est sous traitement, et je suis rentrée pour lui donner ses médicaments. Mais parlez-moi plutôt de Jilly. Que lui est-il arrivé ? Elle va s'en sortir ?

— Personne ne peut le dire.

— Qu'a-t-elle donc fait ?

— Sa Porsche a plongé par-dessus la falaise et s'est enfoncée sous six mètres d'eau. Un policier qui passait par là a réussi à la sauver. Elle m'a dit il y a peu de temps que vous l'aviez trahie. Que dois-je comprendre ?

---

1. Titre original des *Hauts de Hurlevent*. *(N.d.T.)*

Secouant la tête, Laura envoya de nouveau sa chevelure frôler dangereusement les restes du poulet au saté.

— C'est à cause de ça que vous avez voulu me rencontrer ? Vous vouliez savoir en quoi consistait cette trahison ? Le problème, c'est que je ne comprends pas plus que vous.

Brusquement elle se figea, les yeux sur son assiette.

— Je ne peux pas croire à cet accident, reprit-elle. Jilly est une excellente conductrice. La dernière fois que je l'ai vue, elle riait. L'aurait-on forcée à sortir de la route ? Est-ce bien un accident ? N'aurait-elle pas été heurtée par un autre véhicule ?

Même moi, le flic, je n'avais pas songé aux hypothèses que suggérait Laura. D'où lui venaient ces idées ?

— Non. C'est arrivé à une quinzaine de kilomètres au nord d'Edgerton, juste avant la bretelle qui conduit à la 101. Il semble qu'elle ait voulu se tuer.

— Comment a-t-elle réussi à survivre ?

— Je vous l'ai dit : un flic l'a vue passer par-dessus la falaise, et il est intervenu à temps. Un véritable miracle.

Laura Scott se leva lentement, regarda les plats thaïlandais encore intacts, et secoua la tête. Puis elle plongea la main dans son sac, sortit un billet de cinquante dollars d'un portefeuille extra-plat et le laissa tomber à côté de son potage.

— Elle conduisait cette voiture trop vite, dit-elle en me dérobant son regard. Et elle s'amusait à klaxonner et à brailler à pleins poumons. Elle m'expliquait qu'elle aimait le danger, que conduire cette Porsche à 150 à l'heure lui donnait l'impression de voler sans avoir besoin d'un parachute. Jilly n'a jamais voulu se tuer. Elle a perdu le contrôle de ce fichu bolide. Je veux la voir. Vous m'avez dit qu'elle était au Tallshon ?

— Oui.

Je me levai, m'approchai de Laura et posai ma main sur son bras.

— Avant que nous allions là-bas, dites-moi la vérité, Laura. Etes-vous ou avez-vous été la maîtresse de Paul ?

Elle me regarda comme si j'avais perdu la tête.

— Non. Bien sûr que non. Je n'ai jamais eu l'idée de coucher avec Paul. C'est ridicule.

Je m'aperçus que j'avais laissé ma main sur son bras et que je n'avais pas envie de la retirer, de rompre ce contact physique avec elle.

— Paul m'a dit lui-même que vous aviez été sa maîtresse pendant un certain temps. Puis il aurait rompu. Et d'après Jilly vous l'avez trahie.

Laura se libéra, visiblement prête à me gifler.

— Paul a menti, dit-elle finalement. Pour quelle raison ? Je l'ignore. Quant aux propos de Jilly, je n'y comprends vraiment rien.

— Quel intérêt Paul avait-il à mentir ?

— Demandez-le-lui. Je vais voir Jilly.

— Je vous emmène.

— Non. Vous en avez assez fait.

Je n'arrivais pas à y croire. Laura était ici, à côté de Ford. Je la voyais aussi clairement que mon frère. Je ne pouvais pas croire que c'était elle, cette garce, cette traîtresse de Laura. Mais il n'y avait pas de doute. Elle était ici et je la voyais. Elle parlait à Ford. Que lui disait-elle ?

J'en avais la chair de poule, la bile me montait à la gorge, la peur commençait à me submerger, et pourtant je ne sentais rien. Maintenant nous étions séparées, elle et moi ; elle ne pouvait plus me faire de mal. Elle s'approchait, disait mon nom, le répétait. Pourquoi étais-je si fortement sous l'empire de la peur ?

Je voulais crier que j'allais la tuer, mais je n'y parvenais pas. Au nom du ciel, pour quelle raison était-elle venue ? Comment avait-elle encore le pouvoir de me terrifier ? Ça n'aurait pas dû arriver. Elle aurait dû disparaître depuis longtemps, n'être plus qu'un souvenir idiot. Tout en parlant à Ford, elle tendit la main pour me toucher. C'était intolérable.

— Elle a les yeux ouverts. Regardez. Elle a les yeux ouverts.

— C'est comme ça la plupart du temps. Mais ça ne veut rien dire.

Je sentis sa main sur mon épaule. Elle était plus froide que la mort.

Je hurlai.

Je pivotai sur moi-même si brusquement que je faillis tomber sur le derrière. Le cœur semblait me sortir de la poitrine. En un éclair je fus à côté de Jilly.

— Laura, appelez les infirmières, criai-je par-dessus mon épaule. Vite ! Et les médecins aussi. Mon Dieu, faites vite ! Bougez !

Je pris Jilly dans mes bras et la serrai contre moi afin de tenter de la calmer. Elle vomissait en ballottant la tête d'un côté et de l'autre, et poussait des cris qui ressemblaient à des lamentations sourdes, âpres. On aurait dit que quelqu'un la torturait. Bientôt, épuisée, elle s'affaissa contre moi. J'en fus soulagé. Avec précaution, je la reposai contre les oreillers.

— Jilly, lui dis-je en l'embrassant sur le bout du nez. Non, ne ferme pas les yeux. Continue de me regarder. Reste éveillée. Si tu te rendors tu ne pourras peut-être plus jamais revenir à toi. Reste avec moi, Jilly. Tu comprends ?

— Je t'entends, Ford.

Elle avait une voix ténue, presque inaudible.

Je caressai sa joue, glissai mes doigts dans ses cheveux. Je la sentais bien vivante, solide, très consciente de ma présence. J'aurais pu éclater en sanglots de soulagement.

— Bien, dis-je en me penchant un peu plus sur elle. Ecoute-moi attentivement, Jilly. Tu es restée dans le coma pendant quatre jours. Tu en es sortie maintenant, et tout ira bien. Jilly, garde les yeux ouverts. Bats des paupières. Oui, c'est ça. Tu me vois ?

— Oui, Ford. Je suis si contente que tu sois ici !

Pour moi il n'y avait aucun doute : son cerveau était intact. Je retrouvais ma sœur. Il y avait une lueur dans ses yeux ; elle me regardait vraiment, et cherchait à être présente.

— Tu es la seule à m'appeler encore Ford, dis-je avant de l'embrasser sur la joue.

— Tu n'as jamais été Mac pour moi. J'ai si soif...

Empoignant la carafe, je remplis d'eau le petit verre qui se trouvait sur la table de chevet et soutins Jilly tandis qu'elle buvait à petites gorgées. Après lui avoir essuyé le menton, je l'entendis se racler la gorge, avaler sa salive deux fois, et me dire :

— Quand tu es entré la première fois dans cette chambre, je n'en revenais pas. Tu étais le seul à être réel. C'est merveilleux de te voir auprès de moi. Je me sentais si seule !

Jilly m'avait vu, avait entendu chacune de mes paroles, enregistré mes expressions, et cela ne me surprenait pas. Je l'aurais même crue sans hésitation si elle m'avait dit qu'elle avait eu dans la bouche le goût des aliments de mon petit déjeuner. Mais je préférai m'étonner devant elle.

— J'étais réel ? Pas comme les autres ? Que veux-tu dire exactement ?

— Oh, oui ! Tu étais très réel, insista-t-elle en réussissant à esquisser un faible sourire. Les autres n'étaient que des ombres blanchâtres, mais pas toi, Ford. Tu m'as touché la main et j'ai senti ta chaleur. Merci.

A défaut de m'étonner, je me demandai si ma mésaventure tunisienne ne m'avait pas laissé quelques traces au cerveau. Et je préférai ne pas imaginer les conclusions d'un profileur du FBI devant ce phénomène de télépathie entre ma sœur et moi.

J'entendis crier et courir, et vis deux infirmières et un médecin se bousculer pour entrer dans la chambre en même temps. Je fus sur le point d'éclater de rire : ils me faisaient penser à trois laquais s'empressant d'accourir vers leur maître.

Mais, à partir de ce moment-là, les choses dégénérèrent rapidement.

Chauve, le Dr Sam Coates arborait une moustache noire aussi fine qu'un trait de plume.

— Nous allons faire beaucoup d'autres tests, m'annonça-t-il, mais son état actuel permet apparemment de penser qu'elle s'en sort sans déficit, ni mental ni physique.

En dépit de son ton parfaitement professionnel, je sentais le Dr Coates plus que satisfait. Les infirmières l'étaient également. Je les voyais sautiller autour de lui, hocher la tête, sourire, prêtes à entamer un alléluia. Et le médecin, partageant leur agitation, gesticulait tout en poursuivant :

— Vous savez, c'est un miracle, monsieur MacDougal.

Il n'y a pas d'autre mot. J'ai déjà vu un rétablissement de ce genre, à la suite d'une overdose, mais jamais après un traumatisme crânien.

Je serrai la main qu'il me tendait avec une gratitude que j'éprouvais pour tout son service. La chambre de Jilly était pleine de monde. Maggie et Paul venaient d'arriver. Je regardai le médecin serrer la main de Paul. Il fit un petit signe de tête à Laura Scott, puis s'adressa à Maggie.

— Shérif, je suggère que chacun rentre chez soi. Mme Bartlett va dormir jusqu'à demain.

— Et si elle ne se réveillait plus ? demandai-je, terrifié de voir Jilly refermer les yeux et laisser sa tête rouler sur l'oreiller.

— Ne vous inquiétez pas. Faites-moi confiance. Un coma, c'est comme un cauchemar. Il se termine avec le réveil. On peut en garder le souvenir, mais il revient rarement.

— Vous vous trompez, docteur, observa Maggie. Les cauchemars reviennent.

— Excusez-moi. Il faudra que je trouve une autre comparaison.

— C'est tout de même une excellente nouvelle, ajouta la jeune femme en serrant de nouveau la main du Dr Coates. Vous devriez venir chez moi, proposa-t-elle ensuite à Laura. Il est tard.

— Non, merci, shérif. Mon chat a besoin de ses médicaments. Et puis je travaille demain.

En voyant Laura se diriger vers Paul, je me demandai si elle allait le gifler. Mais elle se contenta de lui lancer un regard noir, puis recula et sortit de la chambre. Je lui emboîtai le pas, tout en annonçant au médecin que je reviendrais dans un moment.

J'attendis que Paul et Maggie se fussent éloignés pour prendre Laura par la main et l'entraîner vers une fenêtre.

— Vous m'avez dit que vous n'aviez pas couché avec Paul. Ou bien vous êtes une comédienne et une menteuse remarquables, ou bien c'est vrai.

— Je sais jouer la comédie et mentir quand il le faut. Encore une fois, Mac, je n'ai pas couché avec Paul. Ça ne me serait jamais venu à l'idée.

Je la crus, mais à partir de ce moment-là, d'autres questions se posèrent.

— Demandez à Paul, dit-elle.

— Je n'y manquerai pas.

M'efforçant de m'éloigner d'elle, je pris tout de même le temps de regarder par la fenêtre. Le ciel était chargé de nuages. Le vent se levait et agitait les branches d'un bouquet d'épicéas, près du parking. Il faisait nuit noire.

Derrière moi, j'entendis Laura s'approcher. Je sentais les vibrations qui émanaient d'elle, et je me demandai ce que j'éprouverais si je la touchais réellement.

— Bonne nuit, Mac. Je suis heureuse que Jilly se soit réveillée.

Elle m'effleura la joue puis s'en alla. Je la regardai pousser le battant de la porte et se frayer un chemin à travers un petit groupe d'employés de l'hôpital qui faisaient une pause et auquel s'ajoutaient deux visiteurs tardifs. Incapable de me retenir, je m'élançai, la main tendue vers elle, prêt à l'arrêter, quand elle se retourna.

— J'ai appris par Maggie que vous étiez du FBI, et que vous étiez venu pour comprendre ce qui était arrivé à Jilly. Eh bien, interrogez votre sœur ! Et quand vous aurez une réponse, je compte sur vous pour m'expliquer. En attendant, vous devriez me croire au sujet de Paul. Pour tout vous dire, un seul homme, depuis un an, m'a donné envie de coucher avec lui, et c'est vous. Bonne nuit. Grubster attend sa pilule. Quant à Nolan, il a déjà dû arracher les barreaux de sa cage.

— Vous prolongez peut-être trop le traitement de Grubster, lançai-je tandis qu'elle s'éloignait.

— Vous êtes vétérinaire ? Laissez-moi, Mac. Je reviendrai voir Jilly demain.

— Pourquoi Paul ne vous a-t-il pas prévenue après l'accident ?

— Je n'en sais rien, cria-t-elle sans se retourner. Adressez-vous à lui. Vous ne connaissez pas votre beau-frère ?

Je la laissai partir, je n'avais pas le choix. Elle se dirigea vers sa voiture sans un mot de plus, sans un regard en arrière, la tête baissée, les épaules tombantes. Je restai au milieu du parking en la suivant du regard jusqu'à ce que sa Toyota disparût dans la nuit.

Quand je retournai dans la chambre, Paul était au chevet de Jilly et lui tenait la main.

— J'aurais préféré qu'ils la maintiennent éveillée, me dit-il. On dirait qu'elle est retombée dans le coma. Je me fiche de ce que dit le Dr Coates. Tous ces médecins ne savent pas grand-chose. Pourquoi n'as-tu rien fait, Mac ?

— Ils lui ont seulement donné quelque chose pour arrêter ses maux de tête. Ils ne pensaient pas qu'elle s'endormirait si vite, mais Coates m'a assuré qu'il ne fallait pas s'inquiéter. Connaissant la routine des hôpitaux, je peux te dire qu'on viendra lui faire une piqûre aux environs de 3 heures.

— Ah, c'est vrai que tu as de l'expérience ! Combien de temps es-tu resté à Bethesda ? Quinze jours, trois semaines ?

— Trop longtemps de toute façon, répondis-je tout en

sachant que j'y avais passé exactement dix-huit jours et huit heures. Je n'aime pas m'en souvenir. Paul, Jilly est sortie du coma. Tout se passera bien maintenant.

Devant l'espoir tellement pathétique que reflétait son visage, je lui serrai l'épaule d'une main fraternelle.

— Jilly va pouvoir nous expliquer ce qui lui est arrivé. Il n'y aura bientôt plus de mystère, Paul.

Le sentant au bord des larmes, je n'eus pas le cœur à ce moment-là de lui demander des explications au sujet de Laura.

— Tu as l'air fatigué toi aussi, Mac. La journée a été longue. Tu as trop pris sur toi. Pourquoi ne pas demander qu'on t'examine pendant que tu es ici ?

Refusant cette idée, je l'envoyai se coucher. Il fallait qu'il me raconte cette soirée, chez lui, quelques heures avant l'accident, mais ce n'était pas urgentissime. Jilly s'en sortait, et c'était l'essentiel ; c'était la seule chose qui justifiait ma présence ici.

Trop agité pour dormir, malgré la fatigue douloureuse de mes yeux, je me mis à arpenter les corridors, en jetant un coup d'œil dans toutes les chambres qui avaient une porte en partie vitrée, mais en ignorant la morgue, au sous-sol. La morgue, d'une façon générale, j'avais du mal à m'y faire, et ce n'était certainement pas maintenant que ça allait s'arranger.

J'avais toujours aussi peu envie de dormir quand je regagnai la chambre de Jilly. Je m'assis alors à la petite table, face à la fenêtre, sortis mon calepin et commençai à noter ce que les gens m'avaient dit. Puis j'écrivis les questions que je me posais encore : « Jilly avait-elle un amant ? Qui est vraiment Laura Scott ? » Ces questions semblaient sortir tout droit d'un feuilleton. Je notai tout de même une dernière interrogation : « Puisque Jilly est revenue à elle, qu'est-ce que je fais encore ici ? »

Lorsqu'elle se réveilla, à 2 heures, j'étais tombé dans une demi-stupeur. Mes côtes cassées se faisaient sentir parce que je m'étais installé à côté du lit de Jilly, sur une sorte de transat qu'on avait sorti de la salle de repos des médecins. Je lui tenais la main.

— Ford ?

C'était bien sa voix, mais elle me fit songer à de vieilles ficelles nouées, prêtes à se défaire. Quand elle reprit la parole, je sentais qu'elle-même s'était aperçue de cette faiblesse et elle chercha à faire mieux.

— Ford ?

Je lui adressai un grand sourire, tout en me demandant s'il était visible dans la pièce éclairée par une simple veilleuse.

— Je suis ici, Jilly.

Serrant sa main, je me penchai vers elle pour embrasser son front.

— Tu es resté avec moi ?

— Oui. J'ai envoyé Paul se coucher. Il ne tenait plus debout. Tu veux que j'appelle l'infirmière ?

— Oh, non ! Je veux simplement être allongée, me sentir vivante, et commencer à y croire. Mon mal de tête est passé. Je me sens un peu faible, c'est tout.

Je lui donnai à boire, puis lui caressai le visage du dos de la main.

— J'étais avec toi, Jilly, quand tu as franchi le bord de la falaise, quand tu as touché l'eau. J'ai ressenti l'impact du choc.

Me regardant, silencieuse, elle attendait.

— J'étais à l'hôpital moi-même, lui rappelai-je. Tu te souviens ?

— Oui. La voiture piégée. En Tunisie.

— C'est ça. Tu sais, ce rêve, cette vision, je ne sais comment dire... C'était tellement réel que je me suis réveillé, le souffle coupé. J'ai eu une peur bleue, Jilly. Comment as-tu pu établir ce lien psychique avec moi, je me le demande. Pensais-tu à moi à ce moment-là ?

Elle secoua la tête.

— C'est quelque chose dont tu m'as déjà parlé, Ford. Je t'ai entendu distinctement, dès la première fois que tu es venu me voir. Tu me crois ?

— Je ne peux que te croire. J'étais avec toi dans la voiture quand elle a plongé dans l'océan.

— Je suis en pleine confusion, Ford.

— Dis-moi la vérité maintenant, Jilly. Pensais-tu à Laura quand c'est arrivé ?

Je crus qu'elle s'évanouissait. Blême, la respiration sifflante, elle secoua la tête d'avant en arrière.

— Tu l'as amenée ici. Elle aussi, je l'ai vue distinctement. Et j'ai hurlé.

— C'est à ce moment-là que tu es sortie du coma. En hurlant, oui. Tu as vu Laura, tu n'as pas supporté sa présence et tu es revenue à toi. Est-ce bien elle qui a provoqué cette réaction ?

Pendant quelques instants Jilly resta silencieuse. Je doutais d'obtenir une réponse quand je l'entendis murmurer :

— Il fallait que je m'éloigne d'elle. C'est tout ce que je sais. Je ne parvenais pas à croire qu'elle était encore là. Que fais-tu avec elle ?

Seule la vérité m'importe, pensai-je. Mais où était la vérité dans ce maelström de mensonges ? Je pouvais tout de même lui dire ce que je pensais de tout ça.

— Quand je suis venu hier, je me suis endormi en te tenant la main.

— Je le sais. Je t'ai vu.

— Mais tu ne sais pas que lorsque je me suis réveillé brusquement je t'ai entendue dire que Laura t'avait trahie. L'autre soir, en dînant avec Paul, je l'ai interrogé au sujet de cette femme. Je lui ai dit que tu m'avais parlé d'elle. Au bout d'un moment, il a fini par m'avouer qu'il avait eu une liaison avec elle, mais qu'il avait rompu, et que de toute façon cette histoire n'avait jamais eu d'importance. Il était étonné que tu sois au courant. J'ai voulu en savoir un peu plus, et je suis allé à Salem.

Soudain, Jilly eut de nouveau du mal à respirer.

— Ford, tu dois me croire. Evite-la. Elle est très dangereuse.

Je pensais, au contraire, que je n'avais jamais rencontré une femme moins dangereuse que Laura. Comment pouvais-je m'y retrouver ?

— Elle a couché avec Paul ?

Jilly secoua la tête dans un sens, puis dans l'autre. Etait-ce une réponse négative, positive, ou un surcroît de confusion ? De toute façon, devant tant de fatigue et de contrariété, je préférai ne pas insister. Je caressai sa main et tirai une couverture légère sur elle. Tout en me disant que je devais la laisser dormir, je me retournai et vis l'infirmière, Mme Himmel, sur le seuil de la chambre.

— Ne vous inquiétez pas. Je la laisse tranquille. C'était ce que vous veniez me demander, n'est-ce pas ?

Cette infirmière me plaisait. Petite, solidement bâtie, elle était toujours gentille avec Jilly et moi. Comme Midge, elle m'aurait certainement apporté une bière sur mon lit d'hôpital.

— Elle dort, observa-t-elle en remontant la couverture

sous le menton de Jilly. Elle va bien. Son pouls et sa respiration sont normaux. Mon Dieu, c'est magnifique de voir une telle guérison... Dans peu de temps, elle pourra marcher. Vous devriez rentrer et dormir. Je trouve que vous avez les traits tirés.

Elle avait raison. J'aurais bien voulu entendre tout ce que Jilly avait à me dire, mais il valait mieux que j'évite de me retrouver de nouveau à plat. Mes amis ne me le pardonneraient pas. J'entendais déjà Quinlan, un autre agent du FBI, me traiter de limace. Vingt minutes plus tard, j'étais devant chez Paul et Jilly, et il ne me fallut pas plus de cinq minutes pour me déshabiller entièrement et me glisser dans mon lit.

Je rêvai que j'étais serveur dans un night-club. Une serviette blanche sur le bras, je me promenais, un plateau de boissons sur la main, mais j'étais incapable de me souvenir des clients qui les avaient commandées. Je tournais en rond dans l'immense salle, scrutais les visages en vain et commençais à entrer en transe. Il y avait des dizaines de tables rondes et pas une chaise libre. Jilly faisait des claquettes d'une table à l'autre, comme une pro. Les gens sifflaient, applaudissaient. Elle ne portait rien d'autre que des chaussures noires. Un homme dont je ne voyais pas le visage la suivait en agitant un long manteau vers elle.

Il était presque 9 heures quand je me réveillai le lendemain matin. Je n'avais pas dormi aussi profondément depuis l'explosion de la voiture en Tunisie. Pour la première fois je me sentis redevenu à peu près normal. Je m'étirai, fis jouer mes muscles, et me surpris même à me sourire dans le miroir pendant que je me rasais. Grâce à Dieu, je n'étais plus aussi gris que du porridge !

Découvrant que la maison était vide, j'imaginai Paul à

l'hôpital, auprès de Jilly, et me dis que je pourrais toujours lui parler là-bas.

J'arrivai à l'hôpital une demi-heure plus tard.

8

J'approchais de la salle d'attente du troisième étage lorsque j'entendis la voix de Maggie Sheffield.

— Je peux te dire, Cotter, que quelqu'un a assommé Charlie et qu'il est mort peu de temps après avoir réussi à ramper jusqu'à la porte du Dr Lambert.

— Vous n'avez aucun indice ? Rien ?

— Je te ferai simplement remarquer que le meurtre d'un vieil homme sans défense est le crime le plus odieux qui soit. Nous ne sommes ni à Portland ni même à Salem, mais à Edgerton, une toute petite ville. J'ignore s'il y a jamais eu un autre meurtre ici, mais quelqu'un a bel et bien tué Charlie Duck et saccagé sa maison.

Quand je pénétrai dans la salle d'attente, je vis le shérif parler avec un homme jeune que je n'avais encore jamais rencontré. De taille moyenne, bâti comme un taureau, il avait l'allure et les manières d'un type dangereux. Dès le premier regard, il me déplut.

— Cotter Tarcher, dit-il en m'adressant un petit signe de tête. Vous êtes le frère de Jilly ?

— C'est exact. Ford MacDougal. Et vous, vous êtes le frère de Cal ?

— Oui. J'oubliais que vous aviez rencontré Cal. Vous

venez à la maison, ce soir ? Nous fêtons comme chaque année l'anniversaire de Geraldine. Mes parents ont décidé de perpétuer la tradition, malgré la mort de Charlie Duck.

— Malgré son meurtre, Cotter, ou même son assassinat, corrigea Maggie.

— Pour être honnête, dis-je, j'avais oublié. Jilly est sortie du coma, et je n'ai pensé qu'à ça.

Ses cheveux noirs et la barbe qu'il n'avait pas rasée donnaient à Cotter Tarcher un air des plus sombres. Je me dis que les femmes devaient être attirées par la sensation de danger qui émanait de lui. Mais si elles avaient un peu de jugeote, elles devaient aussi se méfier. D'après Cal, il suscitait chez ses petites amies un sentiment de pouvoir en leur demandant de passer le chercher avec leur voiture. Un bon moyen de la part de ce petit voyou de cacher son jeu. Je me souvins que Jilly ne l'aimait pas non plus.

— Je comprends, me dit-il. Je viens de voir Jilly. Elle a l'air d'aller vraiment bien. Une aide-soignante était en train de lui laver les cheveux. On dirait qu'elle n'a jamais rien eu. C'est incroyable.

— Vous parliez de Charlie Duck, lançai-je en me tournant vers Maggie. Quel choc pour une petite ville comme Edgerton ! Vous avez fait venir les gens du labo de Portland ? Ils font toujours du bon boulot. Le légiste, Ted Leppra, est l'un des meilleurs de la côte Ouest.

— Ecoutez, Mac. Je sais comment Charlie est mort. Le coup qu'il a reçu sur la tête a provoqué une hémorragie cérébrale, et il y est resté. Je ne vois pas la nécessité de me faire traduire ça en jargon médical. Pauvre vieux Charlie ! Il vivait ici depuis au moins quinze ans. Son enterrement aura lieu mardi. Tout le monde sera réuni à l'église de la ligue.

— La ligue ?

— L'assemblée des citoyens d'Edgerton. Vous ne vous souvenez pas ? Comme toute la ville en fait partie, elle a un lieu de culte à la disposition des différentes confessions. Dans le cas d'un enterrement, on ne fait pas de distinction. Les représentants des différents groupes religieux interviendront à tour de rôle, et comme Charlie était agnostique, le même temps de parole leur sera accordé. Venez si vous pouvez, Mac. Ce sera l'occasion de rencontrer tous les habitants d'Edgerton. A moins que vous ne soyez déjà reparti, puisque Jilly est maintenant sortie d'affaire. Vous a-t-elle expliqué ce qui s'est passé ? Cela correspond-il à votre rêve ?

— Je ne lui en ai pas encore parlé. Je vais le faire maintenant.

Je regrettais que Maggie ait mentionné mon rêve devant Cotter Tarcher, bien qu'au fond ce fût sans importance. Je pouvais passer pour un fou sans déranger personne. Quant à Tarcher, je n'avais aucune raison de le considérer comme un crétin. Du moins pas pour le moment.

— J'espère qu'elle se confiera à vous, me dit Maggie. Quand je l'ai vue ce matin, elle a prétendu avoir tout oublié. Elle a paru choquée lorsque je lui ai expliqué que Rob Morrison avait eu l'impression qu'elle avait délibérément franchi le bord de la falaise. Et elle ne m'a pas dit un mot de plus.

— Nous nous faisons peut-être des idées.

— Espérons-le. Mais, dans le cas contraire, je ne voudrais pas qu'elle cherche de nouveau à se faire du mal.

Cotter nous regarda l'un et l'autre avec insistance.

— Essayez de venir ce soir, Mac. Mes parents aimeraient vous rencontrer.

Il me serra la main avec une vigueur qui ne s'imposait pas, fit un petit signe de tête à Maggie, et m'adressa, avant de partir, un regard m'avertissant qu'à tout moment il pouvait me faire mordre la poussière. Rien n'était plus facile que de lui prêter des intentions détestables.

— Maggie, étiez-vous invitée chez Jilly et Paul mardi soir ?

— Non. Pourquoi ?

— Laura Scott était chez eux. Il paraît qu'ils attendaient d'autres personnes. Mais elle est partie avant de les voir arriver.

Qu'est-ce qui me poussait à revenir là-dessus ? L'important pour moi c'était de parler à Jilly, de m'assurer qu'elle allait bien, qu'elle n'était pas déprimée et ne ferait pas une nouvelle tentative de suicide.

Je pensai à Laura, à l'attirance exceptionnelle qu'elle avait suscitée chez moi. Non, je n'allais pas rentrer à Washington. La soirée des Tarcher risquait d'être particulièrement intéressante.

— Mac, avant que vous alliez voir Jilly, il faut que je vous dise que j'ai appris une chose bizarre au sujet de la mort de Charlie Duck. Je ne voulais pas que Cotter le sache. Après l'avoir assommé, on a saccagé sa maison. Mais on n'a pas retrouvé une seule empreinte. Et rien qui aurait été susceptible d'intéresser quelqu'un. Ce que l'assassin cherchait, il l'a probablement trouvé. Et il a pris soin de remporter son arme... Vous pourriez peut-être m'aider à démêler cette affaire. Quand je l'ai vu, le Dr Lambert m'a dit que Charlie était revenu à lui quelques instants avant de mourir.

Sans raison apparente, mon cœur se mit à battre plus fort, tandis que je restais dans l'expectative.

— D'après lui, Charlie était extrêmement agité. Il a marmonné un tas de choses, mais seuls quelques mots ont émergé. Il a dit : « Ils ont mis le paquet, c'était trop, et puis ils m'ont eu. » Et il est mort. Vous y comprenez quelque chose ?

— Appelez le légiste à Portland. Demandez une autopsie. Tout de suite.

— Pourquoi ?

— Ça sent la préméditation à plein nez. Charlie Duck voulait vous parler et ensuite me voir. Dommage qu'il ne l'ait pas fait hier. A l'évidence, il ne se croyait pas en danger, et il se trompait. Quelqu'un l'a assommé, parce qu'il en savait trop, et puis on l'a tué.

— On se croirait dans un film de série B. Vous savez, il y a toujours le type qui au moment de mourir essaie de communiquer le nom de son assassin. Ce n'est pas comme ça dans la réalité.

— Qui était Charlie Duck ?

— Un ancien flic de Chicago, à la retraite depuis plus de quinze ans.

Mon cœur recommença à battre plus vite.

— Ecoutez, Maggie. Jill passe par-dessus une falaise. Ensuite on tue un ancien flic. Peut-être qu'il n'y a aucun rapport, mais je préférerais en être sûr. Demandez cette autopsie. Le légiste s'appelle Ted Leppra. Appelez-le immédiatement.

« Ils ont mis le paquet, c'était trop, et puis ils m'ont eu. »

Que se passait-il ici, bon sang ?

Jilly était seule et lisait un journal. Quand elle me vit, elle se figea. En deux enjambées je fus à côté d'elle.

— Quelque chose ne va pas ?

Elle reposa le journal en me souriant.

— Non, rien, Ford. Je recommence à ressembler à un être humain, n'est-ce pas ? Tu es venu me dire au revoir ?

— Je suis venu te parler.

Elle se figea de nouveau, et je me demandai pourquoi elle ne semblait souhaiter ni me voir ni me parler.

— Jilly, tu es ma sœur. Je te connais depuis toujours. Je t'aime. Si tu as tenté de te suicider, dis-le-moi. Je ferai tout ce que je peux pour t'aider. Je veux t'aider. Je t'en prie, raconte-moi.

La connaissant suffisamment pour détecter le mensonge dans son regard, j'ajoutai aussitôt :

— Non, ne prétends pas n'avoir aucun souvenir, comme tu l'as fait avec Maggie. Dis-moi la vérité. As-tu, oui ou non, tenté de te tuer, Jilly ?

— Jamais, Ford. Jamais je n'aurais essayé de faire une chose aussi stupide. J'ai tout simplement perdu le contrôle de ma Porsche. Je chantais à tue-tête, je conduisais trop vite, et le virage m'a surprise. C'est tout, je te le jure.

— Rob Morrison a dit que tu as accéléré en allant vers la falaise.

— C'est totalement faux. A moins que j'aie appuyé sur l'accélérateur en franchissant la rambarde. Je ne sais plus. Mais ce n'est pas impossible. Ecoute, Ford, je vais bien maintenant, tandis que toi tu n'as pas récupéré totalement. Prends une semaine de congé supplémentaire et descends pêcher un peu au lac Tahoe. Ça te fera du bien.

— J'y penserai.

— Si je ne te revois pas, prends soin de toi. On se retrouvera en Floride pour Noël avec Gwen et Kevin.

C'était une tradition à laquelle nous avions manqué l'année précédente. Je me penchai vers Jilly et la serrai très fort contre moi.

— Je t'aime, Jilly.

— Je t'aime aussi, Ford. Ne t'inquiète plus pour moi. N'oublie pas d'appeler Kevin et Gwen pour les rassurer.

Située dans un cul-de-sac au bout de Brooklyn Heights Avenue, la maison des Tarcher se distinguait, par ses dimensions, des trois ou quatre autres villas qui se disputaient le terrain. Elle était trois fois plus grande que celle de Jilly et Paul, et ressemblait à s'y méprendre à l'une de ces constructions victoriennes que l'on voit à San Francisco. Sur la couleur crème de l'ensemble, tranchaient cinq autres teintes qui se partageaient le bois et le rebord des fenêtres, l'encadrement des portes, les balcons, les arcs, les corniches et autres fantaisies architecturales dont j'ignorais le nom. On aurait dit un énorme gâteau d'anniversaire, complètement excentrique mais fascinant, qui avait dû coûter une fortune et des trésors d'imagination.

Quatre jeunes gens en chemise rouge et pantalon noir faisaient office de voituriers. Quand nous arrivâmes, Paul et moi, une trentaine de voitures étaient déjà garées des deux côtés de l'avenue. Toute la ville semblait être présente à la fête.

Jilly m'avait dit qu'elle voulait venir, montrer à chacun qu'elle était en mesure de reprendre sa place, même dans sa Porsche. (A ce sujet, elle avait déjà demandé à une entreprise de voir si on pouvait remonter sa voiture du fond de l'océan.) Je lui avais répondu qu'elle pourrait sortir seulement si elle réussissait à atteindre le bout du couloir. Après huit pas, elle s'était effondrée. Toutefois, les nouveaux tests pratiqués par le Dr Coates permettaient d'affirmer que son état continuait de s'améliorer. Lorsque j'avais demandé au médecin s'il venait chez les Tarcher, il m'avait répondu qu'il n'y manquerait pas, à moins que des triplés soient sur le point de fausser compagnie à leur mère.

Alors que nous sortions de sa voiture, je me tournai vers mon beau-frère.

— Parle-moi de Tarcher, Paul.

— Il s'appelle Alyssum Tarcher, mais ne me demande pas où ses parents sont allés chercher un tel prénom. Il vit ici depuis une trentaine d'années, et il est sacrément fortuné. Je pense que la moitié de la région lui appartient. Tout le monde lui est redevable ; rien ne se fait sans lui. Le maire, Mlle Geraldine, est à sa botte. Comme la plupart d'entre nous, en fait.

— Tu es passé par lui quand tu es venu t'installer ici ?

— Plus précisément, c'est lui qui m'a aidé à revenir. Ce n'est un secret pour personne. Il a investi dans mon projet et nous a vendu la maison.

— Ah !

C'était donc ainsi que Jilly et Paul réussissaient à survivre. Mais cette belle maison et la Porsche de Jilly dépassaient de beaucoup le seuil de la simple survie.

— C'est lui qui alimente ta fontaine de jouvence ?

— Exactement, reconnut Paul en claquant sa portière. Seigneur, ce que je suis soulagé de savoir que Jilly avait simplement perdu le contrôle de sa voiture ! Si elle avait voulu se tuer, je ne sais pas ce que j'aurais fait.

— Moi non plus.

L'un des jeunes gens se précipita vers nous, essoufflé, donna à Paul un grand ticket mauve et se chargea de la voiture.

— Quelle maison ! remarqua Paul.

— Incroyable.

J'escaladai les six marches du perron. Un flot de lumière et de musique de chambre suave sortait de la demeure des Tarcher et, quand je pénétrai dans le hall, ce fut un parfum magique qui me donna envie de m'arrêter pour le respirer. Il procurait l'impression d'être au milieu d'une forêt profonde, un rayon de soleil sur le visage, et de baigner dans des effluves sylvestres légèrement fleuris, auxquels s'ajoutaient une senteur de mousse imbibée de rosée et une sensation d'air pur et de clarté. Je m'en emplis les poumons et me retournai ; au même moment, un homme de haute taille au nez en bec d'aigle vint à notre rencontre. Comment aurais-je pu douter qu'il s'agissait d'Alyssum Tarcher, le patriarche d'Edgerton ?

Si je mesurais un mètre quatre-vingt-six et pesais quatre-vingt-douze kilos, avant ma mésaventure tunisienne, Tarcher devait me dépasser de cinq centimètres, mais sans un gramme de plus. La soixantaine, les cheveux épais, poivre et sel, il avait de la force, de la vigueur et une impression de puissance se dégageait de lui. Son fils, Cotter, qui se tenait à ses côtés, la nuque épaisse et le visage sombre, avait en comparaison tout du voyou. Bien qu'il fût fraîchement rasé, il gardait une ombre noire sur les joues. Tout en m'étudiant, il fit craquer les articulations de ses doigts.

— Ford MacDougal ? demanda Alyssum Tarcher d'une voix profonde dont les intonations évoquaient le plus moelleux des bourbons du Kentucky.

— Oui, monsieur.

Je serrai la main qu'il me tendait. Une main étroite, aux longs doigts effilés. Une main d'artiste. Trop lisse.

— Vous ne ressemblez pas du tout à votre sœur, observa-t-il en m'examinant.

J'eus aussitôt la conviction que cet homme était dangereux. Bien plus dangereux que son voyou de fils.

— Non, en effet, dis-je.

— Mais vous êtes tous deux séduisants et avez le même teint. Vous connaissez mon fils ?

Serrant sa main, je souris à Cotter, prêt à le laisser entamer sa petite démonstration de force, ce qu'il fit sans tarder. Mais je réussis à déplacer légèrement ma main dans la sienne, de façon à avoir une meilleure prise et, le regardant au fond des yeux, je lui écrasai les doigts et ne relâchai ma pression que lorsque je le vis grimacer. Paul fut apparemment le seul à remarquer ce manège prosaïque. Quant à Cotter, il parut trahir à la fois une fureur meurtrière et une concentration étrange. Il se frotta lentement la main, le regard fixé sur moi. J'eus l'impression qu'il tentait de pénétrer mon esprit, de chercher le meilleur moyen de m'envoyer au tapis. S'il m'importait peu de m'être fait un ennemi, je me demandai néanmoins ce qu'il pensait. Il y avait bien six mois que je n'avais pas rencontré de psychopathe.

Tandis que Cotter continuait à me fixer, j'entendis son père expliquer à Paul :

— Eh bien, Paul ! Maintenant que Jilly est revenue parmi nous, vous pouvez reprendre votre travail. Je comprends que cette histoire ait pu vous ébranler, mais désormais c'est du passé.

— Oui. Jilly voulait venir ce soir, mais elle ne tenait pas suffisamment sur ses jambes. Mac et moi l'avons quittée somnolente et déçue. Elle tient à ce que tout le monde sache qu'elle n'a pas intentionnellement plongé du haut de la falaise. Elle a perdu le contrôle de sa voiture. Elle jure de ne plus jamais prendre un virage à 150 à l'heure. Et elle m'a demandé de vous transmettre ses amitiés.

— Nous voilà soulagés, dit Alyssum Tarcher.

Il prit deux flûtes de champagne sur le plateau d'un serveur, m'en tendit une, et offrit l'autre à Paul. Il en saisit ensuite une pour lui et porta un toast.

— A l'avenir ! En espérant que notre projet réussira au-delà de toutes nos espérances.

— Je ne peux que boire à ce souhait, assura Paul.

Cotter et moi nous contentâmes de boire à petites gorgées. Je n'avais jamais aimé le champagne, et je pensai avec nostalgie à la bière que Midge m'avait apportée au milieu de la nuit, en me disant que Doug, son mari, était un homme heureux. Quand je reposai la flûte presque pleine sur le plateau du serveur, Alyssum leva le sourcil, mais je m'en moquais éperdument.

— L'assassinat de Charlie Duck est une véritable tragédie, remarqua Paul, et un événement bien surprenant pour une petite ville comme Edgerton.

— Une très sale histoire, admit Alyssum Tarcher en hochant la tête. Tout le monde se demande qui a été capable d'une chose pareille, et pour quelle raison.

— C'était un vieux fouineur, observa Cotter. Il embêtait les gens avec sa manie de mettre le nez dans leurs affaires.

— Le criminel est forcément un étranger, affirma Alyssum. Aucun habitant d'Edgerton n'aurait touché à un seul des cheveux de Charlie.

— Il n'en avait plus beaucoup, remarqua Paul.

Tandis que Tarcher lui adressait un sourire forcé, je me retournai légèrement. Rob Morrison, tout de noir vêtu, était en grande conversation avec Maggie Sheffield, que je découvris sans son uniforme. Je la trouvai renversante. Une robe rouge, surtout quand elle est très échancrée, devant comme derrière, fait toujours son effet. Et puis, Maggie paraissait d'autant plus svelte qu'elle portait ses cheveux sur le sommet du crâne et des talons de sept centimètres. Je retins une envie de m'avancer vers elle, de lui mordre l'oreille et de laisser ma bouche descendre dans son cou. Puis j'observai que Rob Morrison avait une main plaquée tout au bas du dos de la jeune femme, dénudé jusqu'aux reins. Une main de propriétaire.

— Salut, Mac ! Ce costume sombre vous va très bien.

Faisant volte-face, je découvris Cal Tarcher, terriblement mal fagotée avec sa jupe longue, sa blouse de soie noire à manches longues boutonnée sous le menton, et ses petites ballerines. Ses cheveux roux, tirés en arrière, étaient retenus sur la nuque par un ruban noir. Ses lunettes avaient également une monture sombre. Au moins, elle n'avait rien d'un perroquet.

— Salut, vous ! répondis-je.

Je me demandai où était passée la jeune femme que j'avais vue brièvement en sortant de chez Paul et Jilly, celle qui m'avait soudain paru plus grande, arrogante, et d'une froideur glaciale. La petite demoiselle guindée était de retour.

— Je vous ai vu regarder Maggie. Elle est belle, n'est-ce pas ?

— Plutôt ! Je n'aime pas les femmes en uniforme. Peut-être que vous laisserez bientôt tomber le vôtre pour une robe rouge comme celle de Maggie.

Le reflet de la jeune arrogante passa un instant sur le visage de Cal, puis s'effaça.

— Avez-vous rencontré ma mère ?

— Pas encore.

— J'ai entendu dire que Jilly était remise. Je voulais lui rendre visite aujourd'hui, mais avec la préparation de cette soirée, je n'en ai pas eu le temps. Vous seriez étonné par la quantité de victuailles qui sera engloutie ce soir. Vous arrivez à croire qu'on ait pu tuer ce pauvre vieux Charlie Duck ?

— Non.

— Vous avez faim ?

— Je suis affamé. Oh, à propos ! Vous savez si Paul trompait Jilly ?

Je vis les yeux de Cal s'agrandir derrière ses lunettes. L'avais-je heurtée en sortant du cadre de ce genre de soirée ? Ou s'étonnait-elle de constater que j'étais au courant ? Je me rendis aussitôt compte que de toute façon je me moquais de sa réponse. Jilly était sortie d'affaire. Il n'y avait pas de quoi se préoccuper du reste, à l'exception de l'assassinat de Charlie Duck.

— Paul aime Jilly, finit-elle par me dire. Il ne coucherait jamais avec une autre femme. De plus, il est trop maigre. Mais il aime faire l'amour, m'a dit Jilly. Et il le fait très bien, paraît-il.

— Etiez-vous jalouse de Jilly, Cal ?

9

Sans même sourciller, Cal me répondit gentiment :

— Pas du tout. J'aimais beaucoup Jilly. Elle était toujours gaie. Toujours en train de chanter. Voulez-vous une bière ?

Je la regardai en attendant qu'elle se trahît, mais elle soutint mon regard, et je finis par acquiescer d'un signe de tête.

— Allons dans la cuisine. Cotter et moi, nous cachons nos réserves de bière derrière les mangues de notre père. Comme maman déteste ces fruits, elle regarde ailleurs. Elle ne veut pas de bière chez elle. C'est une boisson trop commune pour elle.

Je lui emboîtai le pas parmi la cinquantaine d'invités qui, comblés, piochaient allègrement dans l'incroyable variété de mets, allant des huîtres aux plats de pâtes au basilic, en passant par du poisson froid, garni de gelée et de rondelles de citron.

Dans la cuisine qui servait de poste de commande, Cal passa sans ralentir parmi les traiteurs qui s'affairaient, se dirigea vers un énorme réfrigérateur, l'ouvrit et se pencha à l'intérieur. Elle fouilla pendant un moment puis se redressa avec deux Coors dans les mains.

— Cotter est déjà passé par là. C'est tout ce qui reste. Mais il y a un autre pack de six canettes si vous êtes assoiffé.

— Génial !

J'ouvris la canette, trinquai silencieusement avec elle, et savourai ma boisson préférée.

— Quel âge a Cotter ?

— Vingt-huit ans ; deux de plus que moi. Je sais, j'en parais dix-huit. Vous vous demandez aussi ce que nous faisons encore chez nos parents à notre âge.

— Par politesse, je n'osais pas vous poser la question.

— Vous avez été assez mal élevé pour me demander si j'étais jalouse de Jilly. Comment avez-vous même pu l'imaginer ?

— J'ai probablement dû entendre quelque chose qui le suggérait. Alors, pourquoi vivez-vous encore tous les deux chez vos parents ?

Cal éclata de rire, reprit de la bière, puis m'entraîna à l'écart du bruit et de l'effervescence de la cuisine, dans une petite pièce qui devait être une bibliothèque. Il faisait sombre, il n'y avait personne. Cal referma la porte derrière nous, alluma une petite lampe de bureau et posa sa bière sur le meuble.

— Jilly avait tort, affirma-t-elle. Je n'ai jamais été jalouse d'elle. Je voulais plutôt faire son portrait, et elle refusait.

— Paul et Maggie m'ont dit que vous êtes une artiste. Que peignez-vous ?

— Généralement des paysages, mais les visages me fascinent. Jilly a une ossature remarquable et, surtout, de très beaux yeux. Vous aussi, Mac. Les vôtres, d'un bleu sombre, intense, sont ceux d'un héros de roman.

— Arrêtez, je vais avaler de travers.

Se ressaisissant, Cal m'adressa un sourire radieux, mais de façade.

— Comment vous sentez-vous ? Vous me paraissez plus solide, plus en forme qu'hier.

— Je me sens bien.

— Cotter vit encore à la maison parce que père le veut ainsi. Il le prépare à reprendre les rênes de ses entreprises, après avoir exigé qu'il passe quatre ans à l'université et revienne diplômé en sciences commerciales. Mais je pense qu'en fait il ne le jugera jamais assez compétent. Mon frère ne lui succédera qu'après sa mort. Et Cotter, lui, pense que notre père est immortel.

— Donc, il aimerait se libérer.

— Non. Il voudrait tout régenter. Je lui ai expliqué qu'il était trop petit et aurait intérêt à porter des chaussures spéciales. Les hommes grands, comme notre père, comme vous, inspirent le respect. Ce n'est pas le cas de Cotter qui, en plus, ressemble à un gangster.

— Qu'en pense-t-il ? demandai-je, fasciné.

— Je crois qu'il a suivi mon conseil. Mais il a toujours l'air d'un voyou. Ça, il ne pourra rien y changer.

— Vous êtes très bavarde, tout à coup, mademoiselle Tarcher. Cal est le diminutif de quel prénom ?

— Vous allez rire si je vous le dis.

Elle s'avança vers moi et posa lentement ses paumes sur mon torse.

— Je m'appelle Calista. Vous me plaisez, Mac.

Je pris doucement ses mains et les écartai de moi.

— Merci. En fait, je trouve Calista pas mal du tout, quoique je préfère encore Cal. C'est moins sophistiqué. Je ne sais que penser de vous, Cal, mais j'ai le sentiment que l'image que vous donnez et la façon dont les gens y répondent doivent vous amuser énormément.

Elle libéra ses mains et recula jusqu'au bureau, contre lequel elle s'appuya.

— N'essayez pas de me contredire. J'ai vu la vraie Cal hier, quand je vous ai raccompagnée jusqu'à votre voiture. Pendant quelques instants vous avez oublié de dissimuler votre arrogance. Oui, je suis sûr que vous vous moquez de tout le monde. Vous pensez que les gens sont des idiots. Peut-être êtes-vous jalouse de Jilly. Ou bien elle a vu clair en vous, et c'est elle qui vous jalouse. Qu'en dites-vous ?

— C'est l'agent du FBI qui m'interroge ? demanda Cal d'une voix amusée, un sourire aux lèvres.

— Non.

— Vous êtes un profileur ?

— Je suis dans l'antiterrorisme… Etant donné que Jilly est très belle, pourquoi serait-elle jalouse de vous ?

Cal se contenta de secouer la tête, mais avec une nervosité révélant qu'elle était lasse de ce jeu. Enveloppée par les ombres que la lampe faisait naître, elle me dit brusquement :

— S'il vous plaît, ne bougez plus. J'aimerais vous dessiner. Vous êtes d'accord ?

Surpris, je restai muet tandis qu'elle se précipitait hors de la pièce en me laissant seul avec deux canettes de Coors, pratiquement vides.

Au bout de quelques minutes, elle revint avec un grand carnet à dessins et un fusain à la main, et se dirigea vers le bureau.

— Surtout ne bougez pas, répéta-t-elle.

J'acquiesçai et la regardai ouvrir le cahier, tourner plusieurs pages, puis l'installer sur ses cuisses. Son visage changea complètement. Ce fut bientôt celui d'une femme toute frémissante de concentration. Une femme forte. Je voulus lever une main, mais elle me pria de rester immobile.

— C'est la première fois que quelqu'un fait mon portrait. Je peux parler ?

— Oui, me répondit-elle machinalement, sans arrêter de dessiner.

— Pourquoi vous habillez-vous de cette façon ?

— Taisez-vous.

— Vous venez de me dire que je peux parler. Hier, vous portiez un jean trop large et une chemise d'homme. Pour quelle raison vous cachez-vous ?

— Je veux que les hommes ne s'intéressent qu'à mon esprit.

Je ne pus m'empêcher d'éclater de rire. Puis j'essayai d'aborder un sujet plus neutre.

— Vous croyez que Maggie couche avec Rob Morrison ?

Le fusain s'immobilisa. Elle me regarda en se pinçant les lèvres.

— Rob est si beau qu'il peut avoir n'importe quelle femme. Pourquoi pas Maggie ?

Elle reprit son croquis mais, cette fois-ci, avec des traits plus rapides et plus appuyés qui me parurent trahir un vrai plaisir sexuel. Puis elle s'arrêta brusquement, le fusain sur le papier, et me regarda, presque haletante, les mains tremblantes, les lèvres légèrement entrouvertes.

— C'est fini ? demandai-je en fixant ses mains.

Sans un mot, elle posa son matériel et éteignit la lampe.

— Mac, dit-elle, la voix sourde et âpre.

Et elle sauta sur moi.

Pendant trois secondes, je tentai de me débarrasser d'elle, puis je craquai. Elle couvrit mon visage de baisers, fit courir ses mains sur mon torse, les laissa glisser plus bas, ouvrit ma braguette et, quand elle prit mon sexe, je crus ne pas pouvoir tenir plus longtemps. Ma période d'abstinence avait trop duré, je n'étais pas moi-même. A la violence et à la frénésie que je sentais en elle, je répondis en déchirant son chemisier ; ce dont elle ne parut nullement se soucier. Elle me renversa sur la moquette, se glissa sur moi, se redressa. Je discernais sa silhouette, sa tête renversée en arrière, sa poitrine blanche et douce. Le souffle qui s'arrachait de sa gorge faisait penser à celui d'un coureur en compétition.

— Cal, dis-je en essayant de l'immobiliser un instant. Cal, écoutez-moi. Je n'ai pas de préservatif.

— Ça ne fait rien. Je prends la pilule.

Elle retira son slip, envoya valser ses ballerines, me chevaucha et me prit en elle. Je la pénétrai profondément, totalement, en grognant sous l'effort que je m'imposais pour me retenir.

— Non, suppliai-je. Non.

Je la soulevai au risque de la faire tomber sur le dos. Elle enleva ses lunettes, les jeta à travers la pièce, puis se figea en me regardant.

— Je ne comprends pas.

— Vous n'avez pas besoin de comprendre, répondis-je.

Je la fis descendre sur mes lèvres et, quelques instants plus tard, me demandai par quel miracle ses cris n'attiraient pas toute la maisonnée dans cette bibliothèque. Réussissant à mettre une main sur sa bouche, je sentis son souffle chaud passer à travers mes doigts. Quand elle s'effondra, toute molle, je la pénétrai d'un seul mouvement. Ce fut court. Je n'en pouvais plus.

Comme toujours, il me fallut un moment pour retrouver mes esprits. En fait, cette fois-ci, je n'en avais aucune envie. Je ne voulais pas penser aux conséquences. Je voulais simplement flotter, ne pas réfléchir, rester dans les limbes. Mais quand elle finit par bouger, je l'imitai.

— Ça m'est tombé dessus, me déclara-t-elle à brûle-pourpoint.

J'avais encore son goût dans la bouche. Un goût de promesses orageuses et de volupté profonde, si étonnant que j'eus une nouvelle érection.

— J'imagine, dis-je.

Je me glissai contre son flanc puis, appuyé sur un coude, je l'embrassai plusieurs fois, langoureusement, avant d'effleurer ses lèvres.

— Vous dessinez quelqu'un et le désir vous submerge ? m'étonnai-je.

— Ce n'est pas le cas habituellement.

Elle me rendit mes baisers tout en redessinant mon visage du bout du doigt.

— Vous, Mac, vous m'avez fait un effet extraordinaire. Il m'a suffi de dessiner votre bouche, votre joue, pour que je m'enflamme.

Je l'entendis soupirer, puis elle se retourna vers moi.

— C'était très agréable, Mac. Pénétrez-moi encore.

Ce ne fut pas plus long que la première fois, mais je m'étais préparé à la bâillonner au moment de l'orgasme. Je savais que son odeur, son goût me hanteraient longtemps, et j'appris deux choses importantes à son sujet : elle aimait faire l'amour, et elle avait de longues cuisses fuselées qui s'adaptaient parfaitement à mon cou.

Je constatai aussi qu'elle savait opter pour le silence, ce qui me convenait parfaitement, étant donné que je n'avais rien à dire. De nouveau elle m'embrassa, me caressa la joue, et se leva. Quand elle se fut essuyée avec un mouchoir en papier, elle se rhabilla, examina ses vêtements, remit ses lunettes et quitta la pièce pour, me dit-elle, retourner au rez-de-chaussée et reprendre pied. J'eus plus de mal qu'elle à bouger. Je finis ma bière, devenue tiède, jetai la boîte dans la corbeille à papier, remontai ma braguette et, dans la première salle de bains que je trouvai, essayai d'effacer sur mon visage les traces révélant ce qui venait de se passer. Ce fut difficile : j'étais encore tout imprégné du plaisir que j'avais éprouvé. Un plaisir tel que si Cal avait été à mes côtés, j'aurais voulu recommencer.

Quand je retournai dans l'immense salon, certain que rien ne me trahissait à l'exception de mon regard encore brumeux, je tombai sur Maggie Sheffield. Les sourcils froncés, elle me regarda de la tête aux pieds, puis sourit.

— Eh bien, Mac ! Qui vient de vous redonner du tonus ?

C'était impossible. Elle n'avait aucun moyen de savoir ce qui venait de se produire. Non, aucun.

— Vous dansez, Maggie ?

— Je ne sais pas, me dit-elle, la tête penchée, en pianotant sur sa joue.

— Bon. On ne danse pas. En revanche, j'aimerais rencontrer Elaine Tarcher. Vous pourriez me présenter ?

— Pourquoi pas ? Venez. C'est elle, là-bas, au milieu de ce groupe d'hommes. A près de cinquante ans, elle joue les femmes fatales. Je la trouve ridicule avec ses minauderies. Un peu pitoyable même. Elle pourrait être ma mère.

Quand je fus à deux pas d'Elaine Tarcher, je commençai par me dire que si elle voulait se comporter avec moi comme sa fille venait de le faire, je succomberais de la même manière, sans plus d'hésitation. En dépit de son âge, elle paraissait nettement plus jeune que son mari. Je ne la trouvai nullement pitoyable et, moi qui n'ai rien contre la chirurgie esthétique quand elle aide à lutter contre l'effet de la gravité, je songeai qu'Elaine Tarcher avait un excellent chirurgien. En bref, on lui donnait moins de quarante ans. Elle était tout en noir : robe de cocktail, bas ultra-fins, escarpins à talons aiguilles. Comme sa fille, elle avait d'épais cheveux châtains qu'elle portait courts et coiffés sans apprêt apparent : du naturel éminemment sophistiqué. Entourée d'hommes, elle se laissait admirer. J'entendis son rire, charmant, ample, chaud et très personnel. Je n'étais pas de l'avis de Maggie qui trouvait chacun de ses mouvements ridicule.

Entendant Alyssum Tarcher l'appeler, Maggie haussa les épaules, pressa ma main et me laissa seul. Je restai là à observer la magie de la maîtresse de maison.

— Les gens se trompent quand ils pensent que ma mère n'a rien dans la tête et n'est qu'un ornement inutile.

Je souris à Cal qui venait de me rejoindre et avait retrouvé son air de petite personne lisse et quelconque, les lunettes vissées sur le nez. Elle avait remplacé le chemisier que j'avais déchiré par un autre, tout aussi strict.

— Vous me présentez, Cal ?

Elle me regarda un moment en silence.

— Je regrette que vous soyez descendu chez Paul.

J'avalai difficilement ma salive en constatant que je la sentais encore me faire glisser en elle profondément.

— Moi aussi, mais il n'y a pas d'autre solution.

— Charlie Duck adorait ma mère. Elle prendra longuement la parole à son enterrement. J'espère que vous y serez. Elle ne parle que de sa mort, ce soir. Ça la rend malade.

— J'y serai. Jilly pourra peut-être venir aussi.

— Quand repartez-vous pour Washington ?

— Je n'en sais rien. Il se peut que je reste deux jours de plus.

Pensant à Laura, je me sentis brusquement coupable d'avoir fait l'amour avec Cal. C'était idiot, mais ce que Laura m'avait fait éprouver me poursuivait.

Je fis la connaissance d'Elaine Tarcher, de ses admirateurs et de Mlle Geraldine, maire d'Edgerton et responsable de la ligue communale. Une vieille chouette aux yeux bleu pâle, élégante, qui n'avait pas la langue dans sa poche et dont le regard ne devait rien rater de ce qui se passait autour d'elle.

— Alors, mon garçon ! J'ai entendu dire que vous êtes venu voir ce qui était arrivé à votre sœur. Eh bien, moi, je vais vous le dire ! Elle a perdu le contrôle de sa Porsche dans un virage. Je lui avais recommandé des dizaines de fois d'être prudente, mais elle préférait chanter et danser au lieu de m'écouter. On m'a dit qu'elle se remettait. C'est bien.

— Jilly a donné exactement la même explication.

— Combien de temps restez-vous à Edgerton ?

— M. MacDougal va croire qu'il n'est pas le bienvenu, ce qui n'est pas le cas, Geraldine, observa Elaine Tarcher.

Jusque-là, cette dernière était restée silencieuse, tout en m'observant et me jaugeant calmement. Elle n'avait nullement les manières d'une femme qui flirte. Je me demandai si elle voyait en moi un fiancé potentiel pour sa fille. Puis je remarquai que son groupe d'admirateurs s'éloignait tandis que son mari approchait.

Alyssum adressa un signe de tête à sa femme, puis embrassa la joue parcheminée de Mlle Geraldine.

— Vous avez fait la connaissance de Mac, Geraldine ?

— Oui. Il me semble être un bon garçon. Ou alors il est simplement grand, séduisant, et rien de plus. Vous faites partie du FBI, m'a-t-on dit.

— Oui, madame.

— Je crois également savoir que vous avez fait un petit séjour à l'hôpital avant de venir ici.

— En effet. Mais maintenant je vais bien.

— Seriez-vous une sorte de héros ?

— Absolument pas, madame. Je me suis tout

simplement trouvé au mauvais endroit au mauvais moment. Pour ma part, ajoutai-je, j'ai entendu parler de la ligue que vous présidez. Mais en fait j'ignore encore quelles sont ses activités.

— Nous faisons un peu de tout, Mac. A l'origine, nous avons créé la ligue pour contraindre une usine chimique de nous dispenser de ses déchets et, avec l'aide d'Alyssum, nous y sommes parvenus. Nous en avons ainsi conclu qu'avec l'aide de toute la ville nous pouvions accomplir beaucoup de choses. Aujourd'hui la ligue sert à résoudre les problèmes communs, ou à soutenir un concitoyen en difficulté. C'est simple, mais ça marche très bien. La plupart du temps, nous ne sommes qu'un grand club avec des activités sociales. Demain, nous ferons une veillée pour notre pauvre Charlie. Son enterrement aura lieu le lendemain. Nous tenons à lui dire adieu correctement.

— Pauvre vieux, dit Cal.

— Il est temps que Geraldine découpe son gâteau d'anniversaire, annonça Alyssum Tarcher.

Je me dirigeai avec eux vers la longue table où attendait une énorme pièce montée qui croulait sous un nombre incalculable de bougies.

— Ne croyez pas à une insulte, dit Cal. Geraldine tient à une bougie par année.

Du coin de l'œil je vis mon beau-frère venir vers moi en fendant la foule.

— Que se passe-t-il, Paul ?

— L'hôpital vient de me téléphoner. Jilly a disparu. Personne ne sait où elle est. Elle t'avait prévenu ? Elle t'avait dit où elle allait ?

10

Il était plus de minuit quand nous nous retrouvâmes tous dans la chambre de Jilly. En regardant le lit j'eus l'impression qu'elle s'était levée calmement, avait lissé les couvertures et s'était éclipsée. Je posai ma main sur l'oreiller.

— Elle n'avait pas de vêtements, remarquai-je. Elle n'a pas pu sortir d'ici dans sa blouse d'hôpital.

— Elle m'avait demandé de lui apporter quelques vêtements cet après-midi, expliqua Paul. Je l'ai fait. Je ne voulais pas qu'elle se sente comme une prisonnière. Mais, crois-moi, elle ne m'a pas dit qu'elle comptait s'en aller.

Rob Morrison entra dans la chambre.

— C'est étrange. Avait-elle seulement la force de marcher ?

— Oui, lui répondit Maggie. Son état s'améliorait de minute en minute. Ses muscles n'avaient pas eu le temps de s'atrophier en quatre jours, Rob. Quelqu'un, ici, a-t-il une idée de ce qui s'est passé ?

Rob se massa la nuque, que l'on entendit craquer.

— Personne n'a rien vu. Bon sang, c'est insensé ! Pourquoi aurait-elle eu envie de partir ? Pourquoi n'a-t-elle rien dit aux infirmières ? Elle doit être quelque part dans le bâtiment. J'ai prié tous ceux que j'ai rencontrés de fouiller l'hôpital de fond en comble. Deux hommes de la sécurité examinent l'enregistrement des caméras de surveillance installées près des portes de sortie et dans le parking. Ils ne peuvent pas la rater, même si elle se cache sous une voiture.

— Je vais interroger tout le monde, annonça Maggie. Quelqu'un a bien dû la voir. Elle n'a rien d'un fantôme.

Soudain Paul déclara :

— On l'a peut-être enlevée...

C'était la première hypothèse qu'il suggérait depuis que nous avions quitté précipitamment les Tarcher, trois heures plus tôt.

Lentement je me tournai vers lui.

— Qui aurait eu envie de faire une chose pareille ?

— Peut-être quelqu'un qui craint qu'elle ne se souvienne de tout ce qui s'est passé mardi soir. Il y a trois heures qu'elle a disparu, bon sang ! Où est-elle allée ? Que fait-elle ? C'est peut-être Laura... ajouta-t-il à mi-voix. Je ne comprends pas ce qui se passait entre Jilly et elle. Qui d'autre aurait pu l'enlever ?

Je revis Laura, et fus incapable de l'imaginer commettant un tel acte. Je n'oubliais cependant pas que Jilly m'avait parlé de trahison et de danger à son sujet.

— Bien. Maggie, Rob, excusez-nous, dis-je en prenant Paul par le bras et en l'entraînant dans le couloir. J'ai quelque chose à tirer au clair avec Paul, et ça ne peut pas attendre.

— C'est peut-être Laura, répéta Paul quand nous fûmes dans le corridor désert.

— Supposons que tu aies raison. Laura a pointé un revolver sur la tempe de Jilly, ou l'a immobilisée et portée sur son épaule ? Tu les imagines passant inaperçues ? C'est parfaitement ridicule, Paul. Maintenant, dis-moi plutôt la vérité sur tes rapports avec Laura. As-tu couché avec elle ?

Je vis mon intello de beau-frère rougir jusqu'à la racine des cheveux.

— Je n'ai jamais couché avec elle.

— Pourquoi t'es-tu livré à ce genre de mensonge ?

— Je lui ai fait des avances, et elle m'a envoyé promener. C'était une vengeance.

— Ça n'a pas de sens, Paul. Tu ignorais que je la rencontrerais. Où était ta vengeance ?

— Tu as raison... Ecoute, Mac, j'ai surtout fantasmé sur elle. Ce n'était pas grave. Mais c'est vrai que je n'en suis pas fier.

— S'il n'y a rien eu de concret entre Laura et toi, que voulait dire Jilly quand elle m'a parlé de la trahison de Laura ?

— Elle a dû croire qu'elle était ma maîtresse.

— Tu as probablement fait quelques commentaires que Jilly a mal interprétés, dis-je avec une envie folle de le tabasser.

— Mac... Un couple marié depuis huit ans, comme Jilly et moi, a forcément ses problèmes.

— Quand je l'ai vue en février, Jilly m'a dit que vous passiez beaucoup de temps au lit.

— Mais il n'y a pas que le sexe dans la vie.

— Laura était-elle chez vous mardi dernier ?

— Bien sûr que non. Que serait-elle venue faire ? Je te le répète : nous avons dîné en tête à tête. Et puis, quelle importance ? Je retourne dans la chambre.

Je le regardai disparaître au bout du couloir. Puis j'entendis Maggie parler à Rob tandis qu'ils ressortaient de la chambre de Jilly et que les hommes de la sécurité discutaient tous en même temps, comme des fous.

Dès que Mme Himmel m'aperçut, elle me fit signe. Derrière elle, des membres du personnel s'agitaient. Elle se tordait les mains en rougissant. On aurait dit qu'elle allait éclater en sanglots.

— Oh, monsieur MacDougal ! C'est ma faute. C'est ma faute !

J'eus recours à ma voix ferme, très neutre, qui parvenait parfois à apaiser les choses.

— Allons parler dans un endroit tranquille, madame Himmel. J'ai besoin de votre aide.

Elle me conduisit dans la salle de repos des infirmières, où deux d'entre elles buvaient un café.

— Les gens racontent qu'elle a tenté de se suicider, disait l'une d'elles. Eh bien, elle a dû partir pour réussir cette fois-ci !

L'autre infirmière se leva d'un bond quand elle me vit.

— Oh ! Monsieur MacDougal !

— Veuillez nous excuser, dis-je. Votre collègue et moi avons besoin de parler seul à seul un moment.

En deux secondes, la salle fut vide. Je conduisis Mme Himmel vers un vieux canapé de vinyle marron qui avait vu des jours meilleurs, sans doute trente ans plus tôt.

— Dites-moi ce qui s'est passé, demandai-je en m'asseyant à côté d'elle.

Mme Himmel respira profondément, serra le poing, le desserra, nerveusement. En remarquant la contraction de ses biceps, je me dis qu'elle possédait une sacrée force physique.

— Mme Bartlett restait allongée, sans beaucoup bouger, commença-t-elle. Je pensais qu'elle avait l'esprit préoccupé, mais que c'était normal, étant donné toutes les questions que les gens avaient envie de lui poser. Aujourd'hui, je l'ai entendue affirmer qu'elle ne se souvenait plus de la nuit de l'accident. Ce n'est pas impossible, cependant je n'y crois pas. Oh, bon sang ! Il faut que je vous explique. C'est ma faute. Si je n'avais pas mangé de crevettes, j'aurais été dans mon bureau, près de la chambre de Mme Bartlett, ou même avec elle, et rien ne serait arrivé.

— Des crevettes ?

Je dus manifester un étonnement tel qu'elle me tapota la main, de nouveau maîtresse d'elle-même.

— Vous ne pouvez pas le savoir, mais je suis allergique aux crevettes. L'ennui, c'est que j'ai été incapable de résister. Et puis j'ai dû aller aux toilettes plus souvent qu'à mon tour. J'étais vraiment mal... Mme Bartlett a pu s'en aller sans que quelqu'un le remarque et lui pose des questions. D'autant plus facilement, il faut le dire, que M. Bartlett lui avait apporté des vêtements dans l'après-midi. Elle avait tellement insisté qu'il avait cédé et était revenu avec une valise.

J'en conclus que Paul pourrait au moins décrire la façon dont Jilly était habillée.

— Quand nous sommes entrés ici, ajouta Mme Himmel, j'ai entendu l'une des infirmières prétendre que Mme Bartlett était partie parce qu'elle voulait se tuer. C'est horrible, monsieur MacDougal, mais je pense que c'est fort possible.

— Non. Jilly m'a affirmé qu'elle avait simplement perdu le contrôle de sa voiture. Qu'elle n'avait jamais tenté de se suicider. Et je la crois. Reste à comprendre pour quelle raison elle est partie sans avertir qui que ce soit. Je ferai tout pour trouver la réponse, croyez-moi. Vous souvenez-vous de quelque chose, dans la journée ou dans la soirée, qui vous aurait paru bizarre ?

— Ah ! La jeune femme qui était ici hier a appelé.

— Laura Scott ?

— Oui. C'est ça. Elle voulait parler à Mme Bartlett,

mais il y a eu je ne sais quel problème, et la communication n'a pas abouti. Cela dit, ce n'était pas franchement bizarre. Elles sont amies, non ?

A 3 heures du matin, nous n'avions pas avancé d'un pas. Personne n'avait vu Jilly. Personne n'avait vu qui que ce soit l'emmener, d'une manière ou d'une autre, hors de l'hôpital. Maggie avait déjà lancé un avis de recherche, en donnant la description de sa tenue : un ensemble de jogging gris et des baskets blanc et noir.

En insistant auprès de la compagnie de téléphone, je parvins à savoir qu'on avait appelé Jilly dans sa chambre à 20 h 48, depuis l'unique cabine téléphonique d'Edgerton, située sur la Cinquième Avenue. Laura avait essayé de la joindre aux environs de 20 heures, sans succès.

Je trouvai Paul assis dans le fauteuil de la chambre, la tête dans les mains.

— Quelqu'un a appelé Jilly depuis une cabine téléphonique dans la soirée.

— Il n'y a qu'une cabine dans Edgerton. Sur la Cinquième Avenue, en face de la viennoiserie.

— Il était facile de sortir en douce de chez les Tarcher et de téléphoner de cet endroit. Je n'exclus pas que ce puisse être toi.

— Bien sûr, admit Paul sans me regarder. Cotter n'est pas d'accord avec moi. Selon lui, Jilly en a eu assez d'être soupçonnée par les uns et les autres d'avoir voulu se suicider. Elle veut nous laisser croire qu'elle va recommencer. Elle cherche à nous faire souffrir. Bientôt, elle va resurgir en se moquant de nous. Ah, oui ! Je ne t'ai pas dit : Cotter est venu il y a un moment. Il veut nous aider à la retrouver.

— Allons dormir un peu. Il est tard. J'ai les idées qui se

brouillent. On ne peut rien faire d'autre avant le matin. Viens, Paul, rentrons.

Je souhaitais pouvoir dormir au moins trois heures avant d'aller voir Laura à Salem.

11

Il était à peine plus de 7 heures lorsque je me garai sur le parking d'un ensemble de petits immeubles. Je sortis de la voiture, regardai autour de moi et constatai en premier lieu que les bâtiments, au crépi blanc et aux encadrements de fenêtres gris pâle, n'avaient pas plus de trois ou quatre étages. Le parc était très joli avec ses épicéas et ses pins, une aire de jeux pour les enfants, et même un petit étang parsemé de nénuphars sur lequel glissaient des canards. Alors que je me dirigeais vers l'entrée de l'immeuble de Laura, je vis, à ma gauche, une piscine, un pavillon et un petit terrain de golf. Laura m'ayant dit que son activité de bibliothécaire était mal rémunérée, je trouvai intéressant de découvrir qu'elle semblait vivre au-dessus de ses moyens.

Elle m'ouvrit la porte et battit des paupières.

— Charmant petit coin, lui dis-je.

— Mac, que faites-vous ici ?

— Pourquoi n'êtes-vous pas passée voir Jilly hier, comme vous comptiez le faire ?

Tandis qu'elle se contentait de secouer la tête, je regardais le joli mouvement qu'elle imprimait à sa chevelure. En jean moulant, tee-shirt ample et baskets, je la trouvai à la fois élégante et sexy.

— Entrez, Mac. Voulez-vous du café ? Je peux vous en faire en deux minutes.

— Oui. Merci.

Je pénétrai dans un appartement absolument somptueux. Dans l'entrée, on remarquait les dalles couleur pêche, ponctuées d'autres dalles représentant des scènes champêtres. Sur la gauche, un bel escalier de chêne montait au premier étage. Je passai sous l'entrée voûtée d'un séjour octogonal, plein de coins et de recoins. Il y avait toute une symphonie de couleurs vives : celles des banquettes sous les fenêtres, des coussins mauves, ici et là, du tissu exotique recouvrant le canapé modulable. Je découvris aussi des lampes, des fauteuils, des bibelots, des plantes et des fleurs, et l'on pouvait dire que pratiquement chaque centimètre carré était occupé par quelque chose d'original, de vivement coloré et de parfaitement inutile. C'était d'un attrait irrésistible.

Sur le dos d'un fauteuil se tenait un mainate qui me regarda, poussa un cri rauque, puis se mit à se lisser le dessous d'une aile.

— Voici Nolan. Il ne parle pas, ce qui me paraît préférable, mais il a ce cri de temps en temps. C'est sa façon de saluer.

— Salut, Nolan !

Laura me fit traverser le séjour pour me conduire dans une petite cuisine qui semblait sortir tout droit d'une revue pour gourmets. J'estimai que cet appartement, sans être aussi spacieux que le mien, l'était suffisamment pour être très confortable.

— Vous avez combien de chambres ?

— Trois au premier étage, et il y a un canapé-lit dans la bibliothèque.

Je pris la tasse de café qu'elle me tendit mais refusai le lait et le sucre.

— Vous avez un appartement ravissant, Laura.

— Merci.

— J'ai cru remarquer que chaque appartement a un garage pour deux voitures.

— C'est exact. Mais avant que vous ne haussiez un peu plus haut le sourcil, avec votre petit air sarcastique, laissez-moi vous dire que cet appartement est un héritage de mon oncle George. Je l'ai depuis environ dix-huit mois. Vous vous posiez des questions, n'est-ce pas ?

Assurément, et les informations qu'elle me donnait représentaient au moins quelque chose de concret que je pourrais vérifier.

— Ainsi votre oncle George a vécu ici ?

Laura hocha la tête et but son café à petites gorgées, le visage penché sur l'épaule, sa chevelure, comme un rideau de soie, tombant sur sa joue. J'aurais aimé jouer avec ces cheveux, y plonger mes mains, les laisser frôler mon visage. J'avais déjà remarqué qu'elle ne portait pas de soutien-gorge. Je le notai encore, avalai ma salive et, remisant ma libido au vestiaire, je revins à ce qui m'avait amené jusqu'ici.

— Il me semble que ces immeubles n'ont pas plus de quatre ans.

— Vous avez raison. Mon oncle a acheté au début de leur construction. Il est mort il y a un an et demi. En prenant possession des lieux, j'y ai trouvé des couleurs sombres et un tas de vieux meubles, très lourds. Alors j'ai tout balancé, et j'ai pris un immense plaisir à faire ma propre décoration.

Laura me fit signe de la suivre dans le living. Le mainate se manifesta.

— Il aime le café, mais je ne lui en donne qu'une goutte, juste avant d'éteindre les lumières.

Préférant éviter le siège qui servait de perchoir à Nolan, je m'assis, face à Laura, dans un fauteuil recouvert de soie jaune pâle, à côté d'un porte-revues en bois peint. Je vis deux romans policiers, un atlas du monde, trois guides touristiques, mais ni journaux ni magazines.

— Je n'ai pas rendu visite à Jilly hier à cause de mon travail. Il y avait une réunion du comité d'administration dans l'après-midi, et j'avais une intervention à faire. J'aurais pu aller à l'hôpital dans la soirée mais je ne me sentais pas bien du tout. J'irai la voir cet après-midi.

Elle s'était sentie mal ? Avait-elle mangé des crevettes avec Mme Himmel et passé la nuit aux toilettes ?

— Vous avez l'air de nouveau en forme, Laura. Le virus de la grippe s'en est allé ? Ou s'agissait-il d'un empoisonnement alimentaire ?

— Non, simplement des maux de tête. Peut-être à cause du stress. Je suis rentrée vers 16 heures et j'ai dormi jusqu'à ce matin. Il y a une heure, j'ai appelé l'hôpital pour demander des nouvelles de Jilly et voir quand je pourrais passer, mais je n'ai obtenu qu'une seule réponse : Mme Bartlett n'est pas joignable. Pourquoi êtes-vous ici, Mac ? Que se passe-t-il ?

— En quoi a consisté votre intervention devant le comité d'administration ?

— J'ai parlé de la gestion de la bibliothèque pour les dix prochaines années, m'expliqua Laura en souriant. Autrement dit, de ce qui s'impose si nous voulons survivre.

— Je suis venu vous voir parce que Jilly est partie.

Laura se leva d'un bond, fit deux pas vers moi et me hurla en plein visage :

— Non ! Elle n'est pas morte. C'est impossible ! Elle était sortie du coma, elle se rétablissait. Hier soir, une infirmière m'a dit qu'elle allait très bien.

— Mais vous ne lui avez pas parlé directement, n'est-ce pas ?

— Il y a eu une mauvaise manipulation apparemment. J'ai eu deux infirmières mais pas Jilly. Qu'est-il arrivé, Mac ?

— Elle n'est pas morte. Elle a disparu.

Vacillant en arrière, Laura fit tomber sa tasse à café de la table basse. La porcelaine se brisa sur le sol et la coulée de café menaça la soie d'un petit tapis persan. Un cri de détresse au fond de la gorge, mon hôtesse recula. Je me levai pour déplacer le tapis. Puis, incapable de me contenir, je la pris par le poignet et l'attirai contre moi. Elle résista un instant puis finalement jeta ses bras autour de mon cou.

— Elle est vivante, Laura. Mais elle s'est volatilisée. Je suis venu en espérant que vous pourriez me dire pour quelle raison elle est partie comme ça.

Laura était grande et son corps épousait agréablement le mien. Je l'écartai de moi afin de sauvegarder un minimum de lucidité.

— Quand a-t-elle quitté l'hôpital ?

— Vers 22 heures hier soir. On ne sait pas où elle est. J'espérais que vous pourriez me renseigner.

— Pourquoi saurais-je quelque chose ? Elle est vraiment partie ? Juste une seconde, Mac. Il faut que je nettoie par terre.

Elle revint bientôt de la cuisine avec des serviettes en papier. Elle s'agenouilla et épongea le café.

— Personne ne l'a vue sortir. Ni seule ni accompagnée.

Laura ramassa les débris de la tasse, continua d'éponger le sol, assise sur ses talons, puis me regarda.

— Vous croyez que je suis impliquée dans sa disparition ?

— Vous l'avez appelée hier. Oui, je sais, dis-je en levant la main afin de l'empêcher de m'interrompre. Vous n'avez pas réussi à la joindre. Mais écoutez-moi, Laura. Jilly ne vous aime pas. Elle a peut-être eu peur de vous. Je sais qu'elle est persuadée que vous l'avez trahie d'une manière ou d'une autre. Elle ne veut pas que vous l'approchiez. Vous avez probablement compris que c'est votre présence qui l'a sortie du coma. Elle voulait vous échapper.

« L'histoire de votre rencontre avec elle, à la bibliothèque, alors qu'elle cherchait des articles sur la stérilité, je n'y crois pas du tout. Pour autant que je sache, Jilly pense à avoir un enfant depuis seulement six mois. Il était trop tôt pour qu'elle se préoccupe d'un éventuel problème, non ?

Laura se releva lentement et prit une profonde inspiration, le visage fermé.

— Je ne vous ai pas menti. C'est vraiment de cette façon que s'est passée notre rencontre. Personnellement je ne sais pas grand-chose de la fertilité. Au bout de combien de temps doit-on commencer à se poser des questions ? Je l'ignore. Elle désirait avoir un enfant depuis peut-être plus longtemps. Pourquoi pas ? Même si Jilly n'a pas fait de longues études, elle n'est pas idiote.

— Vous croyez vraiment qu'elle n'est pas allée loin dans ses études ?

— C'est ce qu'elle-même m'a dit, en m'expliquant que si elle avait obtenu un diplôme universitaire c'était grâce à un professeur qui voulait coucher avec elle. Elle ne cessait de répéter que Paul était un génie, et qu'elle était heureuse de s'occuper de lui, que rester à l'arrière-plan n'était pas un problème. Pour ma part, je pensais que c'était ridicule, mais elle voyait les choses autrement. Quand elle a parlé d'un enfant, elle s'émerveillait en se disant qu'il serait aussi brillant que son père. Elle n'envisageait pas qu'il tienne d'elle sans frémir. Je m'abstenais de lui dire que je trouvais Paul trop maigre, incapable de s'occuper de lui-même proprement, et en passe de devenir complètement chauve...

Si Laura mentait, elle le faisait à la perfection.

— Vous m'apprenez des choses bien curieuses, Laura. Jilly ne vous a-t-elle donc jamais dit qu'elle travaillait dans la recherche scientifique et qu'elle possédait une maîtrise de pharmacologie ? Qu'elle aurait passé son doctorat si elle n'avait préféré ses projets scientifiques à l'écriture d'une thèse inepte, selon ses propres mots ? Pourquoi ces mensonges ? Pour quelle raison Paul l'aurait-il laissée mentir quand vous étiez tous les trois ? Allons, Laura ! Si quelqu'un vous a vue hier soir, vous avez tout intérêt à vous en soucier. Il n'y a encore aucune preuve d'un enlèvement mais, à mon avis, vous avez besoin de vous trouver un alibi.

— Par... pardon ?

Je crus qu'elle allait s'évanouir. Blanche comme un linge, elle finit par s'adosser à un mur, au risque de faire tomber un miroir au cadre vivement coloré. Elle se mit à secouer la tête fébrilement... J'aurais voulu la réconforter, la tenir dans mes bras, lui tapoter le dos. Et puis aussi enfouir mon visage dans sa belle chevelure.

Le mainate fit entendre son espèce de croassement. Laura le fixa quelques secondes puis revint à moi.

— Je ne vous crois pas, Mac. Vous avez tout inventé. Jilly m'a trop souvent dit qu'elle n'était qu'une femme d'intérieur, sans aucun talent particulier. C'est vrai que je me moquais d'elle quand elle commençait à vouloir se rabaisser. Elle est si belle, et elle a cette assurance naturelle qui donne envie d'être en contact avec elle. Je la trouvais intelligente, j'admirais son vocabulaire. C'est incroyable ! Une scientifique ? Une maîtrise ?

Soudain Laura me donna l'impression d'être au bord des larmes. Elle continuait à secouer la tête. Je la voyais désemparée, choquée, en pleine confusion. Ce n'était pas du cinéma. Personne n'avait le don d'en arriver là.

— J'ai dormi toute la nuit. J'étais seule. Pourquoi Jilly m'a-t-elle menti ?

— Paul m'a dit qu'ils n'avaient reçu personne le soir de l'accident, et que Jilly était sortie à 21 heures en le laissant travailler dans son labo. En même temps, il a fini par admettre qu'il n'avait jamais couché avec vous, parce que vous aviez repoussé ses avances.

Comme une aveugle, Laura avança en tâtonnant jusqu'au canapé et se laissa tomber au milieu des coussins. La tête dans les mains, les cheveux sur le visage, elle murmura :

— Je n'y comprends rien.

— Moi non plus. Mais le fait est là : Jilly a disparu. Je veux savoir où elle est, continuai-je, persuadé qu'il me fallait attaquer de front. Je veux savoir comment vous l'avez convaincue de vous suivre. Je veux savoir comment vous avez réussi le tour de force de sortir de l'hôpital sans vous faire repérer.

Laura fixa sur moi un regard dur.

— Ecoutez, Mac, me dit-elle, la voix de nouveau parfaitement assurée. Je n'ai pas cessé de vous dire la vérité. Je vous ai expliqué que j'étais chez Jilly et Paul mardi soir, et que j'avais dû partir tôt pour soigner Grubster. Si l'on vous a dit le contraire, je n'y peux rien.

— Où est Grubster ?

Je m'étonnai soudain de la présence d'un chat dans cet appartement où un oiseau se perchait sans souci sur un fauteuil.

Laura se leva en hochant la tête.

— Vous en arrivez même à croire que je n'ai pas de chat !

Elle sortit du séjour. J'entendis son pas léger dans l'escalier et, quelques minutes plus tard, je la vis revenir avec un énorme chat blanc, tacheté de noir et de roux.

— Voici Grubster. Comme vous pouvez le constater, il apprécie sa nourriture. Il pèse neuf kilos, il a près de onze ans, et se déplace lentement. Quand il regarde Nolan, ça le fait bâiller. Parfois ils se mesurent du regard. Nolan va même jusqu'à s'installer sur son dos pour le picoter derrière les oreilles.

Le mainate poussa son cri. Laura se tourna vers lui.

— Viens ici, Nolan. Viens dire bonjour à Grubster.

Le chat bâilla et se lova sur le canapé, à côté de Laura. Quant au mainate, il sautilla d'un fauteuil à l'autre pour se poser finalement juste au-dessus du chat, qui ouvrit un œil et le regarda avec la plus parfaite indifférence.

— Vous voulez une autre tasse de café ?

J'acquiesçai d'un simple signe de tête tout en observant les deux animaux. Quelqu'un me tenait en haleine. Quelqu'un m'entraînait dans un jeu dont j'ignorais toutes les règles, ainsi que la part de réalité qu'il incluait. Je ne savais toujours pas où était passée Jilly, et l'alibi de Laura : ses maux de tête et sa nuit de sommeil, était invérifiable.

Elle me tendit une nouvelle tasse de café fumant. J'en bus une gorgée que je trouvai délicieuse, et me dis que Laura avait dû ajouter une rasade de liqueur au goût d'amande. J'en bus un peu plus, soucieux de me remettre sur les rails. Quand elle m'offrit une bouchée au chocolat, je m'étonnai en songeant qu'elle ne pouvait savoir que c'était ma friandise favorite. J'en mangeai une seconde afin d'adoucir le goût de l'alcool, puis je la regardai boire son café.

— Mardi dernier, en sortant de chez Jilly et Paul, qu'avez-vous fait ?

Elle prit une autre gorgée de café.

— Bon. D'accord. Nous étions juste tous les trois. J'étais arrivée à 18 h 30. Jilly voulait du poisson. Paul a fait une salade d'épinards, je crois. J'ai coupé du pain que j'ai aillé. Nous avons dîné, écouté de la musique. Jilly et moi avons même dansé ensemble, deux fois. Paul a pas mal bu. Jilly savait que je ne pouvais pas rester longtemps parce que je travaillais le lendemain et que je devais donner ses médicaments à Grubster. C'est elle qui m'a dit que d'autres personnes viendraient plus tard, et que par conséquent je les verrais un autre jour. Il y aurait très bientôt une autre soirée à Edgerton, a-t-elle ajouté.

— Tout cela est-il vrai, Laura ? demandai-je, penché en avant.

Tandis qu'elle restait silencieuse, je bus mon café, sans la quitter des yeux.

— Il y a autre chose, n'est-ce pas ?

Laura regarda Grubster et se mit à le gratter derrière les oreilles. Depuis mon fauteuil, je pus entendre le chat ronronner.

— Oui, il y a autre chose, me répondit-elle finalement. Je ne voulais pas en parler. Mais Jilly a disparu, et je sais que vous ne serez pas satisfait tant que je ne vous aurai pas tout dit ; même si cela n'a rien à voir avec sa disparition... A un moment donné, Jilly est allée dans la cuisine. Paul m'a alors attrapé les seins en me repoussant au fond du canapé. Il a commencé à m'embrasser, à tenter de mettre son genou entre mes jambes. Puis Jilly a crié quelque chose depuis la cuisine, et il s'est aussitôt écarté de moi. Il était haletant. Je l'ai regardé et je l'ai traité de salopard.

« Ensuite, quand Jilly est revenue dans le séjour, j'ai prétendu que Grubster devait prendre ses médicaments tôt dans la soirée. J'avais envie de m'en aller au plus vite. Je ne voulais pas que Jilly se rende compte de ce qu'avait fait son cher mari, ce crétin. Elle l'adore, elle le vénère. Elle voulait un enfant de lui. Mon Dieu, j'ai vraiment fait une horrible expérience ce soir-là !

— Et vous n'avez jamais eu le sentiment que Jilly était autre chose qu'une femme d'intérieur et une épouse stérile ?

Laura secoua la tête, muette.

— Non, dit-elle finalement. Ni l'un ni l'autre ne m'ont jamais laissé entendre que je n'avais eu droit qu'à des mensonges.

— Autre chose ?

— Non. Ce sont les faits. Et la vérité. Je le jure.

— Très bien. Mais encore une question : quel poisson avez-vous mangé ce soir-là ?

— Quel poisson ? Le poisson n'est pas ce que je préfère, si bien que je n'ai pas fait attention. C'était peut-être du bar, ou du flétan.

Si elle n'avait pas retrouvé d'emblée le nom du poisson, ce qui concernait le reste du repas correspondait au moins à la description que m'en avait donnée Paul.

Brusquement je me sentis si fatigué que mes pensées m'échappèrent. Ecrasé, moulu, je me levai aussitôt et commençai à arpenter la pièce. Mais ce fut inutile. J'avais l'impression de m'enfoncer dans de la boue.

— Mac, qu'avez-vous ?

— Il faut que je m'en aille, dis-je en continuant à aller et venir.

J'éprouvais le besoin de respirer de l'air frais. Que m'arrivait-il ? me demandais-je bêtement, alors que je connaissais déjà la réponse. J'en avais trop fait ; j'avais malmené mon corps qui, maintenant, prenait sa revanche. Il y avait plus d'une semaine que je n'avais éprouvé une telle fatigue. J'aurais dû continuer à interroger Laura, mais j'avais vraiment l'esprit vide tout à coup.

— Je vous verrai plus tard, Laura.

Elle m'appela tandis que je sortais, mais je ne répondis pas. Dans mon dos, Nolan poussa son cri.

Je conduisis la Taurus, toutes vitres baissées, la radio réglée sur une station qui diffusait du rock and roll. Je m'arrêtai même dans un McDonald où je bus encore du café. Je repartis en chantant *King of the Road*, et quand j'oubliais les paroles, je fredonnais la mélodie à tue-tête. Mes yeux ne cessaient de se fermer, je me tapais contre le volant, à trois ou quatre reprises je sortis de la route, et si je réussis à redresser la barre ce ne fut pas sans une belle frousse à chaque fois. Je faillis même heurter un camion qui m'aurait aplati comme une boîte de sardines. Son klaxon me vrilla les tympans. Pendant quelques minutes, la frayeur me réveilla. Puis la fatigue, énorme, écrasante, revint m'embrumer l'esprit.

Jamais je n'aurais réussi à rentrer chez Paul. J'étais en nage, je me revoyais frôlant la mort avec ce camion. Je pensai à l'hôpital qui devait se trouver à six ou sept minutes de trajet. Réussissant à conduire sans trop dévier, j'eus finalement la bonne surprise de me retrouver sur le parking des urgences, après avoir tout de même arraché quelques feuilles à un buisson avant d'entrer. Mais alors que je regardais ma main tourner la clef de contact, je sentis que je m'écroulais. J'eus l'impression de m'avachir d'un bloc, comme si j'avais en un éclair épuisé les forces qui me restaient. Et, à défaut d'avoir le choix, je me laissai aller.

Bizarrement, un klaxon intempestif me fit exploser la tête, et puis je sombrai dans l'oubli.

12

— Mac, il est temps de vous réveiller. Allez, vous pouvez y arriver.

Je n'avais pas envie de bouger, ni même d'ouvrir les yeux. La voix se fit de nouveau entendre, basse, insistante, nasillarde. Je haïssais cette voix que je reconnaissais vaguement. Elle me donnait mal au crâne. Finalement je m'arrachai une petite phrase agressive :

— Allez-vous-en !

— Pas question. Ouvrez les yeux. Montrez-moi que vous êtes vivant.

— Bien sûr que je suis vivant ! fis-je en regrettant de ne pouvoir lever le bras pour faire taire la voix. Foutez-moi la paix !

J'entendis l'intrus parler à quelqu'un d'autre.

— Donne-lui des gifles, lui répondit une femme, que je reconnus comme étant Mme Himmel.

— Non ! Ne me frappez pas !

— Il s'en sort, observa la voix nasillarde.

J'aurais pu jurer que je sentais son souffle sur ma peau. Sur ma peau ? Qu'est-ce que ça voulait dire ? Quelque chose de froid toucha mon torse nu. Où était ma chemise ?

— Le cœur et la respiration sont normaux, précisa une

troisième voix qui m'était totalement inconnue. Oui, il revient à lui.

Que ce parfait étranger vînt mettre son grain de sel acheva de m'agacer.

— Occupez-vous de vos oignons. On ne vous a pas sonné.

L'homme à la voix nasillarde se mit à rire.

— Revenir à la normale va lui prendre un certain temps, dit-il. Mais dans quelques minutes, il ira déjà beaucoup mieux.

— Je n'en doute pas. Alors allez-vous-en !

Ouvrant brusquement les yeux, je découvris le Dr Sam Coates, le médecin de Jilly.

— Ah ! s'exclama-t-il en me souriant. Vous revenez à vous. Me comprenez-vous, Mac ?

— Oui, bien sûr. Que se passe-t-il ? Que faites-vous ici ? Où est ma chemise ?

— Vous avez presque réussi à entrer directement aux urgences avant de perdre conscience. Comme vous aviez bloqué le klaxon en tombant dessus, en deux secondes vous avez été secouru par la moitié de l'hôpital.

Je me souvins d'un bruit énorme dans mes oreilles.

— J'en ai trop fait, c'est ça ? Mon corps s'est révolté et a déclaré forfait ?

— Paul nous a en effet expliqué que vous étiez récemment sorti de l'hôpital, après une histoire de bombe. Mais ça n'a rien à voir. En fait, vous aviez un taux élevé de phénobarbital dans le sang. Vous êtes resté trois heures dans le coma. On vous a administré un traitement dès qu'on a détecté l'origine du mal.

J'imaginai le traitement en question et faillis devenir vert.

— Ne me dites pas que vous m'avez fait un lavage

d'estomac. J'ai un jour assisté à ce genre de chose et j'ai failli vomir.

— Désolé, Mac, mais nous n'avions pas le choix. De toute façon vous étiez inconscient. On vous a aussi injecté dans l'estomac du charbon activé. Il en reste quelques traces au-dessus de votre bouche et sur votre torse. Il n'y a pas mieux pour résorber le poison. Ne vous inquiétez pas à cause de l'oxygène et de la perfusion. Simples précautions. Vous avez mal à la gorge ?

Je secouai la tête. Mon esprit recommençait à reprendre du service.

— J'étais drogué ? Avec du phénobarbital, vous m'avez dit ?

— Oui. Mais personne n'est allé imaginer que vous aviez voulu vous suicider. Qui vous a drogué ?

Je regardai le Dr Coates, Mme Himmel qui, le visage figé, me semblait sous le choc, puis un homme que je voyais pour la première fois.

— Merde ! dis-je.

Quelques secondes plus tard, le Dr Coates put se dire que j'étais bien réveillé en sentant ma main se refermer comme un étau sur son poignet.

— Ecoutez-moi. C'est très important. Il faut envoyer la police chez Laura Scott à Salem. C'est là que j'étais ce matin. Elle a peut-être essayé de me tuer.

Sans être un jeune homme, le Dr Coates était encore capable de se remuer rapidement. En un éclair il sortit de la chambre. Mme Himmel me tapota la main.

— Ça va aller, Mac. Oh ! Je vous présente le Dr Greenfield. C'est lui que vous avez prié de se mêler de ses oignons.

Le Dr Greenfield, plus âgé que son confrère, était un

homme osseux qui arborait une épaisse barbe noire et un nœud papillon à pois blancs et verts.

— Je suis vivant, dis-je. Et je vous en remercie.

— Vous n'êtes pas encore complètement remis de ce... de cet incident terroriste.

— Oui, un incident...

— Mais vous êtes jeune et vigoureux, monsieur MacDougal. Vous n'aurez bientôt plus de séquelles. Je vous laisse en de bonnes mains.

Greenfield pivota sur ses talons, adressa un petit salut à Mme Himmel, puis disparut.

— C'est notre patron, m'expliqua cette dernière. Maintenant, reposez-vous, monsieur MacDougal. Juste une question : pourquoi cette femme aurait-elle voulu vous tuer ?

— Je n'en ai aucune idée. Je suis allé à Salem de bonne heure pour lui parler, en me disant qu'elle avait quelque chose à voir avec la disparition de Jilly. Mais rien ne me l'a prouvé. J'ai bu le café qu'elle m'a offert, et puis la fatigue m'a accablé. Comment ai-je pu me tromper à ce point sur elle ?

— Vous avez bien failli y laisser la peau, Mac, observa le Dr Coates qui était revenu dans la chambre. Pourquoi ne vous êtes-vous pas tout simplement arrêté pour dormir ?

— Je n'avais qu'une idée en tête : rentrer à Edgerton. Il fallait que je sois complètement vaseux pour raisonner comme ça.

— Enfin, vous avez évité l'accident ! Vous savez que, même pour un conducteur lucide, cette route est dangereuse.

— J'ai failli finir sous un camion. Pendant quelques minutes, ça m'a remué les sangs. J'ai chanté, hurlé, je me suis tapé la tête contre le volant pour garder les yeux ouverts. Je ne tenais pas du tout à plonger d'une falaise comme Jilly. Cela dit, où en est-on avec Laura Scott ?

— L'inspecteur Minton Castanga est allé voir sur place. Il nous contactera. Je l'ai eu tout de suite au bout du fil quand j'ai parlé d'une tentative d'assassinat sur la personne d'un agent du FBI.

— Si Laura Scott a vraiment voulu me supprimer, elle a dû filer depuis longtemps.

Je songeai en même temps qu'il fallait d'abord qu'elle eût commis un sérieux crime pour en arriver à croire qu'elle avait intérêt à me tuer.

— Evidemment, observa le Dr Coates, elle seule pourrait nous dire si elle a cru vous donner une dose mortelle. En tout cas, avec la quantité que vous aviez dans le sang, vous auriez pu survivre, même sans nous. Il faut qu'ils la retrouvent et l'interrogent.

— Je doute qu'ils réussissent. C'est une femme très intelligente.

Le Dr Coates m'ausculta de nouveau puis, pendant que Mme Himmel me prenait la tension, s'exclama :

— Oh ! J'allais oublier. M. Paul Bartlett est venu. Il faisait les cent pas, il était tout retourné, mais j'ai fini par le convaincre de rentrer chez lui. Maintenant je peux l'appeler et lui dire de revenir avec le shérif et vos amis qui se bousculaient devant votre porte. Maggie m'a dit qu'elle prévenait le FBI.

— Oh, non ! Vous l'avez laissée faire, j'imagine.

Si Maggie avait effectivement appelé le FBI, elle avait dû avoir mon supérieur, Carl Bardolino. Je décrochai le téléphone en me disant que je n'avais plus le choix maintenant. Bardolino était un homme que je respectais, un vétéran qui avait vingt ans de service derrière lui. Un type loyal, mais prudent, et qui savait faire preuve d'autorité. J'aurais vraiment préféré passer cette histoire sous silence.

— Oui ? répondit-il. C'est vous, Mac ? Que se passe-t-il, bon sang ? Le shérif d'un bled paumé vient de m'appeler pour me raconter qu'on vous avait empoisonné !

— C'est exact, monsieur. Mais je voulais vous dire que je vais mieux. La police locale s'occupe de cette affaire. Vous n'avez pas besoin de vous tracasser.

— Bon dieu ! Vous êtes tombé dans les griffes d'une femme, c'est ça ? Combien de fois vous ai-je dit, à vous, les jeunes, de ne pas laisser vos hormones vous monter à la tête ! Et vous compromettre ! Ne devrais-je pas plutôt dire vous empoisonner ?

— Oui, monsieur, vous nous avez prévenus plus d'une fois. Mais je vous ferai remarquer que ce n'est pas tout à fait ce qui s'est passé.

— Oui. C'est ça. Votre voix a un de ces accents de vérité ! Vous mentez très mal, Mac. Combien de fois vous ai-je répété, à vous tous, que seule la vigilance peut déjouer la luxure ?

— Un sacré nombre de fois.

— Et pas un de vous ne m'écoute. J'ai cinquante-trois ans, et je suis enfin au-dessus de tout ça, mais pas vous. Vous êtes censé être en congé. Vous devriez penser à votre santé, au lieu de vous faire empoisonner. Comment vous sentez-vous ? Comment va votre sœur ?

— Elle a eu un accident, mais elle s'en est sortie. Seulement, maintenant, elle a quitté l'hôpital, et pour aller où, je n'en sais rien. Je suis navré que le shérif vous ait appelé. Je crois que le poison ne m'était pas destiné. On vous a dérangé pour rien.

— Mac, vous allez m'entendre si vous vous exposez au danger. Compris ? Le FBI est une équipe soudée, pas un commando de têtes brûlées, ni un ramassis de francs-tireurs.

— C'est compris, monsieur. Je ne joue pas les francs-tireurs. Je cherche simplement à retrouver ma sœur. Je ne suis pas sur une enquête officielle, et j'apprécierais qu'on me laisse me débrouiller seul.

Bardolino grogna puis, quand il eut presque fini de mâcher le cigare qu'il n'allumait jamais, je l'entendis conclure :

— Vous me tenez au courant, compris ?

— Oui, monsieur.

Soulagé à l'extrême, je m'endormis, le tuyau à oxygène dans le nez, et la perfusion dans le bras.

Je me réveillai sous le regard d'un inconnu à l'expression pensive, qui se grattait une joue rasée de près. Les cheveux clairs, un nez étroit, le regard pénétrant, il était très bien mis de sa personne : boutons de manchette, chemise blanche et mocassins italiens cirés à en reluire. La quarantaine, mince, probablement adepte du jogging, il avait des yeux noirs qui en avaient certainement vu des vertes et des pas mûres. A mon avis, il n'avait rien d'un toubib.

Quand il s'aperçut que j'étais de retour dans le monde des vivants, il se présenta calmement, avec cet accent traînant de l'Alabama qui ne peut tromper personne.

— Je suis l'inspecteur Minton Castanga, de la police de Salem. Si j'ai bien compris, vous êtes l'agent Ford MacDougal du FBI, et vous êtes ici pour votre sœur, qui reste introuvable.

— Vous avez tout dit.

— Pas exactement. J'ajoute que vous êtes allongé sur ce

lit parce que quelqu'un a additionné votre café de phénobarbital.

— Laura Scott. Vous l'avez trouvée ?

— Oh, oui ! J'étais chez elle dix minutes après le coup de fil du Dr Coates. Mais elle ne nous a rien dit.

— Je ne suis pas étonné. Ce qui me surprend c'est qu'elle vous ait attendu.

— Il y a un malentendu, agent MacDougal. On a trouvé Laura Scott, inconsciente, sur le sol de son séjour, un énorme chat roulé en boule sur le dos et un mainate qui criait sur le dossier d'un fauteuil, juste au-dessus de sa tête.

— Non ! m'écriai-je en essayant de me redresser sur les coudes, incapable de réaliser ce qui arrivait. Elle n'est pas morte ! Ce n'est pas vrai, n'est-ce pas ?

Castanga pencha la tête de côté, et je crus voir ses méninges fonctionner sous mes yeux.

— Non, non, elle n'est pas morte. Elle est à l'hôpital, en train de subir le même traitement que vous : lavage d'estomac, tube dans le nez, perfusion et le reste. Les médecins sont optimistes : elle va s'en sortir. Alors, agent MacDougal : elle vous a donné du café, et elle-même en a bu ?

— Oui. Mais elle n'en a pris qu'une demi-tasse, du moins en ma présence. Moi, j'en ai vidé deux.

— Y avait-il quelqu'un d'autre dans l'appartement, à part vous ?

— Je n'ai vu personne d'autre que Laura, le chat et l'oiseau.

— Ce qui nous laisse le choix entre deux suspects, conclut Castanga en me gratifiant d'un sourire plein d'ironie et passablement compréhensif. On peut aussi se dire qu'on a voulu vous tuer tous les deux. Mais dans ce cas il fallait que quelqu'un soit au courant de votre visite.

— Je n'avais prévenu personne.

— Alors on en voulait à Mme Scott, et en ce qui vous concerne ce n'est qu'un accident.

— Mais qui pourrait vouloir tuer Laura ?

Le seul fait de m'entendre prononcer ces mots me rendit malade d'inquiétude. Et de culpabilité. N'avais-je pas déjà tenu Laura pour coupable ?

— Rien ne nous permet de le savoir pour l'instant. Il nous faut attendre de l'interroger. Vous ne pensez pas qu'elle a voulu vous supprimer, et brouiller en même temps les pistes en prenant une petite dose de barbituriques ?

— Je ne le crois pas du tout. Maintenant que mon cerveau recommence à fonctionner, je me dis qu'elle n'avait aucune raison de chercher à me tuer. Pour autant que je sache, elle n'a rien à se reprocher. Mais comprenez-moi bien, inspecteur. Il se passe ici un tas de choses que je n'arrive pas à saisir. Ma sœur plonge par-dessus une falaise et ensuite se volatilise. Je sais qu'elle accuse Laura de l'avoir trahie. Elle ne veut plus la voir. Elle semble avoir peur d'elle. Ou alors c'est un mensonge... Mais de toute façon, que je prenne les faits par un bout ou par un autre, je ne vois pas pour quelle raison Laura aurait tenté de me tuer.

— Vous étiez peut-être sur le point de découvrir quelque chose, agent MacDougal.

Une légère sonnerie se fit entendre. Castanga s'excusa, s'éloigna vers la fenêtre et sortit un petit portable de la poche de sa veste.

Pendant qu'il parlait très calmement, je me dis que j'en avais assez de rester là, comme de la viande inerte, dans cette situation que j'avais déjà vécue à Bethesda pendant quinze jours. Lentement je passai mes jambes par-dessus le bord du lit. Il y avait cependant un problème : j'étais en tenue d'Adam, et je ne voyais rien à me mettre sur le dos.

— Mme Scott se réveille, annonça Castanga derrière moi. Oh ! J'ai oublié de vous dire : j'ai fait fouiller l'appartement. On a trouvé un flacon de phénobarbital dans l'armoire à pharmacie d'une des salles de bains. Il était presque vide. Il avait été prescrit pour un certain George Crafton, et la date de péremption remonte à un an.

George Crafton était l'oncle qui avait laissé l'appartement à Laura. Mais comment les pilules s'étaient-elles retrouvées dans le café ?

— Laura n'est pas idiote, remarquai-je. Plus j'y pense et plus je me dis que quelqu'un d'autre a fait le coup. Et cette personne voulait la mort de Laura.

Je m'étais levé en tirant le drap et la couverture pour m'en envelopper le bas du corps.

— Mme Scott attendait-elle une autre visite ? me demanda Castanga.

— Pas que je sache.

— Je vais aller la voir, agent MacDougal. Mais avant, vous devez tout me raconter. Ce qui m'évitera de partir de zéro.

Je lui rapportai ce que j'avais entendu, ce que j'avais vérifié, et je me rendis compte que je n'avais grand-chose de solide à lui transmettre.

— En définitive, au-delà des faits incontestables, je ne sais rien.

L'inspecteur Castanga m'avait écouté attentivement en prenant quelques notes. Il me posa trois ou quatre questions pertinentes, en bon flic qu'il était incontestablement. Puis, alors qu'il rangeait son carnet dans sa poche, j'entendis une exclamation étouffée au seuil de la chambre et levai les yeux. Maggie Sheffield, en uniforme, regardait fixement Minton Castanga.

— Salut, Margaret, dit celui-ci en s'avançant vers elle.

Devant l'expression mauvaise de Maggie, l'inspecteur s'immobilisa.

— Je me demandais si j'allais te voir ici.

— C'était inévitable. Je suis le shérif de cette ville, non ? Laisse-moi plutôt te demander ce que tu fais ici ?

— On a retrouvé Laura Scott sur le sol de son séjour, avec du phénobarbital dans les veines, tout comme l'agent MacDougal. Tu as l'air en forme, Maggie.

— Toi aussi, Mint.

Je me demandais si j'entendais correctement.

— Vous vous connaissez bien, tous les deux ?

Maggie Sheffield se tourna vers moi, tandis que je me tenais près du lit, la couverture et le drap noués autour de la taille.

— Bonjour, Mac. Vous avez encore quelques cicatrices impressionnantes. Vous tenez sur vos jambes ?

— Apparemment.

Tout en coulant vers Maggie un long regard neutre, l'inspecteur Minton Castanga finit par répondre à ma question.

— Margaret est mon ex-femme, agent MacDougal.

13

Laura occupait la chambre 511, à l'hôpital de Salem. Debout près de son lit, je la regardais respirer, doucement, lentement, le tube à oxygène dans le nez et la perfusion dans le bras. Je me disais qu'elle était vivante et se remettrait bientôt. Contrairement à moi, elle portait une chemise de nuit d'hôpital sous les légères couvertures remontées jusqu'à son menton.

Penché sur elle, j'effleurai sa joue.

— Laura, je vais vous dire ce qu'ils m'ont dit et répété quand j'étais dans le même état que vous. Il est temps de vous réveiller maintenant. Vous avez trop dormi. Allez. Revenez à vous. Je veux vous retrouver.

Sur ses lèvres qui remuèrent légèrement, je déchiffrai mon nom et, spontanément, je me penchai un peu plus près d'elle et embrassai sa bouche.

— C'est ça. Oui, c'est Mac. J'aime la façon dont vous prononcez mon nom. Revenez-moi, Laura.

— Nous venions justement la réveiller, mais je constate que vous nous avez devancés, fit une voix féminine.

Me retournant, je découvris une grande femme en blouse blanche.

— Continuez à l'encourager. Etes-vous son mari ?

— Non.

Pour la première fois de ma vie j'eus l'impression que j'aurais peut-être aimé donner une réponse positive. Bizarrement, le fait de connaître Laura depuis seulement deux jours semblait importer peu.

— Laura est une amie, ajoutai-je.

— Je suis le Dr Elsa Kiren. Voulez-vous que je prenne le relais ? Ou que je vous envoie une infirmière ?

— Non. Je reste. J'avais avalé la même drogue, et je viens juste de me remettre. Par conséquent, je sais très exactement ce qui se passe dans sa tête.

— En cas de besoin, appelez-moi. Je ne serai pas loin.

Je revins à Laura et me demandai si j'avais été aussi pâle qu'elle.

— Laura, écoutez-moi. J'ai longuement réfléchi et voici mes conclusions. C'est vous seule que l'on voulait droguer. Moi, je n'étais pas concerné. Maintenant, nous devons tenter de faire le point ensemble. Réveillez-vous. Quelqu'un a essayé de vous tuer, Laura, revenez à vous, insistai-je après lui avoir donné une petite claque sur la joue.

— Arrêtez de me frapper, crétin.

— Oui. C'est ça. C'est moi le crétin, fis-je, le visage fendu par un large sourire.

Je renouvelai mon geste sur l'autre joue. Elle gronda, probablement à la manière de son chat.

— Tout à l'heure, j'irai chez vous et je m'occuperai de Nolan et de Grubster. Il faut me dire ce que je dois faire. Réveillez-vous, Laura. Pensez à votre oiseau et à votre chat.

Lentement elle ouvrit les yeux et me regarda sans me reconnaître. Puis je vis une lueur se ranimer peu à peu dans son regard. La mémoire lui revenait. Je peux jurer que je devinai le moment exact où son esprit commença à retrouver toute sa vivacité.

— Bonjour, dis-je. C'est bien. Continuez à vous remettre sur les rails. Dans peu de temps ce sera fait.

— Je ne peux pas croire que vous m'ayez droguée, Mac. Mais si c'est le cas, pour quelle raison ?

— Restez sceptique. Je n'y suis pour rien. J'étais comme vous, sur un lit d'hôpital, il y a encore à peine deux heures.

Il n'en fallut pas plus pour qu'elle eût enfin les yeux grands ouverts.

— J'ai mal à la tête.

— Je n'en doute pas. Mais ça va passer. Qui a fait ça, Laura ?

— Je l'ignore. Il devait y avoir quelque chose dans le café. Nous en avons bu tous les deux, vous plus que moi, si je me souviens bien.

Percevant une ombre sur ma droite, je me retournai d'un bloc et vis l'inspecteur Minton Castanga dans l'encadrement de la porte.

Sous ma main, Laura se tendit, prête à l'affrontement.

— Cet homme est déjà venu tout à l'heure. Je ne l'aime pas. Dites-lui de s'en aller, Mac.

— Impossible. Mais ne vous inquiétez pas, Laura. Vous n'avez rien à craindre. Je vous présente l'inspecteur Castanga, de la police de Salem. Il essaie de découvrir le coupable.

Je me redressai et me retournai pour parler à notre visiteur.

— Laura vient juste de se réveiller. Approchez-vous. Ainsi nous entendrons ensemble ce qu'elle a à nous dire.

L'inspecteur Castanga se dirigea vers l'autre côté du lit, étudia Laura pendant quelques instants, puis s'adressa à elle.

— Je suis effectivement déjà venu, expliqua-t-il avec son accent traînant et doux. Je suis resté debout, juste à l'endroit où je suis maintenant, et je vous ai regardée. J'ai essayé d'imaginer à quoi vous ressembliez quand vous êtes réveillée. Laissez-moi vous dire que j'étais loin du compte... Je suis heureux que vous vous en soyez sortie, madame Scott, ajouta-t-il en souriant. Mais il faut que vous acceptiez de me parler.

Le visage impassible, encore très pâle, Laura avait cependant les yeux brillants et le regard vif. A quoi pensait-elle ? Je n'en savais rien. Elle hocha la tête presque imperceptiblement.

— Très bien, inspecteur, finit-elle par dire.

— L'agent MacDougal pense que vous étiez seuls dans votre appartement. Est-ce exact ?

— Oui. Pour autant que je sache, personne n'était aux aguets dans un placard. Ou alors, nous avions affaire à quelqu'un d'extrêmement silencieux.

— Je vous ai entendue dire que la drogue ne pouvait se trouver que dans le café. Vous avez raison sur ce point. Nous sommes tombés sur un vieux flacon de phénobarbital, prescrit par un médecin, dans votre armoire à pharmacie.

— Je n'ai pas ce genre de chose chez moi. Ah ! Si, c'est vrai ! Vous avez dû lire le nom de mon oncle George sur l'étiquette.

— C'est ça. Pourquoi aviez-vous gardé ces pilules ?

Laura haussa les épaules ; voyant les couvertures glisser, je les remontai d'un geste spontané, puis caressai sa joue. Tout aussi spontanément, elle appuya son visage contre ma main.

— Je n'en sais rien, répondit-elle. Peut-être pour

m'éviter d'éventuelles insomnies. Il paraît que le phénobarbital est efficace quand on a du mal à dormir.

Soudain, en un clin d'œil, le calme et courtois inspecteur Castanga disparut pour laisser place à un fouineur de première, à l'attitude et à la voix froides et sarcastiques.

— Bien, madame Scott. Laissez-moi résumer la situation. Quelqu'un est entré chez vous, a fouillé dans l'armoire à pharmacie, a trouvé le phénobarbital, l'a mélangé à votre café, et vous n'y avez vu que du feu. Exact ?

— Je ne vois pas d'autre conclusion, inspecteur.

— Oh, mais si ! Il y en a une autre. A mon avis, c'est vous qui avez agi ainsi, et ensuite vous avez voulu vous dédouaner en absorbant vous-même un peu de votre breuvage.

Je lançai à Castanga un regard noir qui lui échappa, étant donné qu'il gardait les yeux fixés sur Laura.

— Votre ton me laisse supposer que vous voudriez que je me soumette à vos accusations. Ou peut-être attendez-vous que Mac et moi vous racontions le suicide raté de deux amants ? Dites-moi, inspecteur : pour quel motif aurais-je tenté de supprimer Mac ?

— Pour l'empêcher de révéler quelque chose qu'il a découvert à votre sujet.

La voix de plus en plus dure, Castanga se pencha sur le visage de Laura. Je sentais que je n'allais pas supporter ces foutaises longtemps.

— Désolée, inspecteur. Mais je n'ai pas de secrets à préserver à n'importe quel prix, répliqua Laura sur un ton qui trahissait son exaspération.

J'allais intervenir quand elle ajouta d'une voix qui n'avait rien à envier à celle de Castanga :

— Disparaissez, inspecteur. J'ai mal à la tête, j'ai froid, et je me sens encore vaseuse. Mon estomac me donne l'impression de se liquéfier, et pendant ce temps-là vous me traitez comme une criminelle qui a raté son coup. Allez-vous-en ! Allez faire votre travail au lieu de perdre un temps précieux.

Castanga se redressa lentement, le souffle coupé, la mâchoire contractée, visiblement ébahi. Mais en l'espace d'une seconde, il se ressaisit.

— Je pense que vous avez essayé de tuer Mac, et je compte bien le prouver, madame Scott.

— Allez-y ! Ne vous gênez pas. Engouffrez-vous dans toutes les impasses que vous trouverez. Gaspillez l'argent des contribuables. Ce doit être votre spécialité. Et c'est tellement plus intelligent que de débusquer la personne qui nous a drogués, Mac et moi. Les flics de votre espèce me donnent envie de vomir.

Sans aucun préambule, Castanga cessa son forcing imbécile pour tenter d'étouffer un cri de rire. En vain.

— Remarquable, madame Scott ! observa-t-il en se frottant les mains. Vous êtes bibliothécaire, il me semble. A la bibliothèque municipale ? Difficile à croire. Vous avez fait plus fort que moi.

Il avait raison : Laura lui avait bel et bien damé le pion.

— D'accord, poursuivit Castanga en redevenant sérieux. Vous étiez la cible. Je vous crois maintenant. Alors mettons-nous au travail. Mac, approchez une chaise. Vous avez encore l'air tout secoué. Je sais que vous aviez envie de m'envoyer au tapis. Mais Mme Scott n'avait pas besoin de vous pour se sortir des griffes d'un sale flic. Vous voulez de l'aspirine, madame ?

Laura prit deux comprimés. Le Dr Kiren vint vérifier que tout allait bien, hocha la tête et disparut. Castanga s'assit, un calepin ouvert sur les genoux. Quant à moi, je m'efforçais de me tenir droit sur ma chaise.

— Je vous écoute, tous les deux, fit Castanga. Vous avez l'air de marcher la main dans la main. Dites-moi pourquoi quelqu'un a voulu supprimer Mme Scott.

Je fus le premier à sortir d'un silence d'outre-tombe, en haussant les épaules.

— Je vous ai déjà donné la raison de ma venue à Edgerton, inspecteur : l'accident de ma sœur. Je connais Mme Scott depuis seulement deux jours.

Castanga eut du mal à me croire. Il se tourna vers Laura, le sourcil levé.

— Je ne vois pas qui veut ma mort, lui lança-t-elle. Je ne suis qu'une bibliothécaire, bon sang.

A cet instant précis, je sus que Laura mentait. Sa réponse avait fusé, claire et nette, mais c'était un mensonge. En revanche, j'ignorais ce que Castanga en pensait. Pendant un long moment, il regarda Laura, songeur.

— On peut constater que le grabuge a commencé avec votre arrivée, Mac, remarqua-t-il finalement. Donnez-moi le nom des personnes que vous avez rencontrées à Edgerton.

Visiblement, Laura se sentit soulagée. Moi, je dressai la liste des gens dont j'avais fait la connaissance.

— Bien. Vous m'avez indiqué une douzaine de noms, récapitula Castanga en me regardant. Je vais les lire à voix haute. Ajoutez ou retranchez, s'il vous paraît bon de le faire. Commençons par le poids lourd : Alyssum Tarcher. Ce type est bourré aux as. Il a des capitaux un peu partout, et des relations politiques jusqu'à Washington, m'a-t-on dit. Il est sur votre liste avec tous les membres de sa famille.

— Il est incontournable, me semble-t-il. Mais attendez. Il y a eu un événement particulier depuis mon arrivée : l'assassinat de Charlie Duck. Maggie ne comprend ni ce crime ni le saccage de la maison.

Je haussai les épaules et, parce que je connais mon métier, je regardai Castanga droit dans les yeux en ajoutant :

— Elle pense qu'il s'agit d'un crime de rôdeur, et c'est peut-être le cas. Qui sait ?

Mon interlocuteur se rejeta contre le dossier de son siège.

— En tout cas, c'est une honte. Duck était un flic à la retraite. Il s'était fait un nom à la grande époque de Chicago.

— Oui. Maggie me l'a dit.

— Je vais lui demander s'il y a du nouveau. Je sais qu'elle a fait transporter le corps à Portland pour une autopsie, bien qu'il soit évident que Duck a succombé au coup qu'il a reçu sur la tête. Mais on ne sait jamais ce que l'on peut découvrir. Le corps devrait revenir mardi, juste à temps pour l'enterrement.

Castanga s'adressa de nouveau à Laura.

— Madame Scott, vous affirmez n'avoir aucun ennemi. J'ai quand même besoin de savoir qui vous connaissez à Salem.

Laura acquiesça, puis ferma les yeux, pâle et visiblement exténuée. Je me demandai si je devais informer l'inspecteur de tout le reste, y compris des dernières paroles de Charlie. Finalement j'y renonçai, préférant laisser le choix à Maggie.

Je pensai à Jilly et à Paul. L'un d'eux haïssait-il Laura au point de chercher à la tuer ? Jilly avait-elle quitté l'hôpital sans aucune contrainte pour venir jusqu'à Salem, pénétrer dans l'appartement de Laura et mêler les barbituriques au café ?

— Jilly avait-elle une clef de votre appartement, Laura ?

demandai-je finalement, en dépit du dégoût que m'inspirait une telle question.

— Je ne crois pas, non. Elle passait me voir, de temps en temps, ça oui Oh, j'ai mal au crâne ! J'ai besoin d'un sédatif plus fort que l'aspirine.

Castanga se leva et remit son carnet dans la poche de sa veste.

— Nous nous reverrons quand vous irez mieux. En attendant, je vais demander à l'un de mes hommes de monter la garde devant votre porte.

— Merci, inspecteur.

Laura referma les yeux et laissa sa tête rouler sur l'oreiller.

— Vous venez, Mac ?

— Ça m'ennuie de la laisser seule. On a attenté à sa vie, tout de même, et vous ne pouvez pas faire venir quelqu'un à la minute.

— Ça se fera rapidement. J'ai quelqu'un sous la main. Il est un peu fatigué ces temps-ci, mais il sera vigilant. Il s'appelle Harold Hobbes, précisa Castanga à l'adresse de Laura. Il est gentil mais impitoyable. Avec lui, même votre mère n'entrerait pas dans la chambre.

— Merci, inspecteur.

J'accompagnai Castanga jusqu'au milieu du couloir. Nos pas résonnèrent sur un fond sonore fait de gémissements sourds, d'un cri perçant, d'un bourdonnement musical, du bip des appareils de contrôle médical, et d'un juron occasionnel. Quand je regagnai la chambre de Laura, je découvris une grande femme penchée sur elle.

— Eh ! m'exclamai-je en me précipitant vers elle.

La femme se redressa et me regarda, la tête penchée, l'air interrogateur.

— Excusez-moi, dis-je en reconnaissant le Dr Kiren.

— Elle sera d'aplomb ce soir, m'annonça-t-elle en souriant. Peut-être même pourra-t-elle rentrer chez elle.

Chez elle, je n'y tenais pas. Non, c'était impossible. Il fallait que je réfléchisse à ce problème.

Le Dr Kiren consulta son bip qui venait de sonner et s'éclipsa, non sans commander à Laura de se reposer.

Je pensai à Charlie Duck dont le corps devait revenir à temps pour être enterré comme prévu. Puis, penché sur Laura, j'effleurai son front.

— Je reviendrai cet après-midi, et on parlera. Pour le moment, dormez. Harold Hobbes sera posté devant votre porte. Si, malgré tout, quelqu'un réussissait à déjouer sa vigilance, n'hésitez pas à hurler.

— D'accord, me répondit Laura, les yeux fermés.

J'allais sortir quand je l'entendis me dire :

— Merci, Mac.

— Sans commentaire, Laura.

— Je suis navrée d'avoir failli vous tuer.

— Je le sais.

Je m'arrêtai à son appartement. Les hommes de Castanga avaient terminé leur travail, mais je dus quand même montrer mon badge du FBI au gardien pour qu'il m'ouvre la porte. Grubster, qui attendait Laura juste devant l'entrée, miaula en me voyant, puis se retourna et s'éloigna, la queue dressée.

— Je viens te nourrir, lui dis-je.

A ma grande surprise, il s'immobilisa, leva la patte, la lécha, fit deux pas dans ma direction, et s'assit.

— OK. Voyons où se trouve ta pâtée.

J'assistai au repas de Grubster qui ingurgita, en ronronnant constamment, toute une boîte de saumon et de riz, ainsi qu'une grosse poignée de croquettes, qui avaient l'air si peu appétissantes que je les avais arrosées de lait écrémé.

Il eut droit aussi à des litres d'eau fraîche. Puis je cessai de le regarder pour jeter un coup d'œil à sa litière en piteux état. Pendant que je la changeais, ce fut lui qui m'observa. Apparemment satisfait, il prit ensuite le temps de se frotter contre ma jambe alors que nous ressortions de la cuisine.

— Maintenant à toi, Nolan.

En entendant son nom, Nolan lança une volée de cris, ce qui doit être la façon dont un oiseau donne des ordres. Je remplis son abreuvoir, émiettai une grosse tranche de pain et arrosai le fond de la cage de graines de tournesol. Nolan eut alors l'amabilité de sautiller vers son dîner.

Avant de ressortir, je regardai les deux animaux, soupirai et retournai vers le chat pour le gratter et le caresser, tandis que le mainate me donnait la sérénade entre deux bouchées de mie de pain.

Si j'avais toujours eu des chiens, depuis cinq ans je vivais seul. Je n'avais cependant pas perdu l'habitude de parler aux bêtes.

— Je reviendrai vous chercher, dis-je avant de m'en aller.

Nolan fut le seul à me répondre. Grubster s'était endormi.

En début d'après-midi, je retournai à Edgerton, m'arrêtai à la viennoiserie et commandai un sandwich au thon. Tout en mangeant, je demandai à Grace, la patronne, comment je pourrais m'y prendre pour louer une maison ou un appartement dans les environs, peut-être du côté de la cabane de Rob Morrison.

Grande, maigre, la chevelure poivre et sel, Grace était une femme de caractère.

— Evidemment, me répondit-elle en souriant, il y a le Buttercup, mais Arlene Hicks ne tient pas à vous avoir comme client. Elle n'a jamais compris que l'argent n'a pas d'odeur, si vous me passez l'expression. Elle vous a déjà répondu que c'était complet, n'est-ce pas ?

— Oui. J'aurais dû lui dire que si elle ne vendait pas de la drogue, elle n'avait rien à craindre.

— Mais c'est peut-être ce qu'elle fait. Qui sait ? Arlene est une femme très secrète. Ah, mais j'y pense ! M. Tarcher possède un bungalow comme celui de Rob Morrison, qu'il appelle le Seagull. Il est situé au sud de la ville, presque sur la falaise. Les derniers locataires sont partis il y a un mois.

— Parfait, dis-je en terminant mon sandwich. Vous venez aux obsèques de Charlie Duck ?

— Et comment ! J'ai un éloge funèbre de trois minutes à prononcer. Je suis la bouddhiste de la ville, ajouta Grace devant mon étonnement.

— Vous êtes bouddhiste ?

— Pas tout à fait, en réalité. Je réfléchis encore, mais je n'en suis pas loin. Ce qui m'attire dans le bouddhisme c'est qu'il facilite singulièrement l'accès au paradis. Pour atteindre le nirvana, il suffit de faire les choses justes, de penser juste, et de renoncer à presque tout.

— Vous êtes sûre d'être sur la bonne voie ? remarquai-je en regardant autour de moi.

Tandis que Grace se contentait de m'observer, la tête penchée, je me levai et sortis en souriant. J'appelai ensuite chez les Tarcher et fus surpris d'entendre Alyssum répondre lui-même. Je lui expliquai que je voulais louer le Seagull en lui donnant la raison de cette sollicitation. Si c'était lui qui tirait les ficelles, peu importait. De toute façon, il lui aurait été facile de retrouver Laura et, par ailleurs, je tenais à ce que tout le monde sache que Laura et moi étions ensemble et déterminés à faire front.

— Vous comprenez donc, ajoutai-je, qu'après ce qui est

arrivé, je ne peux laisser Mme Scott retourner chez elle. C'est Grace qui m'a parlé de votre bungalow.

— Eh bien, agent MacDougal, pour une surprise c'est une surprise ! Ainsi vous devenez le garde du corps de Mme Scott ?

Je lui précisai que je ne serais pas le seul à assurer sa protection, que Maggie organisait une rotation, mais qu'effectivement je serais le principal baby-sitter.

— Ecoutez, agent MacDougal, dit Alyssum qui prit le temps de respirer puissamment. Afin de m'acquitter de mon rôle d'honnête citoyen, je vous accorde un mois de location gratuit.

N'ayant rien à redire à cela, je le remerciai et pris rendez-vous avec lui pour la remise des clefs. Restait maintenant à convaincre Laura de renoncer à retourner chez elle et de me suivre à Edgerton. Et peut-être, ensuite, tenter de lui arracher la vérité...

Je retournai à l'hôpital de Salem, avec Nolan et Grubster sur la banquette arrière de la Taurus et, dans le coffre, trois valises remplies d'à peu près tout ce qui m'avait paru nécessaire à une femme.

Dans l'ascenseur, je décidai de la stratégie à employer pour la convaincre de m'écouter.

14

Laura était assise au bord du lit, les jambes pendantes, la chemise de nuit de l'hôpital glissant sur son épaule. Son visage s'éclaira dès qu'elle me vit.

— Mac ! Je suis justement prête à partir. Ça ne vous ennuierait pas de me ramener chez moi ?

Je lui répondis que j'étais à sa disposition. Elle alla ouvrir la penderie et, pendant qu'elle s'habillait, je parlai avec Harold Hobbes dans le couloir.

— Bon dieu ! dit-il en faisant un mouvement de la tête en direction de la chambre. Quand je pense qu'un saligaud a essayé de refroidir une jolie dame comme ça !

Je comprenais son indignation.

— Personne n'a montré le bout de son nez, ajouta-t-il.

Frappant à la porte, j'entendis Laura me répondre d'entrer. Si elle était encore un peu étourdie, ma future colocataire se portait incontestablement beaucoup mieux et n'apprécia guère d'avoir droit au fauteuil roulant. Dès que je l'eus installée sur le siège du passager, je m'empressai de refermer la portière.

— Qu'est-ce que ça signifie, Mac ?

Ce furent les premiers mots de Laura tandis que je m'installai au volant.

— Alors, les garçons, dis-je en me retournant vers la banquette arrière. Tout va bien ?

— Squawk ! fit Nolan tandis que Grubster restait muet.

— Que se passe-t-il, Mac ?

— Vous avez droit à des vacances, madame Scott, expliquai-je en sortant du parking. J'ai loué pour nous un bungalow sur la falaise, au sud d'Edgerton. Il appartient à M. Alyssum Tarcher qui nous le prête gracieusement pour un mois. Nous allons cohabiter, Laura.

Il lui fallut un petit moment pour enregistrer la nouvelle.

— Pas question, déclara-t-elle finalement. Je vis à Salem, et je ne veux pas perdre mon travail.

— Je vous ai obtenu deux semaines de congé sans solde, en racontant que j'étais votre frère et que vous aviez contracté la maladie de Lyme. Ça les a suffisamment impressionnés pour qu'un certain M. Dirkson accepte ma demande.

— Et mon appartement ?

— Le gardien est prévenu ; il le surveillera.

— Je n'ai pas de vêtements.

— Il y en a des kilos dans le coffre.

Pendant un certain temps Laura se tut, exténuée. Nous étions maintenant sortis de Salem et filions rejoindre la 101.

— Ne vous en faites pas, Laura, dis-je en lui adressant un bref sourire. C'est la bonne solution, croyez-moi. Et que nous ayons Alyssum Tarcher comme propriétaire n'est pas une mauvaise chose. A supposer qu'il soit derrière tout ça, il aurait, de toute façon, vite découvert que vous aviez pris la tangente. Désormais, tout le monde sait que vous avez un garde du corps.

— Vous n'avez aucune idée de ce qui se passe, Mac.

— Ça va changer. Ne croyez pas que je vous conduise

dans la gueule du loup. Et puis, si c'était le cas, nous serions deux, et je peux être très méchant. Fuir n'aurait pas été le meilleur moyen de découvrir les mystères d'Edgerton, ni de retrouver ma sœur.

J'attendis une réaction, mais Laura se contenta de hocher la tête.

Il avait commencé à pleuvoir. Nous avions d'abord eu droit à une légère bruine ; il tombait maintenant des hallebardes.

— Désolé. J'ai oublié de vous prendre un imperméable.

Le silence de Laura se prolongea sur une dizaine de kilomètres.

— Laura ? Ça va ? demandai-je finalement.

— Vous laisserez se répandre la nouvelle que quelqu'un a voulu me tuer ? Ou est-ce que vous parlerez aussi de vous ?

— J'ai déjà dit à Alyssum Tarcher que vous étiez la seule visée. Quand nous arriverons à Edgerton, je m'arrêterai chez Paul pour prendre mes vêtements. Puis j'irai demander à Maggie si elle a des nouvelles de Jilly. Il y a aussi le rapport d'autopsie de Charlie Duck qui doit bientôt lui parvenir.

— A votre avis, la mort de Charlie fait partie de toute cette affaire, n'est-ce pas ?

— Mon patron, Carl Bardolino, aime à dire qu'on ne peut pas dans notre métier croire aux simples coïncidences.

Le « squawk ! » de Nolan résonna dans la voiture.

— S'il a faim, dis-je, il y a encore des graines de tournesol dans un sac en papier sur le siège arrière.

En plein virage, une voiture imprudente nous dépassa. Je levai légèrement le pied afin de la laisser passer facilement. Laura commença à dire quelque chose tout en se retournant pour nourrir le mainate. Dans la seconde suivante, j'entendis un claquement, puis un second. En un sursaut je me rejetai contre le dossier du siège ; une balle avait traversé la vitre, côté passager, et était venue étoiler le pare-brise en manquant ma nuque de peu.

Je donnai un sévère coup de volant afin de prendre du champ, au risque de rentrer dans une voiture venant en sens inverse. Le film des secondes qui venaient de s'écouler passa dans ma tête. Je vis un homme, sur le siège du passager, lever un bras sans doute armé d'un revolver. Je vis la voiture qui roulait juste devant nous ; une Honda rouge foncé. J'accélérai en grimaçant, certain que sous cette pluie la moindre imprudence nous enverrait dans le décor. La Honda prit de l'avance, et coupa un virage en épingle à cheveux. Je savais qu'avec la Taurus je ne pourrais pas l'imiter. Je dus ralentir un peu et, quand je pris le virage à mon tour, la Honda avait creusé la distance.

— Mon Dieu, Mac, vous n'avez rien ?

— Non. Et vous ?

— Je ne crois pas. Mais si je ne m'étais pas retournée au même moment pour prendre les graines de Nolan...

— Je sais, Laura. Bouclez votre ceinture et accrochez-vous.

— Squawk ! fit l'oiseau.

— Tout va bien, Nolan. Dis-toi que nous vivons une aventure.

Je doublai deux véhicules, au risque d'érafler la peinture de la seconde, et déclenchai un concert de klaxons.

— Laura, on se rapproche d'eux, mais je ne crois pas qu'on pourra les rattraper. On peut quand même essayer de lire la plaque d'immatriculation.

— Je vais essayer de le faire.

Laura fit descendre ce qui restait de sa vitre afin de se

pencher à l'extérieur. La pluie entra dans la voiture, forte et dense.

Je m'appliquai à ne pas me crisper sur le volant bien que la colère accélérât un peu plus les battements de mon cœur à chaque fois que, du coin de l'œil, je voyais le pare-brise étoilé. Je dépassai une Land Rover dont le chauffeur me fit un geste obscène en me lançant un juron.

Alors que seuls quelques mètres nous séparaient encore de la Honda, le passager se pencha par sa portière et regarda en arrière, un revolver au poing.

— Laura, baissez-vous !

Elle rentra sa tête et se coucha sur son siège tandis que l'homme tirait cinq ou six balles.

— Mac, vous avez une arme, n'est-ce pas ?

— Oui, mais il faut que je me concentre sur la conduite.

— Donnez-moi votre revolver. Je sais tirer.

S'il y avait quelque chose que j'aurais voulu éviter, c'était bien ce genre de situation. Mais Laura sortait déjà mon revolver de son étui.

— Laura, je préférerais que vous ne vous impliquiez pas de cette manière. Je vous en prie. Faites attention.

— Ecoutez, rapprochez-nous au maximum de cette satanée Honda.

Nous nous retrouvâmes à deux mètres de la voiture. Grâce à Dieu, il pleuvait moins fort, mais cette partie de la 101, serpentant au pied de collines, n'était que virages et dénivellations. Quand il devenait possible de déchiffrer la plaque d'immatriculation, la Honda disparaissait à chaque fois dans un tournant.

Accrochée à la portière, Laura attendait, étrangement calme.

— Ça va ?

— Très bien, Mac. Continuez à vous rapprocher d'eux. Voilà. Comme ça. Encore un peu.

Soudain elle se pencha à l'extérieur jusqu'à la taille et, le visage battu par la pluie, vida la moitié du chargeur sans un temps mort.

La vitre arrière de la Honda explosa. Le passager sortit à moitié, le revolver pointé dans notre direction, mais ce fut Laura qui tira la première et lui envoya trois autres balles. Son arme lui tomba des mains et glissa sur la chaussée. Puis la Honda profita de nouveau d'un virage.

Le pied au plancher, je négociai le virage au mieux, mais nos agresseurs disparaissaient déjà au bout de la courte ligne droite qui s'étendait devant nous.

— Merde ! Je n'ai pas réussi à toucher un pneu.

Quand nous vîmes la Honda pour la dernière fois, le chauffeur s'évertuait à la faire avancer alors qu'elle patinait dans un creux. Il y parvint au sommet de la côte, et reprit aussitôt de la vitesse. Je fonçai, mais la Taurus dérapa sur la chaussée glissante, fit un demi-tour sur elle-même, nous envoya sur le bas-côté de la route et s'arrêta à un mètre d'un fossé.

— Nous n'avons pas pu lire la plaque d'immatriculation, regretta Laura. Quelle poisse !

— Après un coup pareil, je vais louer une Porsche. Ces salauds nous ont semés.

Laura éclata de rire et, comme j'étais aussi dopé qu'elle par l'action, je l'accompagnai avec bonheur. Nous étions encore en vie. Mais nous dûmes apaiser Grubster et Nolan avant de pouvoir retrouver nous aussi un peu de calme.

— Ça va ?

Laura hocha la tête tout en continuant à gratter Grubster derrière les oreilles.

— On l'a échappé belle, Mac. Mon cœur bat à une

vitesse folle. J'étais tellement surexcitée tout à l'heure que j'ai cru un moment que j'allais m'envoler par la portière. Oh, Mac...

Elle se pencha vers moi et m'enlaça. Tandis qu'entre nous deux Grubster ronronnait bruyamment, je serrai ma passagère contre moi, en sentant les battements de son cœur et son souffle chaud dans mon cou ; je fus encore plus heureux que nous ayons survécu. J'inspectai rapidement la Taurus et, devant le trou dans le pare-brise, regrettai que la balle ait pu passer à travers. Une pièce à conviction, bien concrète, n'aurait pas été inutile.

— Qu'allons-nous faire ?

— Si j'avais mon portable, je pense que j'appellerais Castanga, le président et tous les chefs d'états-majors.

— Je n'ai pas le mien non plus, observa Laura en restant contre moi.

— Squawk !

Le cri du mainate la fit réagir. Elle s'écarta de moi, souleva Grubster de ses genoux, le posa à l'arrière, puis donna des graines de tournesol à Nolan. Dès qu'elle eut fini, le chat vint d'un bond se réinstaller sur ses genoux.

— Je suis heureux que nous soyons encore en vie, dis-je.

— Je me demande si vous pouvez être plus satisfait que Grubster.

Le félin ronronnait si fort qu'il obligeait Laura à forcer la voix.

— Vous avez remarquablement bien visé, observai-je après avoir pianoté quelques instants sur le volant.

— Merci.

Je lui adressai un sourire en me demandant s'il n'était pas trop incertain.

— Au moins, maintenant, je sais à propos de quoi vous

mentiez. Vous êtes dans la police, Laura. Votre travail de bibliothécaire n'était qu'une couverture. Je me trompe ?

Son visage refléta tour à tour le doute, la peur et la culpabilité. Sans doute comprenait-elle qu'il était trop tard pour se soustraire plus longtemps à la vérité.

— Laura ? Faites-moi confiance. Je n'ai nullement l'intention de vous blesser, encore moins de vous compromettre ou de vous causer des ennuis avec vos supérieurs. Mais il ne vous reste plus qu'à me mettre dans la confidence. Nous sommes embarqués dans la même galère, et il est grand temps que vous vous expliquiez.

Tandis qu'elle étouffait un soupir et s'apprêtait à me répondre, je lui pris la main et observai le soulagement éclairer son regard. Enfin elle pouvait sortir d'un mensonge incessant.

— Oui. Je suis dans la police.

D'un signe de tête je l'incitai à continuer, tandis que Grubster ronronnait de plus belle.

— On a voulu me descendre, dit-elle, les doigts crispés dans la fourrure du chat. Si je ne m'étais pas retournée pour prendre les graines...

Je remis prestement dans son holster le revolver qui était resté posé entre nous, lissai ma veste et attirai Laura contre moi. Puis je me redressai et, front contre front, je pris son visage entre mes mains.

— Libérez-vous. Il y a trop longtemps que vous êtes embarquée en solo dans cette affaire. Pensez à ce que nous pourrons accomplir si nous travaillons ensemble.

— Non. Pour moi, c'est terminé. Je suis grillée. Les ordres que je devais suivre n'ont plus de sens.

— Raison de plus pour vous sentir libre de me parler.

— Je suis aux stups, Mac. J'ai eu beau expliquer à mon patron que j'avais été empoisonnée, que ma couverture ne tenait plus, il m'a demandé de garder profil bas pendant deux jours, le temps pour eux de faire le point, de trouver comment les autres avaient tout découvert. Bien entendu, je lui ai parlé de vous. Mais il n'en a été que plus inflexible en me disant qu'ils avaient déjà trop travaillé sur cette affaire pour qu'elle soit fichue en l'air par le FBI. Je regrette de vous avoir menti, Mac, mais je ne pouvais pas faire autrement.

— Votre patron semble vouloir gagner à tout prix. Bon sang, on a pourtant tenté de vous tuer !

— Vous savez, j'étais en passe de devenir une excellente bibliothécaire.

— Quel est votre véritable nom ?

— Je m'appelle vraiment Laura. Laura Bellamy. Ça faisait quatre mois que je menais cette activité clandestine. Evidemment, il s'agit d'une affaire de drogue.

— Et Paul et Jilly sont concernés ?

Laura pâlit et hésita, consciente qu'elle allait me faire du mal.

— Dites-moi, insistai-je.

Au même moment, Grubster nous gratifia d'un miaulement sonore.

— Ne t'énerve pas, Grubster, lui répondit Laura. Dors. Tu as été secoué, je sais.

Fermant un moment les yeux, elle fit courir ses doigts dans la fourrure du chat qui se mit de nouveau à ronronner sans retenue.

— Il y a environ cinq mois, le service de surveillance électronique a capté une rumeur selon laquelle on était en train de mettre au point une nouvelle drogue, de faible coût, et qui en même temps engendrerait une forte dépendance.

— Le rêve de tout trafiquant.

— Absolument. Un certain John Molinas en vantait déjà les mérites. Or nous pensons que ce Molinas est un puissant dealer, en cheville avec le cartel dirigé par Del Cabrizo.

— J'ai entendu parler de ce type.

— De temps en temps, Del Cabrizo en personne vient aux Etats-Unis nous narguer. Quant à ma présence ici, elle s'explique par le fait que nous soupçonnions un habitant d'Edgerton, très fortuné, d'être impliqué dans le trafic du cartel. Je veux parler, bien sûr, d'Alyssum Tarcher.

Je dois admettre que je regardais Laura avec des yeux ronds.

— Tarcher ? En cheville avec Del Cabrizo ?

— Je dois vous préciser que John Molinas est le beau-frère d'Alyssum Tarcher. Ce qui explique sans doute l'implication de Tarcher dans ce trafic.

— Je le savais puissant mais là ! On a affaire à un vrai gangster !

— Oui. J'avoue que nous sommes passés par le même étonnement. Molinas semblait avoir décroché depuis quelques années. Dès que nous avons eu Tarcher dans le collimateur, nous avons vite découvert qu'il avait vendu, à un prix dérisoire, une maison à deux chercheurs d'un labo pharmaceutique qui venaient de quitter Philadelphie pour Edgerton. A partir de là nous avons fait pression sur leur employeur, VioTech, pour qu'il nous explique en quoi consistaient les recherches de Paul Bartlett et de sa femme. Tous deux travaillaient sur une drogue agissant sur la mémoire.

« Le lien nous échappait, mais le service a tout de même analysé le travail de Paul et Jilly. On a découvert que cette drogue était tout d'abord extrêmement toxique, au point de rendre les cobayes complètement cinglés. Apparemment, le labo avait englouti des millions de dollars dans un produit inutilisable. Restait encore à comprendre pourquoi les Bartlett avaient soudain décidé de s'installer à Edgerton. Paul y avait grandi, mais cette justification semblait très faible.

— Tarcher tirait les ficelles ?

— Exactement. Et je me suis installée à Salem, à défaut de trouver un moyen d'être plus proche d'Edgerton, théâtre des activités des principaux protagonistes. A Edgerton même, je n'aurais rien pu faire. C'est une petite communauté très soudée, où tout se sait très vite.

— Mais pourquoi cet emploi à la bibliothèque ?

— Mon Dieu, Mac ! Je suis vraiment navrée. Mais je n'ai joué les bibliothécaires que pour rencontrer Jilly. Nous avions observé qu'elle venait à la bibliothèque au moins trois fois par semaine, avec la régularité d'une horloge. Et puis notre surveillance nous a permis de constater... qu'elle rejoignait un amant. Je suis vraiment désolée, Mac. Enfin, grâce à ce travail, j'ai cherché à entrer en contact avec elle, et à la fréquenter. J'avais pris la place d'une bibliothécaire qui avait besoin de se mettre au vert, et qui n'a cependant rien perdu de son salaire.

— Un amant ? répétai-je, obnubilé par cette révélation. Jilly rencontrait un homme, trois fois par semaine à la bibliothèque ?

— Un chirurgien. Personne n'a réussi à savoir comment ils s'étaient connus, et pour l'instant nous n'avons aucune preuve de son éventuelle implication dans ce qui se passe à Edgerton.

Levant les yeux, je vis une voiture de police passer lentement à nos côtés ; l'agent avait le regard rivé sur nous. Je lui fis un petit signe et mis le contact. J'avais besoin de respirer et de boire un café.

A environ neuf kilomètres, à la hauteur de la bretelle menant à la 133, se trouvait un McDonald coincé entre deux supérettes et trois stations d'essence. Laura remit Grubster dans sa caisse sans le réveiller et, quand elle couvrit sa cage, Nolan n'eut aucune réaction.

— Après quatre mois de travail souterrain, qu'avez-vous découvert ? demandai-je pendant que nous mangions et buvions du café.

— Vous voulez dire au sujet de Paul et Jilly ?

— Croyez-moi, je me fous complètement de Molinas, de Tarcher, ou de ce Del Cabrizo.

— Encore une fois, Mac, je suis navrée, mais Jilly m'a menti du début à la fin. Elle a prétendu être ici parce qu'elle voulait un enfant. Elle s'est présentée comme l'inculte de la famille. Je me demande si c'était elle ou moi qu'elle cherchait à protéger. Vous savez, je l'aime beaucoup. Quand vous m'avez appris qu'elle était dans le coma, ça m'a vraiment bouleversée. Nous étions proches, mais pas assez pour qu'elle se confie vraiment.

— Si vous n'avez rien trouvé sur Paul et Jilly, c'est tout simplement parce qu'ils ne sont pas dans le coup, Laura. Bon dieu, je ne vois pas ma sœur impliquée dans un trafic de drogue ! Paul non plus. Ce sont des scientifiques, pas des criminels. Des gens qui ont un sens moral, pas des êtres capables de mettre au point une drogue pour tuer des gamins. Vous vous trompez sur leur compte, Laura. En ce qui concerne Jilly, en tout cas, vous êtes complètement à côté de la plaque.

C'était le frère qui parlait, qui défendait sa sœur et exprimait sa colère. Laura le savait, mais je m'en moquais. Je ne pouvais pas accepter l'idée que Jilly fût une criminelle.

— Avez-vous couché avec Paul ? demandai-je en me

sentant aussi venimeux qu'un serpent. En guise de compensation ?

— Non, me répondit Laura d'un ton neutre.

Je la devinai cependant surprise et blessée. Elle en laissa tomber sur son assiette la frite qu'elle portait à sa bouche.

— Jilly n'a jamais fait allusion à ce genre de chose, ajouta-t-elle. En fait, elle est très attachée à Paul.

— Mais quand elle m'a dit que vous l'aviez trahie, j'ai tout de suite pensé à ça. Et, donc, je me trompais. Elle avait découvert votre véritable fonction, n'est-ce pas ?

— Sans doute, mais comment, je l'ignore. J'ai dû me trahir d'une façon ou d'une autre, ce fameux mardi soir. Elle ou Paul a certainement prévenu Molinas. J'imagine très bien cet individu derrière tout ce qui est arrivé depuis.

— Donc, maintenant, vous êtes en train de me dire que ma sœur a participé à une conspiration de meurtre. C'est impensable. Je crois plutôt que Molinas avait lui aussi découvert le pot aux roses.

— Jilly est sortie du coma, Mac, et a disparu dès qu'elle a tenu debout, remarqua Laura en prenant ma main dans les siennes. Elle se cache parce qu'elle se sent cernée.

— Dans ce cas, pourquoi Paul n'est-il pas parti avec elle ?

— Je n'en sais rien. Mais je vous rappelle que pour le moment nous n'avons rien de concret contre eux. Il y a autre chose que je voulais vous dire. Ces deux derniers mois, Jilly avait changé. Elle parlait de sexe à tort et à travers, racontait qu'elle aimait faire l'amour beaucoup plus qu'avant. Et puis, cette façon décousue qu'elle avait de tenir une conversation, en passant du coq à l'âne, me donnait l'impression qu'elle était ailleurs.

— Vous pensez qu'elle expérimentait sa drogue sur elle-même ?

— Je ne pourrais pas l'affirmer, mais il est sûr qu'elle n'était plus la même.

Je n'insistai pas. Ce que m'expliquait Laura me rappelait trop le souvenir que m'avait laissé Jilly lors de sa dernière visite.

— Où est Molinas ? A-t-il rencontré Paul et Jilly ? Est-ce qu'on l'a vu chez les Tarcher ?

— Non. Mais il ne faut pas oublier que c'est Alyssum Tarcher qui a fait venir Paul et Jilly à Edgerton. Il a acheté la Porsche, et pratiquement donné la maison. Je regrette, Mac, mais on ne fait pas ce genre de chose sans raison. Notre hypothèse est la suivante : Paul et Jilly élaborent cette nouvelle drogue, en essayant de diminuer sa toxicité, mais pas la dépendance qu'elle crée. Le but est évidemment d'en faire un produit de masse qui sera vendu dans la rue.

— Admettons que vous ayez raison. Dans ce cas, pour que les gens accrochent, il faut que cette drogue fasse sérieusement planer. C'est le cas ?

— Nous n'en savons rien pour l'instant. Mais nous pensons que ses effets portent sur la sexualité.

Non ! me dis-je en songeant à l'obsession sexuelle que Jilly avait manifestée, devant moi, et devant Laura. Non !

— Ce qui signifierait que l'utilisateur se shoote, reste là, plongé dans une sorte d'hébétude, et enchaîne les orgasmes ?

— Peut-être. Une partie des dossiers de VioTech révèle chez les cobayes une fréquente agressivité sexuelle qu'ils ne manifestent pas en temps normal. Bien sûr, il y a sans doute d'autres incidences que nous ignorons ; Jilly et Paul avaient probablement emporté avec eux une part de leur documentation... Mon patron veut que je décroche pour le moment, mais je ne suis pas d'accord. Si cette drogue est sur le point d'être mise sur le marché, je tiens à faire quelque chose. On ne peut pas laisser faire ça. Le problème, c'est que je ne sais plus comment procéder.

— Je dois continuer à rechercher ma sœur, Laura, et je n'ai pas d'autre choix que de faire équipe avec vous.

— Vous risquez de votre côté d'avoir aussi de gros ennuis avec vos responsables, Mac. D'autre part, je voudrais vous éviter les situations dangereuses. Vous venez de frôler la mort alors que vous n'étiez même pas dans le coup. Je ne supporterais pas que ça recommence.

— Nous ne nous connaissons que depuis deux jours, remarquai-je avec un pâle sourire.

— Oui. C'est difficile à croire, n'est-ce pas ?

— Ecoutez, Laura. Vous savez comme moi que si vous passez sous silence l'agression de tout à l'heure, vous pourrez dire adieu à votre carrière. C'est vous qui êtes sur le fil du rasoir. Vous devez disparaître, trouver un motel dans un coin perdu et rester planquée jusqu'à ce que toute cette affaire soit terminée.

— Je me refuse à appeler la cavalerie. Je veux retrouver Jilly, et non me terrer je ne sais où. Si j'appelle mon patron, je devrai partir d'ici pendant que toute la brigade investira Edgerton. Et comme nous avons affaire à des gens très retors, ce n'est pas le meilleur moyen de résoudre le problème.

— Sans compter que Jilly et Paul risquent d'être éliminés. Moi je tiens à savoir s'ils sont impliqués jusqu'au cou dans cette affaire, ou s'ils sont aussi innocents que je l'étais il y a encore deux jours.

Je vis le regard de Laura se ternir tandis qu'elle serrait les poings.

— Laura...

— Non, la décision m'appartient, Mac. Et comme je me

sens incapable d'abandonner Jilly, et vous en même temps, je peux vous dire que je continuerai avec vous jusqu'au bout.

— Parfait, dis-je en lui souriant. Nous sommes deux professionnels, nous savons ce que nous risquons. Alors, vous venez avec moi à Edgerton ? ajoutai-je en ouvrant les poings.

— Il n'y a pas d'autre solution.

Je finis mon café, qui avait eu le temps de refroidir, et lui lançai un regard oblique.

— Paul vous a vraiment sauté dessus mardi dernier ?

— Absolument.

— C'est ce que je pensais. Il ne sait pas aussi bien mentir que vous.

— Parce que c'est un scientifique et non un agent fédéral. Pour nous, c'est une seconde nature. Mais je dois dire que j'ai tellement dû mêler le vrai et le faux dans cette affaire que je ne savais parfois plus où j'en étais. Mac, nous les narguerons en allant à Edgerton.

— Honnêtement je ne crois pas qu'ils tenteront quelque chose sur place, alors qu'Alyssum Tarcher est notre propriétaire et que je vous protège. Nous ne pourrions pas être plus à l'abri.

— Ils peuvent nous tirer dessus sur la Cinquième Avenue. Ce ne serait pas plus culotté que de nous canarder sur la 101. Et vous n'êtes même pas en mission.

— Peut-être. Mais pour moi je suis plus impliqué que si je l'étais. C'est la vie de ma sœur qui est en jeu. Allez, Laura ! Reconnaissez que vous avez besoin de moi. Souvenez-vous que je suis du FBI. En plus, je commence à entrevoir un plan. Je vais appeler deux de mes amis et collègues à Washington : Savich et Sherlock.

Etant donné que je n'avais pas assez de monnaie sur moi,

je dus leur téléphoner en PCV. Grâce à Dieu, ils étaient chez eux, et en un quart d'heure je leur résumai la situation.

Quand je retournai à notre table, je souris à Laura.

— Notre effectif sera bientôt doublé. Sherlock et Savich viennent nous rejoindre.

— Il faut que l'on s'arrête chez les Tarcher pour prendre les clefs, annonçai-je tandis que nous approchions d'Edgerton. Je ne vais pas ferrer notre propriétaire ; du moins pas pour le moment. Mais je pense qu'il est déjà au courant. Je ne peux pas croire que Molinas le laisse dans le brouillard.

Il recommençait à pleuvoir et, voyant Laura frissonner, je mis le chauffage.

— Dans quelques minutes ça ira mieux.

— Je vais bien.

Laura se pencha vers l'arrière et caressa la tête de Grubster qui s'était étalé de tout son long sur la banquette, le nez écrasé contre la cage de Nolan.

Même la splendide demeure des Tarcher semblait lugubre sous la pluie. Sortant de la voiture, je m'élançai en courant vers le perron. Puis je me retournai et fis signe à Laura de ne pas bouger.

Mais quand je réalisai brusquement qu'elle représentait une cible facile, je revins au galop vers la Taurus, ouvris la portière, pris mon SIG Sauer et le lui tendis.

— Gardez-le à portée de main, lui conseillai-je avant de refermer la portière.

Vêtue d'un jean et d'un sweater, une domestique me fit entrer dans le hall en me priant d'attendre. Il était évidemment préférable que je mouille le marbre plutôt que le luxueux plancher de chêne du séjour.

Cotter Tarcher sortit de la cuisine en sifflotant. En me voyant, il s'immobilisa aussitôt.

— Que se passe-t-il ? Vous avez retrouvé Jilly ?

— Non. Je viens prendre les clefs du Seagull où nous allons nous installer quelque temps, Laura et moi.

— Pourquoi ?

Cotter me regardait tandis que je dégoulinais de pluie sur le sol. En survêtement et baskets, il était aussi sec que s'il sortait d'un four.

— Votre père et vous travaillez ici, chez vous ? demandai-je en ignorant sa question.

— La plupart du temps, oui. J'ai l'habitude d'arrêter vers 17 heures pour descendre à la salle de gym ou aller courir. Pourquoi vous installer avec Laura dans notre bungalow ?

— On a tenté de la tuer, et il me semble qu'elle sera plus en sécurité ici, avec moi, qu'en restant à Salem dans son appartement. C'est un petit peu trop mouillé dehors pour courir, non ?

— C'est pour ça que je descends à la salle de gym. Où est Laura Scott ?

— Dans la voiture.

— Elle connaît Jilly ?

— Elle la connaît très bien.

Alyssum Tarcher apparut dans l'escalier, sur ma gauche, arrogant, intelligent, le regard peut-être à ce moment-là un peu plus dur que celui de son fils. Il me sembla plus grand que pendant la soirée de la veille.

— Agent MacDougal, me dit-il en me serrant la main. Voici les clefs. Je me suis assuré que le ménage est fait et le téléphone branché. Etant donné le temps, j'ai aussi fait vérifier le chauffage. Mme Laura Scott est avec vous ?

— Elle m'attend dans la voiture avec mon revolver, puisqu'on a déjà tenté de la tuer.

J'aurais peut-être dû parler de Grubster et de Nolan, mais avec les propriétaires on ne sait jamais. Je ne voulais pas lui donner l'occasion de nous refuser la location.

Je le remerciai et me dirigeai vers la porte quand il me rappela :

— Agent MacDougal, n'hésitez pas à m'appeler s'il y a un problème, quel qu'il soit.

— Oui, dit Cotter. Mon père se penche sur les problèmes et se redresse avec la solution.

En riant, Alyssum Tarcher tapota l'épaule de son fils.

— Qui est-ce, Aly ?

Sans attendre la réponse, Elaine Tarcher descendit l'escalier précipitamment. Habillée comme son fils, elle semblait presque avoir le même âge que Cal. Je n'avais pas pensé à elle depuis un bon bout de temps.

— Madame Tarcher, dis-je avec un petit signe de tête. Ne vous approchez pas trop de moi. Je suis mouillé.

— C'est ce que je vois. Nous avons entendu parler de cette histoire de drogue qui vous a conduit à l'hôpital. Vous allez bien ?

— Très bien, merci. M. Tarcher vous a-t-il dit que Laura Scott et moi allons nous installer dans votre bungalow ?

— Oui. Il m'a également appris que l'on a voulu tuer Mme Scott. Nous n'avons pas l'habitude de ce genre de choses, ici, agent MacDougal. Il semble que votre présence soit source de problèmes. Nous n'avons jamais aimé la violence, qui est d'ailleurs très rare à Edgerton. Et voilà que ce pauvre Charlie Duck se fait assassiner ! Avez-vous des nouvelles de Jilly ?

Je répondis négativement et, trois minutes plus tard,

piquai un sprint jusqu'à la voiture sous une pluie battante et glacée.

Je m'arrêtai chez Paul et fus soulagé de trouver la maison vide. Franchement, je n'étais pas prêt à demander des explications à mon beau-frère. Je ne tenais pas à l'effrayer et à le voir disparaître à la manière de Jilly.

Mes affaires prêtes, je repartis en lui laissant l'adresse où il pouvait me joindre.

Je fis des provisions dans une petite épicerie pendant que Laura restait dans la voiture avec mon arme sur les genoux. La nuit était tombée quand nous arrivâmes au Seagull qui, à mille cinq cents mètres de la falaise, devait offrir une vue panoramique sur la côte de l'Oregon. Mais, ce soir-là, la pluie cachait tout et le Pacifique semblait n'être qu'une étendue d'eau noire et plate. Curieusement, le vent ne soufflait pas. La pluie venait frapper le sol à la verticale. Seuls quelques épicéas adoucissaient la nudité du paysage.

Je tournai la clef dans la serrure, ouvris la porte, vérifiai qu'aucune mauvaise surprise ne nous attendait et fis signe à Laura de me rejoindre.

15

Ce soir-là, à 19 heures, nous dînâmes devant le feu de cheminée d'un potage au poulet et aux pâtes, et de muffins dégoulinants de beurre. Rassasié par deux boîtes de nourriture pour chats, Grubster dormait profondément aux pieds de Laura. Quant à Nolan, sa cage était déjà couverte pour la nuit.

— C'était délicieux, déclara Laura avant de bâiller.

J'eus du mal à ne pas l'imiter.

— Oui. Mais la journée a été longue.

— On peut dire que vous êtes le roi de l'euphémisme.

Je reconnais que j'étais trop fatigué pour dénicher une répartie à la hauteur.

— Prête à dételer ? demandai-je.

— Pas du tout, me répondit Laura en lançant un regard tendu vers la porte. Vous croyez qu'ils oseraient tenter quelque chose, ici, à Edgerton ?

— Non. Demain ce sont les obsèques de Charlie Duck. Je veux vous présenter à tout le monde et commencer à obliger Tarcher à se démasquer. En ce qui concerne Paul, je tiens à y aller doucement. Je ne voudrais pas qu'il nous file entre les mains.

— Je suis certaine qu'il n'avouera jamais rien. Il tient à protéger Jilly.

Laura avait probablement raison. Je m'imaginais soudain en train de serrer le cou de Paul, de le soulever de terre, et de le secouer sérieusement.

— Quand Savich et Sherlock seront ici, nous discuterons de la meilleure tactique à adopter. Ils savent déjà que nous devons agir vite.

— Vos amis ont certainement une grande souplesse d'adaptation.

— Sans aucun doute. Savich dirige le service où sa femme travaille. Son patron, Jimmy Maitland, lui laisse généralement carte blanche. De toute façon, s'ils viennent ici, c'est en tant qu'amis, pas en mission officielle. Et ce sont à la fois de très bons amis et des agents de première classe. De plus, ils auront le recul qui nous manque et qui nous a peut-être empêchés de mettre le doigt sur certains points. Ils auront des idées, on peut compter là-dessus.

— Je ne connais personne comme ça aux stups. Ah, non ! ajouta Laura en me faisant signe de me taire. Non, ne recommencez pas à critiquer nos services !

— Ça ne me serait pas venu à l'idée, Laura. Ecoutez. Je vais bloquer la serrure avec une chaise et garder mon SIG à côté du lit. Les fenêtres ont des doubles rideaux et tout est fermé à double tour. Ça va aller.

— Que peut-on faire de plus, de toute façon ? Mon Dieu, il n'est que 20 h 30, et je suis aussi fatiguée que s'il était minuit.

— Je vous laisse la salle de bains. Pendant ce temps-là, je vais inspecter les alentours.

— Soyez prudent, Mac, me dit Laura en effleurant ma joue. Soyez-le vraiment. Vous m'êtes déjà précieux.

Comme je ressentais une envie folle de l'embrasser, je

m'empressai de sortir. La pluie avait cessé, mais de gros nuages noirs et bas passaient devant une pleine lune énorme en faisant apparaître des formes grotesques. On aurait dit une nuit de loup-garou.

Soudain je perçus un bruit proche, juste sur ma gauche, du côté de la falaise. D'abord une sorte de bruissement, puis comme un bruit de pas lourds sur le sol. Le silence revint quelques instants, et ensuite le bruissement reprit.

J'attendis, immobile au point d'entendre ma propre respiration. Rien ne se produisit, comme si quelque chose ou quelqu'un s'était pétrifié. Je prolongeai l'attente. Toujours rien. Je me demandai alors si mon imagination ne s'était pas amusée à faire surgir le croquemitaine.

Cal avait dit qu'elle évitait toujours de s'approcher du cimetière, où les arbres poussaient si près des tombes que leurs racines devaient sans doute forcer les cercueils à se fendre. J'avais pensé en l'écoutant qu'elle avait un grain. Mais maintenant c'était moi qui entendais des choses et me faisais peur. Seigneur ! Je perdais les pédales.

J'allai jusqu'au bord de la falaise. Noir et plat, l'océan s'étendait jusqu'à l'horizon, où les nuages bas donnaient l'impression de l'absorber. En regardant du nord au sud, je discernai la côte grâce aux brumes accrochées à la falaise. Des rochers se dressaient hors des flots comme des sentinelles à la silhouette informe. J'en voyais à mes pieds se couvrir de vagues écumantes qui refluaient puis revenaient à l'assaut. Je ne savais pas si vivre ici quotidiennement me calmerait l'esprit ou me rendrait fou.

Je me retournai, mais avant de revenir sur mes pas, je pris le temps de retrouver mes repères. Le Seagull était bâti au bout d'un chemin de terre étroit, plein d'ornières, qui serpentait vers la falaise. Les deux cents mètres conduisant à la route échappaient à ma vue, mais au-delà je ne voyais aucun phare de voiture. J'allai vérifier que les fenêtres étaient bien fermées à l'arrière du bungalow, puis regardai, vers le sud, les collines nues qui moutonnaient jusqu'à l'horizon. N'importe qui pouvait venir jusqu'ici en passant par ces collines lugubres, et je n'aimais pas ça. Etre à découvert, face à Tarcher, constituait peut-être une pure folie. Et en m'exposant au danger, j'exposais aussi Laura. Je secouai la tête. Non, je ne renoncerais pas à ce que j'avais entrepris, et je n'imaginais pas Laura agir autrement.

Mes maux de tête recommençaient mais je n'en étais pas surpris tant j'avais l'impression d'avoir reçu une masse en plein corps. Exténué, je tenais à peine debout.

Quand j'entrai dans la petite chambre, Laura se tenait debout près du lit. Vêtue d'une longue chemise de nuit, elle me regardait.

— Salut.

Sa voix profonde et chaude donna à ce petit mot familier une résonance terriblement sensuelle. En un clin d'œil je la rejoignis. Elle se colla contre moi, leva la tête et embrassa mes lèvres.

Ma fatigue s'évapora. Je désirais cette femme que je connaissais à peine comme jamais je n'avais désiré une femme. Fini les mensonges entre nous, pensai-je. Fini !

Je la couvris de caresses, frottai ses magnifiques cheveux sur mon visage sans cesser de l'embrasser, épousai étroitement ses formes.

— Juste maintenant, dans la situation où nous sommes, c'est fou, dis-je en souriant.

Son beau visage avait retrouvé ses couleurs, et sa respiration précipitée témoignait d'une ardeur que je partageais totalement.

— Soyons fous.

Laura me mordit l'oreille, glissa une jambe sur mes reins

et me renversa sur le lit. Se laissant tomber sur moi, elle m'embrassa, m'empoigna les cheveux, avide de me sentir tout entier entre ses mains. Je l'embrassais et riais en même temps, vibrant d'une sensation de puissance.

Mes vêtements et sa chemise de nuit atterrirent quelques secondes plus tard dans un coin de la chambre.

— Ça me semble irréel, dis-je.

Je la regardais et voulais tout d'elle sur-le-champ, sans savoir par où commencer. Elle rit en m'embrassant, avant de laisser aller ses mains partout sur mon corps.

Nos rires et nos gémissements se mêlèrent quand je la pénétrai. Elle se cambra vers moi, me mordilla, lécha mon cou, y sema de petits baisers. Je dus m'immobiliser.

— Il faut que je me contrôle. Je veux te sentir m'envelopper. Mon Dieu, Laura ! J'ai eu envie de toi dès que je t'ai vue, pendant que tu parlais avec cet étudiant à la bibliothèque.

— Et moi, je t'ai désiré en mangeant le poulet au saté, avoua-t-elle en me serrant plus étroitement. Oui, reste comme ça, Mac. Laisse-moi te sentir. Je n'imaginais pas que nous ferions l'amour ce soir. Vraiment, non, je...

Elle eut un orgasme. Je regardai le plaisir la submerger, et en sentant ses contractions, je sus que je ne pourrais résister plus longtemps. Mais après tout, cela n'avait pas d'importance. Dans un élan irrésistible, je la rejoignis.

— Nous sommes ensemble maintenant, Laura.

— Je ne demande pas mieux. Franchement je suis heureuse que tu sois venu à la bibliothèque, même si en vérité tu ignores tout des guerres en Lettonie.

A 1 h 10, nous étions de nouveau réveillés et, loin d'être calmés, nous replongeâmes dans la frénésie et l'urgence. Cette fois-ci il n'y eut pas de rires, seulement l'obscurité qui nous entourait, la peau douce de Laura, les voluptueux gémissements qui s'échappaient de ses lèvres. Puis, redressé sur les coudes, j'appuyai mon front contre le sien.

— Les jeux sont faits, Laura.

— Je le sens, me dit-elle en ayant le culot de rire.

— Ce n'est pas ce que je voulais dire.

— Je sais.

Elle posa un baiser sur mon menton, me mordit l'oreille, et finit par me faire baisser les coudes et tomber sur elle. M'enlaçant, elle me serra étroitement contre son corps.

— Pour moi, Mac, les dés étaient jetés à partir du moment où il t'a suffi d'ouvrir la bouche pour me faire rire. Franchement, je n'avais jamais connu ça. Tout ceci me paraît incroyable.

— J'ai le même sentiment. Mais je regrette que nous ne nous soyons pas rencontrés dans des conditions un peu plus normales. Un empoisonnement et des coups de feu obligent un homme à regarder par-dessus son épaule, quand il devrait tranquillement faire sa cour.

— C'est ma faute. Et quand je pense à tous les mensonges que j'ai été contrainte de te raconter, j'en suis furieuse et triste. Jure-moi que tu me pardonnes.

— Ma nudité, ma position, le fait que tu m'aies embrassé presque partout ne me laissent pas le choix, j'imagine. Mais les mensonges, les dérobades, c'est terminé à jamais, Laura. D'accord ?

— Promis. Maintenant fais-moi une promesse, Mac. Promets-moi que tout se passera bien.

— Je peux te dire que nous survivrons à cette histoire, Laura. Mais comment pourrait-elle bien se terminer si Jilly est impliquée ?

Laura me répondit par un baiser, et nous glissâmes dans le sommeil, son souffle chaud dans mon cou.

Je fis des rêves incroyables. Plus aucun loup-garou ne

rôda autour de la maison en essayant de glisser un regard à l'intérieur.

Mon réveil fut brutal : quelqu'un tapait avec force à la porte en m'appelant. Aussitôt je sortis des limbes du sommeil, enfilai un vieux survêtement, saisis mon SIG sur la table de chevet, et me coulai hors du lit. Laura dormait, allongée sur le dos, nue, mais si je ne pus m'empêcher de la toucher, je m'empressai ensuite de tirer la couverture sur elle.

Privée par les rideaux de la lumière du jour, la maison était plongée dans la pénombre, et j'eus froid dans le séjour où le feu de cheminée s'était éteint depuis longtemps.

Je me demandais où était Grubster quand on recommença à donner un grand coup dans la porte.

— Ouvre. Allez, Mac, ouvre cette porte !

Reconnaissant cette douce voix irritée, je débloquai et déverrouillai la porte en un seul mouvement, puis l'ouvris toute grande. Sur le petit perron se tenait l'agent spécial Lacey Savich, connue de chacun sous le nom de Sherlock. Avec sa chevelure rousse auréolée de soleil, elle donnait l'impression de sortir d'un tableau de Titien.

L'instant d'après, elle me serrait dans ses bras.

— Salut, Mac, dit-elle en s'écartant de moi, le sourire radieux.

— Mon ange, soufflai-je en la soulevant dans mes bras et en la faisant tournoyer. Je ne vous attendais pas si tôt. Vous avez immédiatement sauté dans un avion ?

Elle m'embrassa sur l'oreille.

— Oui. Nous avons pris un vol de nuit. Bonjour. Qui êtes-vous ? ajouta-t-elle par-dessus mon épaule.

Je la reposai doucement sur ses pieds, et nous nous

tournâmes vers Laura, vêtue d'un jogging, les cheveux en bataille, le visage rosi, Grubster en train de se frotter contre ses pieds nus.

— Voici Sherlock, Laura. C'est grâce à moi qu'elle a réussi l'épreuve physique de l'examen d'entrée au FBI.

— Ha ! Je dirais plutôt que Mac avait les muscles et moi la force mentale.

Sherlock serra la main de Laura en la regardant d'un œil maternel.

— Où est Savich ? demandai-je. Tu l'as emmené avec toi, j'espère. Tu ne l'as pas laissé à la maison pour s'occuper de Sean. Tu sais qu'il peut être très utile sur le terrain.

Sherlock me donna un coup de coude en riant.

— Cet homme est un rêve, et je ne te permets pas d'en douter. Nous avons conduit notre fils chez ses grands-parents paternels. Il est déjà 8 heures, Mac ! Dillon inspecte les alentours pour voir s'il trouve des empreintes de pas. Il voulait que je vous laisse dormir encore un peu, mais je ne pouvais pas attendre. Tu vas bien, Mac ? Et vous, Laura ?

Je me demandai si Savich saurait reconnaître des traces de loups-garous s'il tombait dessus.

— Il n'y a pas eu de rôdeurs hier soir. Les ours sont peut-être en hibernation.

— Dillon et moi sommes doués pour débusquer les ours. Maintenant vous n'êtes plus seuls tous les deux.

Sans commentaire, Sherlock commença à m'examiner en palpant mes bras et mon visage. Puis elle souleva mon sweater.

— Tes côtes vont bien ? demanda-t-elle tandis qu'elle effleurait mon thorax encore sensible.

— Ça s'améliore chaque jour, mais je me fatigue encore

un peu plus vite que d'habitude. Hé, Sherlock ! Ne descends pas mon pantalon, s'il te plaît.

— Oh ! Très bien, dit-elle en se redressant, mais non sans scruter quelques instants mon visage. Comment vous sentez-vous tous les deux après le phénobarbital ?

— Je suis encore un peu groggy, répondit Laura, mais ce n'est rien.

— Comme je suis un vrai homme, je n'ai presque pas subi d'effets secondaires.

Pendant que je recevais un coup de poing dans le bras, Laura annonça qu'elle allait faire du café.

— Tout le monde en prendra ? demanda-t-elle.

Je l'entendis s'affairer dans la petite cuisine, séparée du séjour par un bar auquel étaient fixés trois tabourets.

Le mainate poussa son cri : Laura venait de découvrir sa cage.

— C'est Nolan qui nous salue, expliquai-je.

— Vous pouvez le libérer, nous cria sa maîtresse. Toutes les fenêtres sont fermées. Et aussi lui donner quelques graines de tournesol. Je lui fais des toasts. Oui, Grubster, je t'entends. Le monde entier t'entend. Je t'ouvre une boîte. Du calme.

Sherlock ouvrit la cage. Nolan l'observa pendant quelques instants puis s'aventura prudemment dehors. La tête penchée, les yeux fixés sur l'inconnue, il poussa son cri, sauta ensuite sur le dossier d'un fauteuil, et prit dans la main de Sherlock une graine qu'il laissa intentionnellement tomber. Volant ensuite sur l'épaule de sa nouvelle amie, il se mit à picorer ses cheveux.

Au rire de Sherlock, il répondit par un « squawk » retentissant.

— Mange ton petit déjeuner, Nolan, lui dit celle-ci en le posant sur le fauteuil.

Pendant ce temps, Grubster miaulait désespérément. Quand enfin il se tut, je l'imaginai le museau dans son bol plein.

— Viens t'asseoir, Sherlock. Comment prends-tu ton café ?

— Avec une sucrette et un nuage de lait, indiqua la jeune femme à Laura. Mais si vous n'avez pas ce genre de choses, je le prendrai sans rien, et ce sera parfait.

— Non. Par chance, c'est aussi comme ça que je bois le mien. Mac ?

— Pour l'instant, je ne veux rien, Laura, répondis-je, prêt à sortir. Je vais voir ce que Savich fabrique.

— Mets des chaussures, me conseilla Sherlock tout en introduisant une graine dans le bec de Nolan.

Dehors, je fus surpris par la clarté du matin. Sous un ciel aussi bleu que les yeux de Jilly, seule soufflait une légère brise. Me tournant vers le sud, je vis Savich venir vers moi en me faisant un signe.

Comme sa femme, dès qu'il fut près de moi, il m'étudia, me demanda si j'allais bien mais, grâce à Dieu, s'abstint de me palper.

— Ça va. Pas d'inquiétude à avoir. Tu as repéré quelque chose ? Sherlock est en train de boire un café. Rentrons. Je suis vraiment heureux de vous voir tous les deux.

— Je n'ai rien remarqué, Mac. Etant donné qu'il a plu, personne n'aurait pu venir par ici sans laisser d'empreintes. Mais tu avais probablement déjà fait un tour d'inspection.

— Pas ce matin.

— Eh bien, c'est fait ! La situation me semble sérieusement vaseuse. Je suis content que tu nous aies appelés, mais ça ne va pas être de la tarte. Nous sommes vraiment navrés au sujet de Jilly et de son éventuelle implication dans cette affaire. Pour elle, nous avons décidé de rester ici un jour ou deux. Je pense comme toi que nous n'aurons rien à craindre pendant ce laps de temps. Qui oserait s'attaquer à quatre agents fédéraux en même temps ? Je n'ai fourni qu'un minimum d'informations à Jimmy Maitland. On verra plus tard. Toi, tu es en congé, et tu as déjà eu ton patron au bout du fil ; donc il n'y aura pas de problème. Cela dit, nous avons quelques questions supplémentaires à te poser, Sherlock et moi. Ensuite on parlera stratégie. Je suis vraiment désolé pour Jilly, insista Savich après un silence, en me serrant l'épaule. Tu ignores toujours où elle se trouve ?

— Oui. Moi, je suis désolé de vous éloigner de Sean.

— Ne t'inquiète pas. Sherlock dit qu'il est encore trop petit pour que ses grands-parents réussissent à le persuader qu'il est le roi de l'univers. J'espère qu'elle a raison.

Ce genre de conversation, loin des événements des quatre derniers jours, me ramenait tellement à la normalité que j'en soupirai.

— Viens faire la connaissance de Laura Scott, Savich.

16

— Nous avons du pain sur la planche aujourd'hui, annonçai-je une fois que chacun eut terminé sa tasse de café. Etant donné que nous ignorons combien de temps nous pourrons rester ici, chaque minute compte.

Vêtu d'un jean, d'un pull à col roulé et de courtes bottes, Savich contemplait le fond de sa tasse presque vide. Il avait tout d'un type impitoyable, avec sa carrure et sa haute taille. On pouvait compter sur lui pour assurer ses arrières.

— Il est 8 h 15, Mac, dit-il. Et je ne vais nulle part avant de m'être rempli l'estomac.

— Quant à vous deux, ajouta Sherlock, vous avez besoin d'une douche. Toi, Mac, tu dois aussi te raser. A vrai dire, vous auriez aussi besoin de dormir un peu plus. Bien que, bizarrement, vous ayez l'air très détendus.

Sherlock leva un sourcil, battit des paupières et disparut dans la cuisine.

— Elle sait, me dit Laura.

— J'espère que tu lui plais.

Si nous résistâmes à la tentation de prendre notre douche ensemble, nous nous brossâmes en revanche les dents en même temps. Quand nous retournâmes dans le séjour, je faillis pleurer en respirant une bonne odeur d'œufs au bacon. Nolan sautillait sur l'épaule de Savich tandis que Grubster était assis sur les genoux de Sherlock.

— C'est une vraie ménagerie que vous avez là, remarqua Savich en caressant la gorge de Nolan.

Nous nous attablâmes gentiment. Savich apporta les plats qu'il avait mis au chaud dans le four.

— Allons-y, dit-il.

Au bout de cinq minutes, il reprit la parole.

— Mac, tu m'as parlé de l'assassinat de Charlie Duck. Que sait-on de cet homme ? Quel rôle aurait-il pu jouer dans toute cette histoire ?

— Nous savons simplement qu'il a dit au médecin avant de mourir : « Ils ont mis le paquet, c'était trop, et puis ils m'ont eu. » Pour moi, il avait découvert quelque chose. Mais quoi ?

— Je n'ai pas tellement eu le temps de réfléchir depuis que j'ai rencontré Mac, dit Laura, mais je suis de son avis. On a tué Charlie Duck parce qu'il avait découvert quelque chose.

— Quand nous aurons fini, j'appellerai le légiste, à Portland, annonçai-je. Je vais aussi demander à Maggie Sheffield, le shérif, si elle a du nouveau à propos de Jilly. Mais je pense qu'elle nous aurait déjà téléphoné si c'était le cas.

— Les obsèques de Charlie Duck ont lieu cet après-midi, rappela Laura en donnant une graine de tournesol à Nolan, perché sur le bras d'un fauteuil. Nous pouvons y aller, prendre la température, et peut-être remuer la vase.

— Nous n'allons pas attendre jusque-là pour remuer la vase, dis-je. Commençons avec Paul.

Savich prit un morceau de bacon dans son assiette et le donna à Nolan.

— Tu crois qu'on va se distraire autant qu'avec Sean ? demanda-t-il à sa femme.

— Notre fils est déjà très remuant, nous confia Sherlock. Savich lui cherche des haltères pour qu'il puisse commencer à s'entraîner. Tu es un sacré chat, mon vieux ! ajouta-t-elle en regardant Grubster qui faisait sa toilette sur l'un des fauteuils. Un peu encombrant mais tout mignon.

— Je l'ai trouvé quand j'étais en deuxième année d'université. Il était minuscule. D'après le vétérinaire, il doit avoir dix ou onze ans maintenant. Il n'a pas arrêté de manger depuis que j'ai appris avec lui à ouvrir une boîte de conserve.

Sherlock refit du café pendant que j'allumais le feu dans la cheminée. La pièce fut vite réchauffée et d'autant plus accueillante.

— C'est probablement une bonne chose que tu aies vu Laura se servir d'une arme, me dit Sherlock à brûle-pourpoint. Comme ça, elle a été obligée de tout te raconter. Tu sais, moi, je déteste ne pas savoir où je mets les pieds.

— Ma femme, intervint Savich en tapotant la cuisse de Sherlock, aime voir le bon côté des choses. A propos de ces types, sur l'autoroute, je crois qu'il valait mieux qu'ils réussissent à s'enfuir. Sinon, en ce moment, vous feriez la une des journaux télévisés. Les patrons de nos différents services se seraient disputé l'affaire, les criminels auraient profité de ce chaos administratif et vous, on vous aurait envoyés faire votre rapport chacun de votre côté, sans qu'il en sorte quoi que ce soit de positif. Comme d'habitude, Sherlock a raison.

Savich se leva et enleva les poils de chat accrochés à son jean.

— J'ai une déclaration à faire, annonça-t-il. Laura est

folle de toi, Mac, et c'est la bonne nouvelle qui ressort de tout ce bazar. Maintenant, nous n'avons plus qu'à bouger.

En entendant au même instant une voiture arriver, je portai automatiquement la main à ma ceinture.

— Où t'es-tu garé, Savich ?

— Derrière la maison.

— Parfait. Personne ne bouge.

Mon SIG à la main, j'ouvris doucement la porte et la refermai derrière moi dès que je fus dehors.

17

La BMW bleu clair de Cal fonça vers moi. Puis sa conductrice opéra un freinage à soulever un nuage de poussière ; ce qui se serait produit si la pluie n'avait pas laissé la terre humide. Assailli par les souvenirs de la soirée chez ses parents, je tiquai.

Je remis rapidement mon arme dans son étui, appelai Cal et lui fis signe. Elle sortit de la voiture, me regarda et se contenta d'attendre que je vienne vers elle. Vêtue d'un jean trois fois trop large, d'un pull qui lui tombait presque aux genoux, les lunettes bien en place, elle arborait une queue de cheval.

Dès que je me fus approché d'elle, elle sauta sur moi. Les jambes encerclant ma taille, les bras autour de mon cou, elle se mit à couvrir mon visage de baisers enthousiastes.

Je l'embrassai sur la joue puis me dégageai.

— Salut, Cal ! Quoi de neuf ?

— Qu'y a-t-il, Mac ? Tu ne veux pas faire l'amour ? Au bord de la falaise, ce serait bien. Si tu as froid je peux te réchauffer. Qu'en dis-tu ?

— Je ne suis pas seul, Cal.

— Ah, c'est vrai ! Maman m'a dit que tu jouais les agents du FBI et protégeais Laura Scott. C'est vrai ?

— Oui. Il est tôt, Cal. Que puis-je faire pour toi ?

— Je venais simplement voir si je pouvais aider. Où est cette Laura Scott ?

— Je suis là, annonça Laura qui se tenait sur l'unique marche du perron. Bonjour.

— Je m'appelle Cal Tarcher. Personne n'arrive à comprendre pourquoi on a voulu vous tuer.

— Je travaille pour les stups. J'avais une couverture qui ne tient plus depuis la semaine dernière. On a voulu se débarrasser de moi parce que je devais être sur le point de découvrir quelque chose. Voulez-vous entrer et prendre un petit déjeuner ? Vous semblez être très amie avec Mac.

— Vous appartenez vraiment à la brigade des stups ?

— Oui.

— Que faites-vous ici avec Mac ?

— C'est une très longue histoire. Vous entrez ?

Quand Cal pénétra dans le bungalow, je me penchai sur l'oreille de Laura.

— Tu n'avais pas besoin de l'inviter !

— Pourquoi pas ? Vous avez l'air tous les deux en très bons termes. Sherlock et Savich se sont repliés dans la chambre. Doit-on s'attendre à voir débarquer toutes tes dernières conquêtes, Mac ?

— Ça suffit, Laura. Tu te fais des idées. De plus, je venais à peine de te rencontrer quand elle m'a sauté dessus.

— C'est elle qui a pris l'initiative ? D'habitude on entend le contraire. Pauvre Mac, objet de convoitise de tant de femmes !

— Tu es la dernière en date, alors ménage-moi, tu veux ?

Laura me caressa la joue et suivit Cal dans la maison où toute trace de la présence de Savich et Sherlock avait disparu. Pourquoi avaient-ils tenu à rester à l'écart ?

— Veux-tu du bacon et des toasts, Cal ?

— Merci, Mac.

Elle se mit à couper une tranche de bacon en deux pour en donner la moitié à Grubster.

— C'est un cochon, dit-elle.

Après avoir mordu dans un toast, elle se pencha vers le chat et lui présenta l'autre morceau de bacon.

— Maintenant, il est capable de tuer pour toi, dis-je.

— Belle bête. Et lui, qui est-ce ?

Nolan salua Cal d'un « squawk » sonore.

— C'est mon mainate, l'informa Laura. Vous voulez du café, Cal ?

La jeune femme acquiesça et Laura la servit avant de rejoindre la cuisine.

Quand elle eut pris une gorgée de café, Cal se pencha en avant sur son fauteuil et m'annonça d'une voix forte et théâtrale :

— Je sais que tu dois la protéger, Mac, mais on pourrait peut-être se débarrasser d'elle pendant un moment ? Elle a l'air gentille et elle ne refusera pas de faire une petite promenade sur la falaise. Quant à toi, je suis certaine qu'il ne te faudra pas plus de trois secondes pour enlever ton pantalon.

Confondu, je restai muet.

— Il me semble que cette fois, nous serions mieux sur un lit, non ?

— Ecoute, Cal, ce n'est pas le moment. Laura ne doit pas rester seule. Il ne s'agit pas d'un jeu : quelqu'un a voulu la tuer.

— Mac, intervint Laura en souriant, j'ai peut-être effectivement envie d'aller me promener pendant que vous batifolez. Voulez-vous que je fasse le lit avant de sortir ?

Je n'étais pas surpris. Je savais qu'il n'y avait ni justice ni loyauté dans ce monde. Laura était là, debout, à deux pas de Cal, le visage dépourvu d'expression, et ça c'était assurément un mauvais signe.

— Tu vois, Mac. Laura veut bien nous laisser tous les deux. Vraiment, vous feriez le lit pour nous ?

— Il n'est pas franchement en désordre, expliqua la femme avec qui j'avais fait l'amour la nuit précédente, la femme qui était folle de moi, selon Savich. Nous avons dormi comme des masses, sans bouger. Mais je peux quand même étaler les couvertures pour que vous puissiez vous amuser plus confortablement. Qu'en pensez-vous ?

Cal resta quelques secondes sans réaction, puis s'étonna :

— Vous avez dormi ensemble la nuit dernière ?

— Oui, répondis-je en me levant. Maintenant, Cal, comme nous avons beaucoup de choses à faire, dis-moi ce que tu voulais.

— Seulement toi, Mac.

Elle descendit du tabouret, termina son toast, puis s'essuya les mains sur son jean.

— Je croyais que tu te contentais de faire le flic, remarqua-t-elle lentement.

— C'est plus complexe, Cal. A-t-on du nouveau à propos de Jilly ?

— Non. Tu aurais été le premier informé par Maggie. Vous savez quoi, Laura ? ajouta Cal après avoir longtemps observé sa rivale. J'aimerais vous peindre. Votre visage n'est pas particulièrement intéressant, mais vos vêtements très serrés laissent deviner un corps superbe. Que dites-vous de ma proposition ?

Alors que j'imaginais Cal sautant sur son modèle, Laura la regarda comme une extraterrestre avant de se tourner vers moi.

— Qu'en penses-tu, Mac ?

— Cal est douée.

— Je voulais dire : penses-tu aussi que j'ai un corps superbe ?

— Ecoutez, lança Cal en se frottant les mains. On peut fixer un rendez-vous pour la semaine prochaine. Quant à nous deux, Mac, on verra ça plus tard, puisque tu es très occupé. Oh ! A ce propos, j'ai des préservatifs à nervures et très bien lubrifiés.

Je jugeai plus intelligent de ne pas répliquer. D'autant que j'eus le souffle coupé pendant quelques secondes. Je regardai Cal sortir, puis écoutai le ronronnement du moteur de sa BMW.

Le regard de Laura se fixa sur moi et ensuite sur les miettes de toast, autour de l'assiette de Cal.

— Eh bien ! fit-elle. Elle ne m'a même pas laissé le temps de lui poser certaines questions.

Tout sourire, j'attrapai Laura et la pris dans mes bras. Savich et Sherlock nous surprirent en train de nous embrasser.

— Tu es ici depuis combien de temps, Mac ? me demanda Sherlock.

Je continuai d'embrasser Laura jusqu'au moment où je m'aperçus qu'elle riait.

— Bon. C'est vrai. Je te connais à peine, Laura. C'est arrivé comme ça. D'accord ?

— Non, je ne suis pas du tout d'accord. Mais là, tout de suite, je préfère laisser courir.

— Quel châtiment me réserves-tu ?

Laura me donna un coup de coude dans le ventre en riant de nouveau.

— Pourquoi avez-vous préféré éviter Cal ? demandai-je à Savich.

— La situation ne manquait pas de sel, Mac. Mais notre présence aurait tout gâché.

— C'était très divertissant. Merci, dit Sherlock.

— Gardez vos plaisanteries pour vous, les amis, marmonnai-je tout en composant le numéro de Ted Leppra, le légiste de Portland.

Une minute plus tard, ce dernier m'expliquait que Charlie Duck avait effectivement succombé au coup qu'il avait reçu sur la tête.

— Il a dû survivre à l'hémorragie cérébrale environ un quart d'heure, précisa Ted de sa voix enrouée de fumeur. Le cerveau était imbibé de sang, si tu veux une description plus colorée.

— Tu es certain de tes conclusions ?

— Oh, oui ! Comme tu le sais sûrement, Mac, c'était un ancien flic de Chicago, et là je me pose des questions. Je pense à une vengeance. Et toi ?

— Ça ne me paraît pas impossible. Bien entendu, le shérif local enquête aussi de ce côté-là, précisai-je d'une voix neutre.

— Tu n'as pas l'air très satisfait, Mac.

— J'espérais que tu m'apprendrais autre chose.

Ted toussa, en tenant le récepteur éloigné.

— Excuse-moi. Je sais que je devrais arrêter de fumer.

— Tu as vu assez de poumons de fumeurs, non ? remarquai-je avec douceur.

— Ouais. Tu as raison. Ecoute, il y avait peut-être une chose.

Nous y voilà ! pensai-je.

— Attends une seconde. Je mets le haut-parleur. Je ne suis pas le seul à être intéressé.

— D'accord. Mac, tu m'avais parlé de drogue, et tu avais raison. On a trouvé dans son sang une substance opiacée, ou qui en a tout l'air. Je ne l'ai pas encore identifiée. C'est peut-être une nouvelle drogue. Curieux, non ?

— Pas vraiment. Il peut s'agir d'une substance qui n'est pas encore sur le marché. Quand pourras-tu être plus précis, Ted ?

— Appelle-moi dans deux jours. Vendredi. Si je trouve quelque chose avant, c'est moi qui te contacterai.

— Arrête de fumer, couillon.

— Qu'est-ce que tu as dit ? Je n'ai pas entendu, Mac.

Je raccrochai et me retournai.

— Charlie représentait une menace, c'est évident.

— Ou il a voulu tester ce produit, ou on lui en a fait prendre de force, commenta Laura. Souviens-toi de ses dernières paroles : « Ils ont mis le paquet... »

— Peut-être qu'un tas de gens par ici voudraient faire un essai mais redoutent les effets secondaires, avança Savich tout en grattant Grubster derrière les oreilles.

— Je pense plutôt qu'il était sur une piste et voulait m'en parler. Sans s'apercevoir qu'il y avait urgence.

— Et il se trompait, dit Laura.

— Oui. Le pauvre vieux se trompait. Maintenant nous savons qu'ils l'ont supprimé. La drogue dans son sang en est la preuve. Bon dieu ! J'aurais dû insister pour qu'il me parle, au lieu de croire qu'il allait me raconter une histoire de pêche ou quelque chose de ce genre. J'ai été complètement idiot.

— Dommage qu'il n'ait pas pu s'exprimer plus longtemps avant de mourir, soupira Laura.

— Il a peut-être encore des amis à la police de Chicago, dis-je en décrochant de nouveau le téléphone.

Dans trois services différents, je me présentai successivement sans résultat, et finalement demandai le service du personnel où on me passa Liz Taylor, une authentique charmeuse.

— Ne vous méprenez pas, m'expliqua-t-elle d'emblée. Je n'étais rien pour Charlie Duck. Cela dit, vous voulez que je vous parle de lui ?

— S'il vous plaît. Je crois savoir qu'il a été l'un de vos inspecteurs pendant quinze ans.

— Oui, et je me souviens très bien de lui. Il enquêtait sur les affaires criminelles et ne s'en laissait pas conter. Vous savez, c'est bizarre. Habituellement, les patrons poussent les vieux dehors dès que l'heure de la retraite a sonné. Mais Charlie, au contraire, tout le monde voulait qu'il reste. Il aurait pu continuer jusqu'à ce qu'il passe l'arme à gauche, mais lui ne demandait qu'à partir. Je n'oublierai jamais son soixantième anniversaire. Il m'a fait une grosse bise en me disant qu'il était bien content de pouvoir s'en aller, oublier la racaille et cesser de s'arracher les cheveux quand un salopard réussit à se faire libérer plus vite qu'on ne l'a cravaté. Il en avait aussi assez des hivers à Chicago. Ils lui desséchaient la peau, disait-il. Mais qui êtes-vous au juste ? me demanda-t-elle soudain. Je sais que vous êtes du FBI, mais pourquoi me parlez-vous de Charlie ?

— Il a été assassiné, et j'essaie de trouver le coupable.

— Oh, non ! Non ! Il m'avait envoyé une carte, à Noël dernier. Cher, cher vieux Charlie... murmura mon interlocutrice en reniflant.

— J'ai entendu dire qu'il n'était pas exactement enclin à faire confiance au genre humain.

— C'est vrai, reconnut Liz en reniflant de plus belle. Certains ne l'aimaient pas, le traitaient de « salaud de fouineur », et ce ne devait pas être faux. Mais il ne s'en est jamais pris à des innocents. Le record des arrestations de la brigade lui reste encore acquis. Rien ne l'arrêtait s'il flairait quelque chose de pourri. Pauvre Charlie !

Ainsi il s'était montré un flic aussi intelligent qu'impitoyable. Cocktail fatal pour le vieil homme...

— J'ai besoin d'avoir les noms des collègues avec lesquels il était resté en contact. Vous en connaissez ?

— Attendez. Si je comprends bien, on l'aurait éliminé parce qu'il était sur une piste ?

— Sans doute. Vous connaissez ses amis, sa famille ?

— Sa femme est morte d'un cancer du sein quand il était encore en activité. Pauvre femme ! Une fois à la retraite, il est parti vivre auprès de ses parents, quelque part sur la côte Ouest. Dans l'Oregon, il me semble.

— C'est ça, dis-je, la mâchoire contractée par l'impatience. Liz, et ses amis ?

— Je pense à deux de ses collègues encore en activité. Mais je crois qu'ils n'avaient plus de contacts avec lui depuis des années. Je peux quand même me renseigner.

— Ça me serait utile. Je compte sur vous.

Je la remerciai tant et plus, lui laissai mon numéro au bungalow et raccrochai.

— Intéressant, observa Laura. Dommage qu'elle ne t'ait rien donné de concret.

— Il faudrait qu'elle fasse vite, ajouta Savich. Avant qu'il ne soit trop tard.

Sherlock se tourna vers lui et acquiesça. Moi, je m'approchai de Laura et la pris par le menton.

— Oublie Cal Tarcher. Oublie les centaines de femmes qui t'ont précédée.

Elle se mit à rire si fort que je dus la calmer. A l'évidence elle continuait à me trouver amusant.

A 14 heures, nous étions tous les quatre assis côte à côte dans l'église de la ligue, située en face d'un square, dans Greenwich Street. Le bâtiment en briques blanches ne ressemblait en rien à une église, sans doute parce que s'y tenaient des offices de différentes religions.

A tout le monde j'avais présenté Laura comme un agent des stups avec qui je collaborais momentanément, et Savich et Sherlock comme les agents du FBI chargés de démêler la situation. Quelle situation ? Qui avait tenté de tuer Laura ? J'étais resté aussi vague que possible, non sans adresser à Alyssum Tarcher un sourire qui sous-entendait que je finirais par le coincer. A mon avis, le message était passé.

Charlie Duck occupait la place d'honneur dans la nef où l'urne d'argent qui contenait ses cendres était placée au centre d'un plateau rond posé en équilibre au sommet d'une pyramide en bois de rose de près de deux mètres de haut. Je me demandai comment ce plateau réussissait à tenir ainsi.

Tandis que nous attendions le début du service, je fis un rapide commentaire sur les gens que je connaissais.

Paul arriva à son tour, mais ne vint pas s'asseoir à côté de moi. De fait, il nous ignora complètement, Laura et moi. Le teint gris, des cernes profonds, il avait l'air fatigué et inquiet.

Regardant autour de moi, je constatai que tous les bancs étaient occupés. Il devait y avoir au moins une centaine de personnes, et une trentaine d'autres debout, au fond de l'église. La ville entière avait suspendu ses activités pour se réunir ici.

Soudain, le silence se fit. Vêtu d'un costume noir, qui sortait visiblement tout droit de chez un tailleur londonien, Alyssum Tarcher s'avança vers la chaire, ou plus exactement vers une longue table d'acajou soutenue par des piliers de marbre.

Il s'éclaircit la gorge puis releva la tête, baigné par la lumière solaire qui filtrait à travers de hautes fenêtres. Dans l'air parfaitement calme, aucun bruit ne se faisait entendre. Soudain, sur un petit signe de tête d'Alyssum, des cornemuses emplirent l'église de sons profonds, âpres, d'une sauvage beauté. Ce furent des accords d'une tristesse déchirante qui devinrent bientôt plus lointains, plus doux, tels de simples échos.

— Charles Edward Duck, commença Alyssum Tarcher d'une voix puissante, fut un homme qui mena une vie pleine et riche.

Cessant de l'écouter, j'observai le profil de Paul et me demandai ce qui se passait.

— Inspecteur dans la police de Chicago, il était venu se retirer à Edgerton, auprès de ses parents aujourd'hui disparus. Il nous manquera. Il faisait partie de notre communauté.

Les cornemuses émirent quelques accords feutrés et fluides, puis se turent de nouveau ; Alyssum Tarcher, le patriarche, retourna s'asseoir au premier rang.

Ce fut alors au tour d'Elaine Tarcher de se lever. Dans un tailleur sombre et élégant, svelte et parée d'un collier de perles, elle avait tout d'une femme raffinée et riche. Elle parla d'une voix profonde, emplie d'émotion.

— J'ai rencontré Charlie Duck pour la première fois au réveillon du 31 décembre que nous organisons chaque année. C'était au milieu des années quatre-vingt. La soirée avait lieu à l'Edwardian. Charlie a joué pour nous sur sa guitare. Adieu, Charlie.

Une dizaine de personnes succédèrent à Elaine Tarcher. Il y eut d'abord le représentant de l'Eglise anglicane, qui n'était autre que Rob Morrison. Il évoqua brièvement un Charlie accommodant, tolérant, ouvert à tous. Mlle Geraldine, maire d'Edgerton et présidente de la ligue communale, représentait la religion juive. Elle parla de la gentillesse de Charlie, de ses bonnes dispositions envers chacun.

Le dernier éloge fut celui de Mère Marco, âgée de quatre-vingt-treize ans, propriétaire de la station d'essence. Elle était petite, frêle, et ses cheveux neigeux, mous et clairsemés, laissaient paraître un cuir chevelu rose.

— Je ne représente aucune religion, précisa-t-elle, la voix étonnamment forte. Si je représente quelque chose c'est la vieillesse et l'approche de la mort. Je me sens plus âgée que les rochers sur le rivage qui bordent nos falaises.

La vieille dame adressa à l'assistance un sourire qui découvrit de superbes fausses dents.

— Et j'en suis fière, reprit-elle. Je connaissais Charlie Duck mieux que quiconque. C'était quelqu'un d'intelligent et de perspicace. Il savait un peu de tout sur tout. Il aimait comprendre, découvrir. Si quelque chose lui échappait, il creusait, creusait, jusqu'à trouver la réponse à ses questions. Après avoir passé tant d'années dans la police de Chicago, il n'avait pas une très haute opinion des gens. Il n'était pas aveugle, Charlie.

De tous les intervenants, cette vieille Mère Marco avait brossé le portrait le plus exact de Charlie, pensai-je.

Alyssum Tarcher s'avança vers la pyramide de bois, prit l'urne et la brandit au-dessus de sa tête.

— A Charlie ! s'écria-t-il.

Dans un concert d'applaudissements, les citoyens d'Edgerton s'alignèrent derrière Alyssum Tarcher et sortirent de l'église avec lui.

— Oh ! Seigneur ! marmonna Sherlock.

— Quelle mise en scène ! ajouta Savich.

La main de Laura se crispa sur la mienne.

— Je ne veux pas aller là-bas, me dit-elle. Je ne veux pas aller au cimetière.

— Personne ne nous y attend. Après tout, nous sommes des étrangers.

En voyant Rob Morrison à côté de Maggie Sheffield, je pensai à l'inspecteur Castanga. « Margaret est mon ex-femme. »

— Qui êtes-vous donc ?

— Voici Cotter Tarcher, les amis. Le fils unique d'Alyssum Tarcher.

Ignorant les deux femmes, le jeune homme fixait Savich d'un œil mauvais. Ce dernier soutint son regard, le sourcil levé.

— C'est le maillon faible de la chaîne, murmurai-je à Laura.

— Je vous ai posé une question, mon pote, insista Cotter. Qu'est-ce que vous fabriquez ici ? Personne ne vous a invité.

— Si, moi.

Je désignai Sherlock et Savich d'un mouvement de la tête, et montrai que je tenais la main de Laura.

— Ce sont des amis.

— Aucun d'entre vous ne devrait être ici.

Savich gratifia Cotter d'un sourire narquois qui tomba à plat, mais signifiait qu'il avait déjà jaugé le jeune Tarcher.

— J'ai beaucoup apprécié les éloges, dit-il. C'était quelque chose ! J'ai trouvé tous les intervenants très talentueux. Pourquoi n'en faisiez-vous pas partie ? Absence de religion ? Absence de talent ?

Le regard de Cotter s'enflamma. Il avait suffi de peu de chose pour le faire enrager et menacer son sang-froid. Que lui était-il arrivé ? En tout cas, Savich avait dû toucher la corde sensible. Cependant, personne ne fut plus surpris que moi quand Cotter balança un coup de poing à Savich. J'eus un peu pitié de lui.

— Oh, non ! Petit crétin ! s'exclama Sherlock.

Calmement, Savich attrapa le poignet de son agresseur et lui fit baisser le bras. Comme le jeune Tarcher tentait vainement de lui donner un coup de pied, il le saisit ensuite par une jambe, l'envoya planer et ne lâcha son poignet qu'à une seconde de son atterrissage dans un parterre de soucis.

Les mains sur les hanches, Sherlock regarda Cotter.

— Pourquoi vous comportez-vous comme un adolescent ?

— Contrôlez-vous, jeune homme. Essayez de grandir, conseilla Savich.

— Vous deux, vous êtes de la merde. Des pointures du FBI ? Laissez-moi rire. Vous ne découvrirez jamais rien.

Cotter s'arracha au parterre fleuri et s'éloigna d'un pas lourd.

— Ce type a vraiment des problèmes, observa Laura.

— C'est le psychopathe de service, dis-je. Ainsi, il estime qu'on ne trouvera rien !

Je le regardai parler avec son père qui secoua la tête.

— La première fois que je l'ai vu, je l'ai simplement pris pour une tête brûlée, un môme immature. Mais maintenant je me demande s'il n'est pas impliqué dans toute cette histoire. S'il n'est pas le bras droit de son père.

— Le vieux fait figure d'aristocrate. On dirait un lévrier parmi une bande de corniauds, commenta Sherlock. Quant à son fils, il a tout d'un petit bouledogue.

— Il est bien différent de sa sœur, remarqua Laura. Cal a aussi un comportement bizarre, mais Mac ne l'a jamais traitée de psychopathe. Hé ! Je donne mon avis, c'est tout.

En tout cas, on peut affirmer que Cal a un goût sûr en matière d'hommes.

Alyssum Tarcher s'était tourné vers moi, le visage fermé et le regard soudain aussi mauvais que celui de son fils.

18

Il était juste un peu plus de 17 h 30 quand nous arrivâmes, Savich et moi, devant le 12, Liverpool Street. Les voitures de Paul et de Maggie Sheffield étaient garées côte à côte dans l'allée. Depuis le perron nous entendîmes une dispute et nous nous arrêtâmes un instant près d'une plante suspendue pour écouter.

— Sale petit minable, criait Maggie à tue-tête. Ne recommencez plus jamais ça, ne dites plus jamais ce genre de choses, Paul, ou je vous arrache la tête. Vous êtes cinglé ? Depuis combien de temps Jilly est-elle partie ?

— Vous n'y comprenez rien du tout. Vous vous amusez à faire un travail d'homme, mais vous le faites mal. Une femme, Maggie, ça suce, et ce serait peut-être un boulot idéal pour vous. A moins que vous ne soyez une gouine.

Nous perçûmes un bruit de chute. Dans un soupir j'ouvris la porte, entrai dans le hall, puis regardai sur ma droite, dans le séjour. Maggie était assise sur Paul et lui serrait le cou.

Savich s'avança calmement vers elle, la prit par les aisselles et la fit se relever. Puis, quand elle se retourna, les poings levés, il la souleva en la tenant de nouveau sous les bras.

— Il ne faut pas faire ça. Ce n'est pas malin, lui dit-il de sa voix profonde et veloutée.

— Ça suffit, tous les deux, protestai-je, avant d'offrir ma main à Paul. On peut savoir ce qui se passe ? On a entendu des cris depuis le perron.

— C'est un con, affirma Maggie. Et vous, l'athlète, reposez-moi par terre. Je suis le shérif. Vous êtes en état d'arrestation.

— Je ne suis pas un athlète, madame. Mais Dillon Savich, agent spécial du FBI.

— Oh ! Je suis désolée. Vous êtes venu rejoindre Mac, c'est ça ? Je vous ai vu aux obsèques de Charlie Duck, mais je n'ai pas eu l'occasion de venir vous saluer.

— Je peux vous lâcher, maintenant ?

— S'il vous plaît. Je vous promets de ne pas abîmer cette chiffe molle, ajouta Maggie en regardant Paul comme si elle voulait lui cracher dessus.

— Paul, dis-je, va t'asseoir. Nous devons parler. Maggie, installez-vous dans ce fauteuil. Si l'un de vous deux fait le moindre mouvement vers l'autre, nous nous chargerons de vous aplatir sur le carrelage. Ce sera plutôt Savich d'ailleurs. Mes côtes sont encore un peu douloureuses.

— Je suis le shérif, rappela Maggie en remettant son chemisier dans son pantalon. Je fais ce que je veux.

— Bravo ! approuva Savich. Voilà comment il faut réagir. Mais, en attendant, on aimerait bien que vous vous asseyiez et que vous nous parliez de la sœur de Mac, si vous avez appris quelque chose de nouveau.

— Je n'ai absolument rien de nouveau, expliqua Maggie en regardant Paul. J'ai pourtant parlé à Minton, ce matin, mais même lui ne savait rien de plus. Il a râlé en me disant qu'il aimerait bien savoir ce que vous fabriquez avec

Mme Scott, Mac. Je lui ai répondu que si ça le regardait vous l'auriez informé, ajouta la jeune shérif en souriant. Il m'a traitée de garce. Un vrai bonheur. Bon, je préfère m'en aller maintenant plutôt que de rester dans cette pièce avec ce cinglé qui me fait perdre mon sang-froid. Appelez-moi si vous trouvez quelque chose, Mac. Agent Savich, merci pour votre aide généreuse. Je vous suis redevable, et vous le savez.

— Attendez une minute, Maggie. Je vous raccompagne.

— C'est un minable, me lança-t-elle tandis que nous sortions de la maison.

— Comment vous a-t-il fait perdre votre sang-froid ?

— Vous n'allez pas le croire, Mac, mais il a essayé de glisser sa main dans mon pantalon. J'ai dû me débattre un moment avant de réussir à le maîtriser.

— Pourquoi a-t-il eu ce comportement ?

— Dieu seul le sait. Je l'ai toujours trouvé bizarre.

— Bien, Maggie. On reste en contact.

Je la regardai s'éloigner. Dans le séjour, Savich m'attendait pour commencer à interroger Paul.

— OK, Paul. Parle-nous de la drogue que tu cherches à mettre au point.

— Oui, ça nous intéresse beaucoup, Paul.

— Je n'ai rien à vous dire, ni à l'un ni à l'autre, répondit mon beau-frère, les yeux fixés sur ses mains serrées entre ses jambes.

— Nous resterons ici jusqu'à ce que tu nous parles.

On eût dit qu'il avait envie de se recroqueviller sur lui-même et, de nouveau, j'eus le sentiment que la peur le tenaillait.

— Parle, insistai-je.

Il se leva et arpenta deux fois la pièce, en s'arrêtant devant l'un de ses tableaux abstraits.

— C'est de la pure expérimentation, Mac, expliqua-t-il finalement. Nous ne parviendrons peut-être jamais à un résultat. Tu sais combien il est difficile aujourd'hui d'élaborer un médicament rentable. La recherche pharmaceutique connaît une expansion gigantesque, exige un nombre d'heures de travail incroyable et des programmes sur ordinateurs hautement spécialisés. Sans parler des lois gouvernementales qui nous limitent.

Paul fit une courte pause en tirant sur un fil de sa veste de tweed.

— VioTech m'a coupé les vivres parce que mes recherches leur revenaient trop cher compte tenu de la rentabilité prévisible, même si le médicament était parfait. Ils voulaient que l'on se consacre, Jilly et moi, à la recherche sur le sida. Mais ce n'était pas notre truc. Alors quand Alyssum Tarcher nous a proposé de nous financer, nous avons accepté sans hésiter.

— Quel est ce médicament, Paul ?

— Il agit sur la mémoire. Rien d'autre.

— C'est-à-dire ? demanda Savich. On sait très peu de choses sur le fonctionnement du cerveau, sur les mécanismes de la mémoire. Comment ce produit agit-il ?

— Il est destiné à éliminer les réactions physiques aux souvenirs négatifs, expliqua Paul d'une voix lasse. On a observé qu'il agit sur les brusques manifestations du corps face à un état de détresse. Par exemple sur la poussée d'adrénaline, les palpitations cardiaques, la dilatation des pupilles. Autrement dit, il peut annihiler les effets négatifs de la mémoire, donc en diminuer le pouvoir, en leur substituant une sensation de bien-être. Ses bienfaits pourraient être énormes sur quelqu'un qui a vécu des expériences très dures, comme un enfant maltraité, victime d'abus sexuels, ou un soldat qui a connu les combats.

Je me penchai en avant sur le canapé, bien déterminé à pousser Paul à aller jusqu'au bout.

— Tu décris les réactions physiques déclenchées par des souvenirs douloureux. Mais elles peuvent l'être aussi par la peur, l'excitation, le stress...

— C'est exact. Mais cette substance serait destinée à des expériences spécifiques où la mémoire est stimulée de façon répétitive.

— Ça me paraît incroyable, observa Savich. Et vous arrivez à poursuivre vos recherches ici, dans un petit labo ?

— Quand j'ai quitté VioTech, j'avais déjà presque abouti, en dépit de ce que pensaient ses dirigeants. Maintenant ce n'est plus qu'une question d'affinage des molécules secondaires.

— Cette substance entraînerait-elle une accoutumance ? demandai-je.

— Oh, non ! Pas du tout.

— Elle serait utilisée par l'armée ? s'enquit Savich. Si elle balaie les effets physiques de la détresse, elle peut faire de tout soldat un héros, non ?

— Jamais je ne laisserai les militaires s'en emparer.

Paul paraissait terriblement fatigué, et sa voix lasse donnait l'impression qu'il se moquait désormais de tout.

— Quand je t'ai interrogé, la première fois, au sujet de tes recherches, tu m'as branché sur une histoire de fontaine de jouvence. Il s'agit en fait de bien autre chose.

— Qu'importe. Tout ça n'a rien à voir avec la disparition de Jilly. Ni avec quoi que ce soit. Va-t'en, Mac. Je ne veux plus vous parler. Je vous en prie, partez.

— Ah ? m'étonnai-je, le sourcil levé. Tu préfères sauter sur les femmes qui s'aventurent chez toi ?

— Maggie t'a raconté n'importe quoi. Elle me provoquait, et quand j'ai voulu l'écarter de moi, elle est allée plus loin. Les hommes ne sont pas insensibles à certaines choses, comme tu le sais. Maggie n'est qu'une allumeuse, Mac.

— Dis-moi où est Jilly, Paul.

— Si je le savais, je serais avec elle.

— Ecoute. Il est temps de faire tomber les masques. Laura fait partie des stups. Ils sont au courant de tes recherches. Ils savent à propos de Molinas. Par deux fois on a tenté de tuer Laura après la disparition de Jilly. Qui tire les ficelles, Paul ? Toi ? Tarcher ? Ce gangster de Del Cabrizo ? Dis-nous de quelle façon Tarcher est impliqué. Parle-nous de John Molinas.

— Je n'ai pas à vous répondre, et je veux que vous partiez.

Sur ces mots, Paul quitta le séjour.

Je le suivis mais, m'entendant arriver, il monta l'escalier quatre à quatre. Quand j'arrivai sur le palier, il avait déjà verrouillé la porte du labo derrière lui. Une porte blindée que je n'avais aucun moyen de forcer. Je lui criai de me laisser entrer, le suppliai de tout me raconter afin de lui éviter une perquisition ; mais il resta silencieux.

Au bout d'un moment, je sentis la main de Savich sur mon bras.

— N'insiste pas. Il faut qu'on fasse le point. Il est peut-être temps pour Laura de prévenir son patron et de les laisser se charger de cette affaire. Un mandat de perquisition ne me paraît pas une mauvaise idée. Qu'ils l'interrogent avec Tarcher. Bon sang, je suis crevé. Le vol de nuit me rattrape.

— Tu devrais te reposer un peu au bungalow, et Sherlock aussi.

19

Main dans la main, Laura et moi contemplions le coucher de soleil sur le Pacifique. L'air était doux sous une petite brise océane. Nous nous promenâmes le long de la falaise en nous arrêtant fréquemment pour nous embrasser ou parler.

— Tu as raison, me dit Laura, les bras serrés autour de ma taille.

— A quel sujet cette fois-ci ?

Je l'embrassai avant de la laisser me répondre.

— Nous avons parlé quasiment à tout le monde aujourd'hui. Tarcher sait à quoi s'en tenir. Paul s'est enfermé dans son labo. Je vois mal comment on pourrait encore faire avancer les choses. Si tu n'as rien de mieux à suggérer, je crois que je vais appeler mon patron et le laisser intervenir.

Savich était d'accord. Moi aussi. Mais je pensai soudain à autre chose : il n'y avait pas une semaine que je connaissais Laura, et j'étais néanmoins convaincu qu'elle était la plus honorable et la plus loyale des femmes, et que je ne voulais plus la quitter.

Je n'arrivais pas à détacher mes yeux d'elle. En jean serré, baskets, chemisier flottant, elle portait les cheveux retenus sur la nuque par une barrette et, pour tout maquillage, un peu de rouge corail sur les lèvres, léger fard que mes baisers avaient presque complètement fait disparaître. Je la fis s'arrêter en lui prenant le bras. Tournés vers l'océan, nous suivîmes du regard le vol d'un groupe de mouettes en quête de leur dîner. Tout était paisible sous la brise salée.

— Asseyons-nous, proposai-je.

Nous nous installâmes sur des roches appuyées les unes aux autres, à proximité du bord de la falaise.

— Parle-moi, Laura.

— Tu veux que je te dise que je te trouve très séduisant ?

— Oui, mais pas tout de suite. Parle-moi d'abord de toi.

— Je n'ai rien d'extraordinaire à te raconter, Mac. J'ai eu une enfance et une adolescence sans histoire. Nous vivions à Tacoma, dans l'Etat de Washington. J'ai un frère aîné. Nos parents étaient très proches de nous. J'aimais jouer de la clarinette. J'avais une bonne technique mais un son médiocre. Je n'aurais jamais pu être soliste. Enfin, ça m'est arrivé une fois, au collège. Ma mère était ravie, mais ce n'était pas suffisant. Quand je suis allée à l'université de Boston, j'ai abandonné mon instrument, sans que le monde de la musique s'en porte plus mal, et j'ai suivi des études de psychologie. J'ai toujours voulu entrer dans la police. J'aime mon métier, Mac. Mon frère, Alan, est inspecteur à Seattle. Mon père était déjà policier. Il est mort maintenant. Ma mère vit près de mon frère et de sa famille.

Le vent soufflait plus fort depuis quelques minutes, et je regardais des mèches folles balayer le visage de ma compagne, sous les reflets du soleil couchant. Puis, soudain, juste à côté de sa main, l'impact d'une balle fit voler des débris de pierre. Laura me regarda fixement tandis que je l'attrapais pour la plaquer sur le sol et la faire rouler au pied de la roche. Un semblant d'abri, mais nous n'avions pas le choix.

Deux autres coups de feu retentirent. L'un arracha au sol une gerbe de terre et d'éclats de pierre, l'autre dut passer au-dessus de nous. Je plaquai le visage de Laura par terre et m'allongeai sur elle en espérant la couvrir entièrement de mon corps.

— Bon dieu ! Nous sommes à plusieurs mètres de la maison et il n'y a pas une souche pour nous servir d'abri.

On tira de nouveau et, cette fois-ci, la balle se ficha dans le terrain, à côté de nous. Je couvris Laura encore plus étroitement. Je regardai alors vers le bungalow, et vis la porte s'ouvrir prudemment.

— Sherlock, Savich ! criai-je. Ne sortez pas ! Appelez la police !

Une giclée de balles frappa le Seagull. Elles venaient de ma droite, près du bord de la falaise. Sans lâcher Laura, je me contorsionnai pour sortir mon SIG Sauer, m'appuyai sur un coude, et tirai six fois. J'entendis un hurlement.

— Je crois que j'ai touché l'un de ces salauds, dis-je en souriant. Maintenant ils savent que nous sommes armés, et ça va calmer le jeu. Ils m'ont peut-être entendu crier à Savich et Sherlock d'appeler des renforts. Tiens bon, Laura. Dis-toi que je suis ton gilet pare-balles.

Elle avait de la terre sur tout le visage et jusque dans la bouche. Je la vis en recracher.

— Ils ont bien failli nous avoir, Mac. C'est dingue. Qui ose s'en prendre ainsi à des agents fédéraux ? Ça leur sert à quoi ?

Trois autres coups de feu retentirent, en direction du bungalow cette fois-ci. Je ne fus pas surpris par la riposte qui suivit rapidement. Tout un chargeur se vida en quelques secondes et un cri de douleur se fit entendre. Sherlock ou Savich venait de toucher l'un de ces types. Combien étaient-ils ?

Le silence retomba. Même les mouettes se turent. Laura voulut se dégager, mais je la retins par les épaules.

— Non. Ne bouge pas. Attends encore un peu. Savich, tu as appelé les flics ? criai-je.

— Ils seront ici dans trois minutes, me répondit-il.

Il y avait cependant dans sa voix quelque chose qui me contrariait, qui ne sonnait pas juste.

Jetant un coup d'œil au ciel, je constatai qu'il nous restait un quart d'heure avant la tombée de la nuit et, comme Laura et moi avions trois roches pour nous abriter, c'était du gâteau…

Elle se tourna légèrement, cherchant à s'installer plus confortablement sous moi.

— Combien sont-ils ? me demanda-t-elle.

— Je n'en sais rien. Au moins trois. Deux sont probablement blessés. Maintenant on attend Sherlock et Savich. Ce ne sera pas long.

Pendant deux minutes nous restâmes figés et muets. Laura cracha de nouveau de la terre. Soudain la porte du bungalow se rouvrit et Savich me cria :

— Rentre, Mac. Vas-y. Cours.

Nous nous élançâmes, courbés, en zigzaguant comme nous avions appris à le faire, pendant que Sherlock et Savich nous couvraient. Tous les deux vidèrent un chargeur en arrosant l'espace derrière nous. La riposte éclata. Il y eut trois ou quatre balles perdues, et plusieurs autres atteignirent la maison. Ensuite, ce fut de nouveau le silence.

Je jetai littéralement Laura à l'intérieur du bungalow, me retournai et tirai tandis que Sherlock et Savich reculaient.

Quand j'eus claqué la porte derrière moi, je m'accroupis et entendis bientôt les deux femmes rire.

— Bien joué, tous les deux ! lança Laura, les bras autour des épaules de Sherlock. Vous nous avez vraiment sauvé la peau.

Chacun avait sa façon de réagir à ce genre d'expérience ! J'allai alors scruter la nuit par la fenêtre étroite qui donnait sur la falaise. Rien. Je tirai soigneusement le double rideau et me retournai pour voir Savich hocher la tête.

— Rien à signaler de ce côté-là.

Mon ami observait sa femme et Laura, dont le visage était maculé de terre. Sherlock lui souriait comme une folle.

— Vous avez de la terre dans l'oreille, lui dit-elle en l'en débarrassant.

— Qui as-tu appelé, Savich ? demandai-je.

— Ils ont coupé le téléphone, Mac. Nous sommes parfaitement isolés dans cette boîte de pop-corn.

— Merde ! Ils connaissent la musique.

J'allai dans la cuisine voir si l'on apercevait quelque chose à l'arrière de la maison, puis rapportai dans le séjour les deux dernières bières. Regardant tour à tour Laura et Sherlock, je me dis que c'était sans espoir.

— Joue à pile ou face, Sherlock, proposai-je en lui tendant une pièce de monnaie.

Voilà ce qui s'appelait de l'équité ! Mais les deux femmes gagnèrent et attaquèrent leur bière sans l'ombre d'un sentiment de culpabilité.

— Ils ont des tripes, observa Savich en levant les yeux de son arme qu'il était en train de nettoyer près de la fenêtre. Ce sont de piètres tireurs mais ils prennent les choses au sérieux.

— Dis-moi qu'il y a un mobile dans ta voiture de location, Savich.

— Je te le dirais si c'était le cas.

— Voilà qui est très déprimant, commenta Sherlock. Je regrette d'avoir déjà fini ma bière.

Je vérifiai que j'avais bien mis le verrou de sûreté, puis je bloquai la poignée de la porte avec une chaise.

— Quand il fera complètement nuit, nous tenterons de sortir d'ici.

— Il fait suffisamment nuit, estima Laura. Allons-y. Essayons d'aller jusqu'à ta voiture, Mac.

Elle se mordait la lèvre, tournée vers Savich qui restait silencieux.

— D'accord, dit-il finalement. On n'a rien entendu depuis une demi-heure. S'ils voulaient nous tuer, ils n'auraient pas cessé de tirer. OK ! On bouge.

J'ouvris la porte avec précaution, attendis, puis me glissai à l'extérieur, le regard tourné vers la falaise, en décrivant lentement un arc de cercle avec mon SIG Sauer. Une grosse lune flottait au-dessus de l'océan mais, par chance, des nuages noirs passaient devant elle. Grâce à Dieu, la nuit était profonde. Une fois que la lune fut complètement masquée, je m'élançai vers la Taurus, Savich, Sherlock et Laura sur mes talons.

Les deux femmes se cachèrent à l'arrière, Savich s'installa à l'avant, et je tournai la clef de contact. Rien. Je recommençai, sans plus de succès.

— Ils ont trafiqué la voiture, annonçai-je.

— Sans faire le moindre bruit, observa Savich. Retournons dans le bungalow. Je vous couvre.

Personne ne tenta de nous abattre pendant notre course folle vers la maison.

— Intéressant ! fit Savich, une fois la porte verrouillée

derrière nous. Nous voilà en Amérique, aussi isolés que tu l'étais, Mac, en Afrique du Nord.

Je me souvins alors de ce jour où j'avais cru ne jamais revenir. Mais même là-bas j'avais finalement été secouru.

— C'était à moi qu'on en voulait, déclara Laura, les traits tendus. Vous êtes aussi des flics, mais vous n'êtes pas en mission. Je suis désolée que vous vous retrouviez pris au beau milieu de cette affaire.

— En ce qui me concerne, dis-je, je l'ai voulu. Les innocentes victimes, ce sont Sherlock et Savich.

— Arrête, Mac, gronda ce dernier.

— En attendant le shérif, je fais du café, proposa Sherlock. Tu es certain que Maggie va venir, n'est-ce pas ?

— Elle ne peut pas nous laisser comme ça jusqu'à demain, affirma Savich.

— Tu ne trouves pas étrange qu'ils nous aient tiré dessus comme ils l'ont fait sans nous toucher une seule fois ?

— Pour une raison ou une autre, ils veulent nous garder en vie, conclut Savich.

— Oui, c'est possible, dis-je.

L'instant suivant, les trois fenêtres de devant explosèrent dans des jets de verre brisé et de lambeaux de rideaux. Des grenades atterrirent sur le plancher, rebondirent et libérèrent du gaz. Un gaz irritant, au goût amer, qui rendait l'air et le souffle brûlants.

Nous n'avions plus une minute à perdre. Je me tournai vers Laura qui fixait l'un de ces petits œufs métalliques d'où s'échappait une fumée bleu pâle.

— C'est de l'acide glacial, dit-elle. Désolée, les amis. Désolée.

Je voulus l'empêcher de culpabiliser, mais dès que j'ouvris la bouche je crus que ma langue allait se consumer.

Ma gorge sèche m'empêchait de hurler de douleur. Je décrochai, et jamais je n'avais fait d'expérience plus étrange. Le froid m'envahissait, ma bouche était engourdie, je claquais des dents.

Avant de fermer les yeux, je vis Savich serrer Sherlock contre lui. Laura était allongée par terre, sur le côté, les jambes repliées, immobile. J'essayai de m'approcher d'elle, mais déjà je ne la voyais plus. Mes yeux gelés se fermaient, des larmes glacées roulaient sur mes joues. Je voulais dire à Savich qu'il nous fallait sortir par tous les moyens.

Puis je ne sentis plus rien.

20

Ce fut en m'entendant gémir que je compris que j'étais réveillé. Je n'éprouvais cependant aucune douleur.

Laura criait mon nom.

— Mac, ne fais pas ça ! Je t'en prie. Je t'en prie, arrête, Mac. Réveille-toi !

J'ouvris les yeux, penché sur son visage.

— Oh, Seigneur ! Tu es réveillé, Mac. Arrête-toi. Il faut que tu t'arrêtes !

Je ne pus saisir immédiatement le sens de ses paroles. Que fallait-il que j'arrête de faire ?

Je ne ressentais aucune douleur, non, mais quelque chose de violent et de très physique qui me secouait. Je ne comprenais pas.

— Mac ! Réveille-toi !

Allongé sur elle, je remarquai alors que nous étions tous les deux nus ; j'étais entre ses jambes, prêt à la pénétrer, et tellement submergé par le désir que je me sentais incapable de me retenir.

— Laura ! Mon Dieu ! Laura.

— Mac, arrête !

— Je ne peux pas, je ne peux pas !

Haletant, je tentai de maîtriser l'élan frénétique de mon

corps. Je bloquai mes muscles et hurlai. Non, je n'allais pas la violer, non ! Mais l'envie me poussait, me tenait au-delà de toute raison. Je hurlai de nouveau, en cherchant à me reprendre, à retrouver mes esprits et ma volonté. Sentant sa peau contre mon corps, je doutais cependant de parvenir à me contrôler.

— Non ! hurlai-je en voyant des larmes rouler sur ses joues.

La tête renversée en arrière, je réussis enfin à me rejeter à côté d'elle, sur le plancher. Je haletais, jurais, maudissais la pulsion qui continuait de m'électriser.

— Mac ? Ça va ?

Dans sa voix, le soulagement avait remplacé la peur. Je me tournai sur le côté et la vis me regarder en souriant. Au même moment, je m'aperçus qu'elle était entièrement nue, les mains liées au-dessus de sa tête, les jambes ouvertes et attachées aux chevilles. Moi je pouvais bouger et j'avais encore mes baskets et ma chemise.

Je m'appliquai à respirer profondément, plusieurs fois de suite, désireux de m'éclaircir les idées. Je voulus la toucher, puis finalement me l'interdis afin de ne pas prendre le risque de replonger. Mais devant ses joues encore humides, je tendis de nouveau le bras pour essuyer ses larmes.

— Je suis tellement navré, Laura... Que s'est-il passé ?

— Ils nous ont drogués.

Je commis l'erreur de poser les yeux sur son corps. Les mâchoires serrées, je m'écartai d'elle, sautai sur mes pieds, attrapai mes vêtements sur le sol et me rhabillai. J'étais toujours en érection, mais déterminé à ne pas succomber.

Agenouillé à ses côtés, je constatai alors que ses chevilles étaient attachées à de petits anneaux fixés au sol.

— Oh, Seigneur ! Je ne me rendais pas compte, je ne savais pas...

— Ce n'est pas toi qui m'as attachée, Mac. Ça va, maintenant. Tu as réussi à t'arrêter.

Les mains tremblantes, je défis laborieusement les nœuds autour de ses poignets et de ses chevilles. Lentement elle ramena ses jambes l'une contre l'autre, avant de s'asseoir et de frotter ses articulations endolories.

— Merci, Mac.

— Où sont tes vêtements ?

— Je n'en sais rien.

Je retirai ma chemise pour la lui donner et, tandis que je la regardais se couvrir, je sentis mon esprit s'alourdir, s'assombrir. Ma pulsion régressait, je pouvais me dominer désormais.

Elle se leva et s'avança vers le lit étroit, dans un coin de la petite pièce où nous nous trouvions. Avec ma chemise qui lui arrivait aux cuisses, elle s'assit sur le bord du matelas et recommença à se frotter les poignets. J'allai la rejoindre en évitant de la toucher de peur de faire rejaillir l'incontrôlable désir.

— Raconte-moi ce qui est arrivé. Où sommes-nous ?

— Etant donné que je ne parle pas espagnol, je n'en sais rien... Tu étais éveillé mais encore groggy. Je les ai vus te piquer, m'expliqua Laura, frissonnante.

Je la serrai très fort contre moi.

— Nous avons déjoué leur plan, dis-je en lui frottant le dos. Nous nous en sommes sortis.

— Je pense qu'ils ont joué avec nous, me répondit-elle, la tête sur mon épaule. Ils voulaient s'amuser. Ils m'ont déshabillée et attachée, puis ils t'ont mis sur moi comme un étalon sur une jument. Tu avais la tête entre mes cuisses. Ils t'ont retiré en hurlant de rire. Ensuite l'un d'eux, probablement leur chef, a dit quelque chose, et ils sont tous sortis.

Elle se tut ; j'embrassai ses cheveux et continuai à lui frotter le dos.

— Tout va bien, Laura.

— Oui, parce que tu as émergé à temps de ce cauchemar. J'ai vraiment cru que tu n'y arriverais pas, Mac. Oh, mon Dieu ! C'était horrible !

Je la revis nue, entravée, impuissante, et fermai les yeux un instant comme pour échapper à l'énormité de cette histoire. Si je n'avais pas réussi à me freiner...

— Ils voulaient que je te viole, n'est-ce pas ?

— Apparemment. Tu sais, la situation était d'autant plus douloureuse que c'était toi, sans l'être vraiment. Tu agissais comme un étranger. Tu étais complètement sous l'influence de cette drogue.

— La drogue... Tu te souviens de m'avoir expliqué que celle élaborée par Paul et Jilly avait des effets sur la sexualité ?

— Ce doit être celle-là, précisément. Ils te l'ont injectée pour voir ce que ça donnait sur toi.

J'éprouvais une envie de tuer. Nous avions été traités comme des animaux, des cobayes.

— Ils ont dû te donner une sacrée dose.

— Je n'en serais pas étonné. Mais, franchement, je n'avais pas l'impression de m'éclater.

Je sentis le sourire de Laura sur mon épaule, et resserrai mon étreinte.

— Ils t'ont molestée ?

— Je n'en ai pas l'impression. J'ignore combien de temps je suis restée inconsciente. Ils m'ont réveillée en me faisant respirer des sels. Ils voulaient que je te voie. Mon Dieu, Mac, c'était terrible ! Je ne pouvais pas bouger et toi, tu ne savais pas ce que tu faisais. Dès que je me suis aperçue que tu revenais lentement à toi, je t'ai parlé jusqu'à ce que tu cherches à te ressaisir.

— Tu sais où nous sommes ?

— Non. Je ne suis réveillée que depuis une heure. C'est la nuit, si j'en crois ma montre qui indique un peu plus de 22 heures.

La petite pièce, d'environ quatre mètres sur quatre, était privée de fenêtres. Le mobilier se résumait au lit, à un vieux tapis, à un seau et un lavabo dans un coin.

— Il était environ 20 heures quand ils nous ont lancé les gaz dans le bungalow, dis-je.

— Mais nous avons peut-être changé de jour, Mac. Je n'ai qu'une certitude : si j'étais armée, je te jure que je ferais éclater la cervelle du premier type qui franchirait cette porte. Je n'arrive pas à croire à ce qu'ils nous ont fait. Et ça les faisait rire.

— Combien étaient-ils ?

— Trois. Plus leur chef. Celui qui est venu par la suite et leur a demandé de sortir... Ils parlaient tous espagnol. Je serais étonnée que nous soyons encore dans l'Oregon.

— Peut-être au Mexique, alors.

— C'est possible. Ou en Colombie. Tu te souviens de l'agent des stups qui a été torturé et assassiné au Mexique, il y a quelques années ? On n'a jamais arrêté personne, n'est-ce pas ?

— Ecoute, Laura, dis-je en l'écartant de moi. Ne pense pas à ce genre de choses. Ça ne sert à rien. Tu as vu Sherlock ou Savich ?

— Non. J'étais seule quand je me suis réveillée. Lorsqu'ils m'ont amenée, la pièce était vide. Ils t'ont traîné ici après, complètement hébété, et t'ont jeté sur le lit avant de t'injecter la drogue. Cinq minutes plus tard, ils t'allongeaient sur moi. Ce sont des animaux.

— Je me demande ce qu'ils espéraient. Je ne serais pas étonné qu'ils se soient amusés à lancer des paris.

— Mais tu t'es dominé, Mac.

J'embrassai ses lèvres, caressai ses cheveux et redessinai ses sourcils.

— Je me suis finalement rendu compte que c'était toi, Laura. Je t'aime, et je n'aurais pas pu te violer.

— Dans ce cas, sortons de ce traquenard et marions-nous. Tu es d'accord, Mac ?

J'eus du mal à croire que j'avais dû attendre d'avoir vingt-neuf ans pour rencontrer une femme comme elle.

— Nous ferons les choses exactement dans cet ordre-là, dis-je en posant un baiser sur le bout de son nez.

Regardant les anneaux fixés au plancher, je me demandai s'ils avaient déjà servi. Ces types avaient-ils amené d'autres femmes ici et s'étaient-ils amusés à tour de rôle ? La drogue était si puissante que j'étais encore en érection.

Je revins à Laura. Ses cheveux étaient bien lisses et très brillants.

— Ils t'ont coiffée ? m'étonnai-je.

— Oui, me répondit-elle sans lever les yeux vers moi. Deux femmes m'ont donné un bain et m'ont parfumée, pendant qu'ils regardaient. Puis ils m'ont conduite dans cette chambre. J'ai eu le sentiment que je n'étais pas la première à passer par là.

Je l'attirai de nouveau contre moi et je respirai cette fois-ci des effluves de musc. Mais sentant le désir me submerger, je m'empressai de faire diversion.

— J'ai soif.

Un peu de distance entre nous ne pouvait que m'aider ; je me levai pour aller vers le lavabo. Craquelé, les robinets rouillés, il était aussi vieux que le tapis. L'eau était cependant claire et fraîche. Je me lavai le visage afin de me débarrasser du parfum de Laura. Mon cerveau fonctionnait mieux. Je pouvais poursuivre plus d'une pensée à la fois et ressentir différentes sensations. Mais l'envie de tuer pour réussir à sortir d'ici était celle qui prédominait.

Laura se leva.

— Tu t'es éloigné de moi parce que l'effet de la drogue continue ?

— Oui. Mais plus modérément. Surtout, si je recommence à te regarder bizarrement, ou à dire des choses étranges, écarte-toi de moi immédiatement. Ou bien frappe-moi. Protège-toi comme tu le peux. D'accord ?

Laura scruta longuement mon visage, puis hocha la tête. Je dus faire un détour pour retourner vers le lit pendant qu'elle s'avançait vers le lavabo.

— Nous devons trouver un moyen de sortir de cette chambre, dis-je tandis qu'elle prenait de l'eau au creux de ses mains.

Comme il n'y avait pas de fenêtre, nos regards se tournèrent en même temps vers la porte.

— Tu crois qu'ils vont nous apporter de la nourriture ? demandai-je.

J'avais l'estomac dans les talons, mais ce n'était pas le plus important.

— Si c'est le cas, précisai-je, nous aurons une chance de nous échapper.

Dix minutes à peine s'étaient écoulées quand ils nous apportèrent justement de quoi manger. La porte fut rapidement déverrouillée. On vit entrer un jeune garçon portant deux grands plateaux entre ses bras maigres, tandis qu'un homme armé d'un AK-47 restait debout dans l'encadrement de la porte, le doigt sur la détente et son arme pointée sur moi.

Fasciné par la nourriture, je ne les entendis même pas refermer derrière eux. J'avais sous les yeux des piles de galettes de maïs, des haricots rouges, des lamelles de bœuf, des pommes de terre farcies aux oignons et aux piments. J'étais tellement affamé que je trouvai ce repas excellent.

Ils avaient également apporté une grande carafe d'eau froide que nous bûmes entièrement.

— Espérons que nous n'aurons pas d'indigestion, dit Laura en regardant les plats vides.

— Ne parle pas de malheur ! Je crois qu'en nous postant derrière la porte nous aurions une chance de désarmer le type au AK-47.

— Oui. Je vais mettre l'oreiller et la couverture sous le drap de façon à ce qu'ils nous croient en train de dormir.

J'aidai Laura à réaliser ce subterfuge.

— Pas terrible, constatai-je en contemplant notre travail. Espérons que ça marchera quand même. Tu choisis quel côté de la porte ?

Je me retrouvai côté verrou tandis que Laura se postait derrière le battant, en tenant contre elle le lourd couvercle de porcelaine qu'elle avait retiré des toilettes.

— Ils doivent se douter que nous n'avons pas l'intention de rester inactifs, remarqua-t-elle. Il se peut même qu'ils nous observent en ce moment.

J'y avais en effet déjà pensé. J'inspectai alors la petite pièce, mais ne trouvai rien qui ressemblât de près ou de loin à l'objectif d'une caméra ou à un trou de voyeur.

— J'espère que Savich et Sherlock sont indemnes.

— Sherlock est peut-être, comme moi, derrière une porte avec un couvercle de toilettes entre les mains.

Nous attendîmes longtemps, puis le sommeil nous emporta jusqu'au petit matin. Quand nous nous réveillâmes, ma montre indiquait 6 h 30.

Nous utilisâmes à tour de rôle le lavabo et les toilettes, et à 7 heures tapantes nous les entendîmes arriver.

21

La clef tourna dans la serrure. La porte s'ouvrit prudemment, mais personne ne parla ni n'entra dans la chambre. En revanche, nous vîmes une grenade rouler sur le sol. Aussitôt je m'élançai, l'attrapai, la jetai dans les toilettes et tirai la chasse d'eau.

Un homme éclata de rire. Je me retournai et vis sur le seuil deux individus armés de AK-47.

— *¡ Así se hace !* dit l'un d'eux d'une voix de basse.

Petit, noueux, la peau sombre, il était, comme son acolyte, vêtu d'un treillis.

— Oui, bien joué ! poursuivit-il, en anglais cette fois-ci, avec un fort accent espagnol. On savait qu'on était attendus. Mais maintenant, c'est fini. Avancez par ici, ajouta-t-il en agitant sa mitraillette vers moi. La femme dort encore ? Vous l'avez épuisée, hein ?

Je m'avançai d'un pas en observant nos geôliers. L'homme qui venait de parler leva son arme, mais n'eut pas le temps d'ouvrir une nouvelle fois la bouche. Brusquement dressée devant lui, Laura lui écrasait le couvercle de porcelaine sur le visage.

L'autre bondit dans la pièce, prêt à tirer sur ma compagne. Tandis que dans un hurlement je me précipitais sur lui, il tourna son arme dans ma direction. Laura l'assomma avant qu'il ait eu le temps de tirer.

Voyant que le premier tentait de se relever, elle se dressa calmement au-dessus de lui et lui infligea un deuxième coup, avant de les frapper tous les deux dans les côtes.

— Ferme la porte, vite ! lui dis-je.

J'attrapai le plus lourd des deux hommes sous les bras et le traînai au milieu de la pièce. Puis, tandis que Laura se chargeait du second, je ramassai l'un des deux AK-47, entrebâillai la porte et jetai un coup d'œil dans l'étroit corridor qui passait devant la chambre. Personne en vue.

— Nous avons besoin de leurs vêtements, Laura.

Cinq minutes plus tard, nous boutonnions nos pantalons et lacions nos bottes. Laura avait déchiré les manches de ma chemise pour combler les chaussures trop grandes pour elle. Elle tapa des pieds deux fois puis me sourit.

— Ça va aller. Heureusement que l'un des deux était grand. Son treillis est presque à ta taille.

Entraver ces deux individus nous demanda plus de temps. Laura les déshabilla entièrement et les attacha par une jambe aux anneaux qui avaient servi à l'entraver. Quand elle se redressa, elle s'essuya les mains l'une contre l'autre et me regarda.

— OK. Sortons d'ici. Savich et Sherlock doivent être quelque part dans ce bâtiment.

Nous fermâmes la porte à clef et prîmes le couloir à gauche, pour la simple raison que je suis gaucher et que j'ai toujours tendance à me tourner d'abord vers cette direction. Chacun de nous avait un AK-47 au chargeur plein, plus une cartouchière entière que nous avions détachée de la ceinture des hommes.

Dangereusement armé, je me sentais prêt à oublier toute

prudence. Les cheveux cachés sous la casquette du treillis, Laura pouvait passer pour un homme, du moins l'espace de quelques secondes.

— Ces imbéciles de gangsters se déguisent en militaires, murmura-t-elle.

— Ne t'en plains pas. Ça peut nous aider si nous réussissons à sortir d'ici.

Nous entendîmes des bruits de bottes venant dans notre direction. Sur la droite, nous avions une porte, la troisième de ce côté du corridor. Je l'ouvris aussi doucement que possible et nous nous cachâmes, l'oreille tendue. Puis nous perçûmes un petit bruit : quelqu'un se grattait la gorge.

Pivotant d'un même mouvement sur nos talons, nous découvrîmes un vieil homme assis dans un coin de la pièce à une petite table, perdue dans l'ombre, juste à côté d'une étroite et haute fenêtre. Chauve, le visage tanné et couvert de rides, une barbe longue et d'un gris pisseux, il était vêtu d'une vieille robe de laine brune, une cordelette nouée autour de la taille, et venait de tremper dans sa soupe une galette de maïs qu'il s'apprêtait à porter à sa bouche.

Le geste suspendu, il nous observa. En espagnol, je lui chuchotai de ne pas bouger :

— *Quédase, padre. Por favor.*

L'oreille collée à la porte, un doigt posé sur ses lèvres, Laura fit signe au prêtre de se taire. Les bottes passèrent, sans s'arrêter. Le religieux s'abstint de tout mouvement.

— Qui êtes-vous ? me demanda-t-il en espagnol, d'une voix profonde.

— Nous sommes des agents fédéraux américains. Nous avons été drogués et retenus prisonniers ici. S'ils nous reprennent, ils nous tueront. Nous essayons de nous échapper. Etes-vous aussi prisonnier, mon père ?

Le vieil homme secoua la tête.

— Non. Je viens chaque semaine dire la messe. Quand j'arrive, une femme me sert un petit déjeuner.

En dépit de sa façon de parler sans détacher les mots, j'avais saisi l'essentiel de ce qu'il me disait.

— Quel jour sommes-nous ? lui demandai-je.

Il dut répéter sa phrase pour que je comprenne que nous étions jeudi. Nous avions perdu une journée.

— Où nous trouvons-nous, mon père ?

Le vieux prêtre me regarda comme si j'avais perdu la tête.

— Nous sommes juste à l'extérieur de Dos Brazos.

D'autres bottes résonnèrent dans le couloir et ralentirent. Nous étions pris au piège. L'unique fenêtre était si étroite que même un gamin très maigre n'aurait pu la franchir.

Le vieil homme nous regarda.

— Il est trop tard. Glissez-vous tous les deux sous le lit. Vite ! Je me charge de ces hommes.

S'il nous trahissait, nous n'avions aucune chance de nous en sortir, coincés sous ce lit, au fond de la pièce. Mais, à défaut d'avoir le choix, nous nous glissâmes sous le sommier, derrière une légère couverture qui frôlait le sol. Nous avions à peine la place de tenir tous les deux : j'étais pratiquement couché sur le AK-47, Laura plaquée contre mon dos, et son arme contre ma colonne vertébrale.

La porte s'ouvrit sans préambule. Je vis trois paires de bottes. La voix criarde, un homme s'adressa au prêtre en espagnol :

— Mon père, vous êtes ici depuis un moment ?

— *Sí.* J'achève mon repas.

— Vous n'avez rien entendu ? Personne ? Pas de bruit de course ?

— Uniquement vous, *señor*, et vos hommes. *¿ Qué haceís ?* Que se passe-t-il ? Il y a le feu ?

— Non, non. Nous recherchons un homme et une femme que nous devons remettre à la *policía*. Ils se sont échappés. Ne vous inquiétez pas, mon père. On les retrouvera.

Le prêtre resta silencieux. Leur faisait-il un signe ? Non. Les hommes se retournèrent et sortirent. Puis, soudain, l'un d'eux annonça :

— Père Orlando, la *señora* Hestia m'a dit que son fils allait très mal. Elle voudrait que vous alliez le voir maintenant. Vous pouvez venir ? Mes hommes vous escorteront pour vous protéger des deux étrangers.

— Je viens.

Le prêtre était pieds nus dans de vieilles sandales à lanières de cuir, et la plante de ses pieds couverte de corne épaisse, fendillée, faisait penser au tronc d'un arbre.

La porte refermée, nous sortîmes de notre refuge.

— On a eu chaud, observa Laura en se débarrassant de la poussière.

Trois galettes de maïs étaient restées sur la table. Affamé, je les attrapai, les roulai ensemble, en donnai une grosse bouchée à Laura et enfonçai le reste dans ma bouche.

— Je recommence à me sentir humain, remarquai-je.

22

Nous nous trouvions dans un bâtiment en bois du genre caserne, avec des couloirs aussi sinueux que ceux d'un terrier de lapin. Les deux premières pièces où nous jetâmes un coup d'œil étaient vides. Dans la troisième, un homme dormait sur une banquette, face au mur. Nous refermâmes doucement la porte et continuâmes à chercher Savich et Sherlock.

A un angle du corridor, je fis signe à Laura de rester en arrière puis, accroupi, je m'avançai pour voir ce qui nous attendait au tournant. L'effarement faillit me faire rendre mes galettes de maïs. A quelques mètres de moi, me tournant le dos, une douzaine d'hommes de tous âges, en treillis et bottes de combat, se tenaient au garde-à-vous, l'arme sur l'épaule, face à un homme d'une cinquantaine d'années. Vêtu d'une chemise de lin blanc au col ouvert, d'un pantalon marron et de mocassins italiens, il arborait une calvitie absolue. Il était presque aussi grand que moi, d'une large carrure et très musclé. Bien qu'il parlât en espagnol, je pus saisir la plupart de ses mots.

— Nous devons retrouver l'homme et la femme, expliquait-il. Ce sont de dangereux agents américains qui veulent nous détruire. Mais quand vous tomberez sur eux, ne les tuez pas. C'est interdit.

— Il y a une douzaine de soldats à quelques mètres, murmurai-je à Laura en la rejoignant. Le geôlier qui avait fait sortir ses deux acolytes de la chambre était-il un grand costaud, sérieusement musclé et chauve ?

— Non.

— Celui-ci a l'air d'être le chef. Il donne des ordres à notre sujet. Nous ne devons pas être tués. J'imagine que c'est une bonne nouvelle. Ah ! Et puis c'est un type élégant.

— Fichons le camp.

Nous atteignîmes rapidement l'autre bout du couloir, barré par une imposante double porte dont j'essayai de tourner la poignée de cuivre.

Elle fonctionna facilement et sans bruit. En position de tir, je franchis la porte, balayai l'espace de mon arme et vis que la voie était libre. A première vue, je venais de pénétrer dans un bureau luxueux, rempli de meubles anciens et de magnifiques tapis persans. Cependant, constatant l'absence de fax, d'ordinateur et même de téléphone, je déchantai : impossible de communiquer avec l'extérieur.

Je verrouillai la porte derrière nous.

— Le bureau d'*el jefe*. Du patron, dis-je. Je me demande à qui nous avons affaire. Il n'y a même pas de téléphone. Ils doivent communiquer par radio.

Laura était déjà en train de feuilleter les papiers posés sur le grand bureau Louis XIV. Derrière elle, une baie vitrée donnait sur un petit jardin de type anglais, entouré de murs, et rempli de plantes et de fleurs tropicales.

— Tout est en espagnol. Je ne comprends rien, Mac. Viens voir, me dit-elle.

Au même instant, quelqu'un tenta d'ouvrir la porte. Des cris résonnèrent. On tambourina sur un battant. Puis la crosse d'un fusil s'y écrasa une fois, deux fois, avant que le bois précieux cède. Nous n'avions plus le temps de nous attarder. J'attrapai Laura par la main, et nous nous élançâmes, nos armes devant le visage, vers la baie vitrée.

Fort heureusement nous atterrîmes sur une pelouse et, après un roulé-boulé, nous rejoignîmes au pas de course un petit portail en bois, au fond de ce jardin impeccablement entretenu que nous étions obligés de saccager. Moi qui aime les fleurs, je n'eus même pas une pensée pour elles.

En quelques coups de crosse je fendis le vieux portail qui s'affaissa en avant. Enfin nous étions dehors ! Seulement nous n'avions devant nous que la jungle et une sorte de douve, d'environ un mètre cinquante de large, probablement destinée à empêcher la végétation d'envahir trop rapidement les bâtiments. L'eau du fossé était tellement croupie qu'elle devait être fatale à tout ce qui s'en approchait de trop près.

Je repris la main de Laura, et nous franchîmes ensemble la douve. Derrière nous, on vociférait. Des balles sifflèrent au-dessus de nos têtes. Au moins, personne n'oubliait que *el jefe* nous voulait vivants.

Nous pénétrâmes en courant dans une végétation si dense qu'au bout de deux minutes la lumière du jour ne nous parvenait plus. La compétition promettait d'être serrée, quand nous avions à nos trousses une douzaine d'hommes du pays !

Je découvrais la forêt vierge, et m'étonnai de ne pas tomber sur un fouillis de plantes, d'arbres, de buissons. Nous n'avions pas besoin d'une machette, comme dans les films. Non, le terrain était presque nu, simplement couvert d'une couche de feuilles, certes pourries. D'ailleurs, autour de nous, tout était vivace, vert, ou pourri.

Plus nous avancions, plus il faisait sombre. Seuls

quelques rayons de soleil ténus filtraient à travers l'épais feuillage. Comment s'étonner dans ces conditions que tout pourrisse si vite ? Les gens aussi devaient pourrir, et avec l'aide de toute une armada de bestioles. Franchement ce n'était pas un lieu de rêve.

Nous parcourûmes en courant cinq ou six mètres de plus, puis il nous fallut reconnaître que nous aurions finalement bien eu besoin d'une machette. Les branches et les plantes aériennes formaient maintenant devant nous un mur de végétation infranchissable. Immobiles, nous tendîmes l'oreille. Au bout d'un moment, un homme cria quelque chose en espagnol. Des craquements s'élevèrent à travers le feuillage tandis que des hommes avançaient résolument dans notre direction.

— Il ne nous reste plus qu'à nous cacher, dis-je à Laura.

En dix enjambées qui ne laissèrent aucune trace, nous atteignîmes un arbre derrière lequel nous nous accroupîmes. Mal équipés, n'ayant que nos vêtements et deux mitraillettes, nous n'avions aucune chance de survivre longtemps dans un milieu aussi hostile. Mais je me refusais à y penser. Je n'avais aucunement l'intention de m'attarder ici.

Les hommes devaient être maintenant à moins de dix mètres de nous. Deux d'entre eux discutaient de la direction à prendre. Des fourmis s'étaient introduites dans mes bottes. Je vis Laura taper sur le dos de sa main. Un serpent corail, dont les magnifiques anneaux vous avertissent qu'il peut vous tuer en un éclair, rampa tout près du pied de Laura. Je passai mon bras autour de ses épaules.

Il faisait si chaud que j'eus soudain l'impression de sentir mon sang bouillir dans mes veines. J'avais les aisselles et le bas du dos dégoulinants de sueur, et je dois dire que je déteste la chaleur. Pourquoi les trafiquants de drogue n'opéraient-ils pas au Canada ? me demandai-je. Un ravissant petit insecte, pas plus gros qu'une pièce de cinquante cents, chuta d'une branche sur mon bras, me piqua copieusement, puis se laissa gentiment tomber sur le sol où il se dissimula sans tarder sous une feuille.

Quand les hommes finirent par se déployer sur le terrain, plusieurs d'entre eux avancèrent dans notre direction. J'écoutai attentivement chaque craquement provoqué par leurs pas. Puis, constatant qu'ils n'étaient finalement que deux à venir vers nous, je levai deux doigts en regardant Laura. Elle hocha la tête et s'apprêta à agir.

Je lui montrai les armes en faisant un signe de tête négatif. Silencieusement, elle acquiesça de nouveau. Une minute plus tard les hommes n'étaient plus qu'à quelques pas de nous, sur le qui-vive, et ne cessant de jurer contre les insectes et les lianes de toutes sortes qui tombaient de partout. S'ils nous débusquaient, nous devions réagir instantanément mais sans bruit. L'un des deux poussa un cri. L'insecte qui m'avait dévoré la moitié du bras venait peut-être de s'attaquer à lui.

Puis un regard rencontra le mien. Alors, sans un bruit, je me redressai et écrasai la crosse du AK-47 sur la joue de l'homme. On entendit sa mâchoire se fracasser ; il ne laissa cependant échapper qu'un cri étouffé avant de s'écrouler.

Laura fut rapide. Elle frappa l'autre au ventre, puis leva son arme et l'abattit sur sa tempe.

Dressés au-dessus des deux hommes, nous nous appliquâmes à contrôler notre respiration, pendant que nous entendions les autres s'appeler mutuellement. Apparemment, ils ne s'étaient encore rendu compte de rien, mais ils allaient vite s'apercevoir de la disparition de ces deux-là. Sans plus attendre, nous déshabillâmes celui que Laura avait assommé. Comme il était de petite taille, Laura enfila son pantalon et ses bottes, et nous le soulageâmes, ainsi que l'autre, de son arme. Le tout ne nous avait demandé que trois minutes.

Nous partîmes vers l'ouest en nous guidant grâce aux rais de lumière. Tous les dix pas, nous prenions soin d'effacer les marques de notre passage. Notre progression était lente. Trempés de sueur, nous avions en même temps l'impression que la soif faisait gonfler notre langue. Au-dessus de nos têtes, dans les branches entrelacées, des singes échangeaient des hurlements sur un fond constant d'appels et de cris que nous n'avions jamais entendus de notre vie. A un moment donné, il y eut un grognement sourd, menaçant.

— Un puma, me murmura Laura.

Tous ces animaux nous avaient repérés et le faisaient savoir.

Les oiseaux aussi étaient de la partie et se manifestaient plus bruyamment que Nolan en crise.

— Ecoute-les, me dit Laura. Ils font un bruit d'enfer. Oh, Mac ! Quel effet peut avoir l'acide glacial sur les animaux ? Quel effet a-t-il eu sur Nolan et Grubster ?

Je m'arrêtai net et la regardai.

— Je n'avais pas encore pensé à eux, Laura. Tu crois qu'ils ont dormi et se sont réveillés comme nous ? Tu crois qu'ils vont bien ? Excuse-moi, c'est une question stupide, ajoutai-je aussitôt en la voyant au bord des larmes. Je parierais mon AK-47 qu'ils sont indemnes. Maggie doit s'occuper d'eux. Ne t'inquiète pas.

La panique dans son regard s'était effacée. Nous repartîmes en inspectant le terrain avant d'y poser le pied. A cette allure, un kilomètre allait nous prendre trois heures, me dis-je en maudissant les bottes qui me blessaient les talons.

Soudain, sans aucun signe annonciateur, il se mit à pleuvoir. Nous nous regardâmes et renversâmes la tête en arrière, la bouche grande ouverte. La pluie avait un goût divin, et si un mille-pattes me tomba brusquement sur la joue, je m'en débarrassai d'une pichenette, avide de boire l'eau du ciel.

La pluie tombait si dru malgré l'épaisseur des frondaisons qu'elle étancha notre soif en deux minutes. Nous nous retrouvâmes bientôt trempés jusqu'aux os et dégageant presque de la vapeur tant la chaleur était forte. Je ressentais un tel inconfort que je rêvais de dévaler une pente neigeuse sur des skis, les poumons remplis d'air froid.

Levant la main, je frottai la joue de Laura maculée de terre.

— Tu sais, Laura, quand j'ai pris l'avion à Washington il y a une semaine, jamais je n'aurais imaginé me retrouver dans une forêt tropicale avec la femme que j'aime, une femme qui m'a obligé à faire près de deux mille kilomètres pour la rencontrer.

— Je suis aussi surprise que toi, me répondit Laura en déposant un baiser sur ma main. Mais n'oublions pas que nous devons retrouver Savich et Sherlock.

Je posai mes armes par terre, boutonnai sa chemise jusqu'en haut, puis remontai son col.

— Couvrons-nous au maximum.

Nous baissâmes nos manches jusqu'aux poignets, et glissâmes le bas de nos pantalons dans nos bottes solides. Au moins nous étions protégés contre tout ce qui grouillait autour de nous.

Nous avançâmes sur l'axe nord-est, parallèlement à ce qui ressemblait à un terrain dégagé, à moins de cent mètres, à la lisière de la forêt. Nous voulions rester à l'abri en attendant d'être suffisamment éloignés de l'espèce de caserne d'où nous sortions. Au bout d'une heure, nous reprîmes la direction du sud, et vingt minutes nous suffirent pour sortir de la forêt. Le soleil brillait au-dessus de nos têtes, l'air devint immédiatement sec. La différence dans le paysage n'aurait pas pu être plus spectaculaire : la forêt dense, luxuriante, cédait la place à un terrain nu.

J'estimai que nous nous trouvions maintenant à environ cent mètres au nord-est de notre prison.

23

Au loin se dressaient des montagnes dont le sommet se perdait dans les nuages. Il n'y avait aucun signe de présence humaine, aucune habitation en vue. Nous venions de passer d'un monde végétal grouillant de vie à une étendue désertique. Nos vêtements séchèrent en moins d'un quart d'heure, mais nous fûmes aussi rapidement assoiffés.

— Il faut que l'on trouve de l'eau, me dit Laura. Et puis un refuge.

Elle me montra un taillis sur un monticule proche de nous. De là nous aurions une chance d'apercevoir un quelconque signe de vie, et peut-être même le QG de nos ravisseurs.

— Ecoute, fit-elle, le doigt pointé vers le ciel.

Un petit avion approchait, et ce fut alors que je découvris, à faible distance, la piste d'atterrissage où il allait se poser.

Nous courûmes nous mettre à l'abri dans la forêt. Puis, quand l'appareil se fut posé, nous rampâmes lentement vers le terrain découvert. Nous vîmes alors trois personnes sortir de l'avion, se diriger vers une Jeep et s'y installer. Etait-ce des hommes ou des femmes ? Nous ne savions pas. La Jeep démarra et partit vers l'est.

Malheureusement, en quelques minutes, l'avion redécolla et disparut derrière les montagnes.

— Dommage qu'il soit reparti si vite, dit Laura. On aurait pu essayer de convaincre le pilote de nous sortir d'ici.

— Si Savich avait été avec nous... Il a sa licence de pilote. Il peut faire voler n'importe quoi.

Nous ressortîmes de la forêt. L'air sec me procura une merveilleuse sensation. Je vis Laura offrir son visage au soleil.

— Nous sommes à peu près en milieu d'après-midi, observai-je. Il nous reste encore quatre heures avant la tombée de la nuit.

— On peut faire un tour d'horizon, essayer de trouver un moyen de retourner d'où nous venons.

— J'ai faim, avouai-je.

Je me frottais l'estomac quand ma main se figea. Laura la regarda, puis ses yeux reflétèrent la panique. Une incroyable bouffée de désir venait de me tomber dessus. J'avais une érection telle que je me sentais aussi dur que la roche sur laquelle j'étais assis. Seigneur, ça me reprenait !

— Mac, qu'est-ce qu'il y a ?

Je l'attrapai et mis ma main sur sa bouche.

— Laura, nous avons le temps de faire l'amour, dis-je d'une voix âpre. Faisons-le, ici, maintenant. J'ai besoin de...

— Mac, arrête !

Si j'entendis la voix de Laura, je restai sourd à ce qu'elle me disait. Je n'avais qu'une seule chose en tête, et il me fallait passer à l'acte. Tout en essayant de lui enlever sa chemise, je m'évertuais à défaire mon pantalon. Je ne cherchais même pas à la caresser. La pénétrer sur-le-champ était tout ce que je souhaitais. Elle réussit cependant à se dégager. Me ressaisissant l'espace de quelques secondes, je parvins à m'expliquer :

— Ça recommence, Laura. Je crains de ne pouvoir me contrôler. Je vais te faire du mal. Sauve-toi. Cours !

— Mac, tu peux te contrôler. Tu l'as déjà fait.

— Je t'en prie.

Je l'attrapai de nouveau et la renversai en arrière. Elle heurta un arbre, mais sans tomber et, au lieu de fuir, me donna un coup dans le bas-ventre. Le souffle coupé, l'esprit vide, plié en deux comme un vieillard, j'anticipais le redoublement de la douleur. Ce qui ne manqua pas d'arriver. Je m'appliquai alors à retrouver ma respiration, et à tenir debout plutôt que de m'effondrer avec des gémissements de bébé. A trois pas de moi, Laura m'observait, muette.

— Bien vu, dis-je dès que je pus parler.

Nous restâmes l'un et l'autre immobiles, moi toujours plié en deux et soucieux de me maîtriser.

— Ça va un peu mieux, annonçai-je en me redressant lentement. Bon dieu ! Je n'arrive pas à croire qu'une drogue puisse me faire cet effet. Je me sentais comme un animal qui souffre et cherche à calmer cette souffrance. Ta réaction a été salutaire. Elle m'a libéré d'une sensation d'urgence. Elle a suspendu mes pensées.

— J'ai agi instinctivement. Tu es sûr que ça va, Mac ?

— Pour le moment, en tout cas, inutile de me balancer un autre coup du même genre. Je me reprends. Mais pendant un moment la pulsion qui m'a saisi était toute ma vie. Comment des gens auraient-ils envie de se payer ce genre de drogue ?

Laura effleura mes lèvres du bout des doigts.

— Surtout, dis-moi si je dois recommencer.

— Je crois que c'est fini, affirmai-je d'une voix lente.

Nous nous assîmes, appuyés contre un arbre d'une essence que je ne connaissais pas.

— Ils n'ont jamais voulu nous tuer, Mac. Ni même nous torturer. Ils ont simplement joué avec nous. Les trafiquants de drogue ne font pas ça. Ils éliminent tous ceux qui se mettent en travers de leur chemin. Quand ils ont tiré sur nous à l'extérieur du bungalow, ils nous ont volontairement ratés. Ils cherchaient simplement à nous faire rentrer, à nous coincer afin de nous endormir et nous amener ici.

— On leur a peut-être servi de cobayes.

— C'est ce que je ne comprends pas. Il leur est facile de prendre des gens dans la rue pour effectuer leurs tests. Pourquoi se sont-ils permis d'utiliser quatre agents fédéraux ? Je sais que c'est dur à encaisser, Mac, mais quelqu'un leur a ordonné de nous laisser en vie. Et je ne vois pas qui se serait soucié de te sauver la vie à part Jilly. Quant à moi, aujourd'hui je serais morte, si tu ne t'étais pas impliqué dans cette affaire.

— Pense plutôt à Paul. Il a sûrement voulu m'épargner en se disant que Jilly serait affectée par ma disparition.

— Désolée, Mac. Mais il faut que tu sois objectif. Quatre agents fédéraux se regroupent à Edgerton. Le torchon brûle pour Jilly, Paul, Molinas et Tarcher. Ils cherchent alors à gagner du temps, histoire de faire disparaître les preuves de leur culpabilité avant qu'on vienne perquisitionner chez eux. Il y a aussi Del Cabrizo, dont je t'ai un peu parlé. Il dirige le cartel de Maille. On pense que c'est lui qui est derrière l'élaboration de cette drogue. Molinas n'est que l'un de ses sbires. Il l'a probablement utilisé pour mettre Tarcher, Paul et Jilly dans le coup. Quant à Alyssum, je dirais qu'il a joué un rôle essentiel en faisant venir ta sœur et son mari à Edgerton. Cela dit, je maintiens que Jilly était la seule qui pouvait nous sauver la vie. La seule qui pouvait imposer un marché : pas de mort, et la mise au point de la drogue continue, ou bien tout est arrêté.

« Elle a quitté l'hôpital pour s'éloigner de toi, Mac. Elle savait que tu te lancerais dans une investigation en règle, et elle a espéré en disparaissant que tu rentrerais chez toi.

— Quoi que ma sœur ait pu faire par ailleurs, je suis convaincu qu'elle ne m'a pas drogué. Elle n'a de haine que pour toi, parce que tu l'as trahie.

— Jilly ignore totalement ce que nous avons subi. Elle est dans l'Oregon, pas ici. En revanche, Mac, elle connaît ces gens. Elle pouvait deviner qu'ils ne nous traiteraient pas comme des invités de marque.

Laura comprenait que je n'avais aucune envie d'entendre ce genre de choses, et elle n'insista pas sur le rôle de Jilly dans cette affaire pourrie. Elle devinait cependant qu'elle allait me faire réfléchir.

— Qui est le chauve que j'ai vu ce matin ?

— Je me suis posé la question. D'après ta description, je pense qu'il s'agit de John Molinas. Même si, sur la photo que j'ai vue de lui, il avait des cheveux épais et noirs.

— Il doit croire qu'un crâne rasé en impose plus.

— Si c'est bien lui, il est sans doute ici pour s'assurer qu'on nous laisse la vie sauve. Peut-être à l'instigation de Jilly. Oui, il doit nous protéger contre Del Cabrizo, qui aurait probablement préféré se débarrasser de nous.

Brusquement submergé par la fatigue, je posai la tête sur mes bras croisés. Après les accès de lubricité, j'avais droit à un énorme coup de pompe.

— Laura, dis-je en essayant de relever la tête, Laura, qu'est-ce qui m'arrive maintenant ?

Je l'entendis prononcer mon nom d'une voix ténue, très lointaine. Je tentai une nouvelle fois de relever la tête mais la force me manqua. Je revis les terroristes en Tunisie, j'entendis leurs voix, et je me demandai si j'allais sortir vivant de ce traquenard. La voiture fonça vers nous, mais sans conducteur, et il y eut ensuite la déflagration, une boule de feu, et je perdis connaissance.

La frayeur me rongeait, plus accentuée, plus envahissante que lorsque j'avais réellement vécu tout ça.

C'était encore un effet de cette saleté de drogue, pensai-je sans parvenir à réagir. Le soleil devenait plus brûlant, l'air encore plus sec. La chaleur me pénétrait jusqu'à la moelle. La désolation régnait et j'en faisais partie. J'avais volé vers le soleil et j'étais tombé dedans.

— Mac !

La voix de Laura était aiguë, chargée de terreur. Je réussis à lever les yeux vers elle, mais son visage se brouilla, puis se fondit dans une sorte de blancheur grisâtre qui semblait froide et sans limite. D'une certaine façon, je savais qu'il s'agissait de tout autre chose, mais de quoi, je l'ignorais et je m'en moquais.

Maintenant je flottais au-dessus du corps d'un homme, allongé par terre, les yeux fermés, le torse se soulevant au rythme d'une respiration laborieuse. Je me reconnus, d'autant plus que, soudain, j'eus beaucoup de mal à respirer. J'étais en train de mourir.

Puis il n'y eut plus aucune douleur, seulement un vide étrange sans issue. J'avais froid. Normal, j'étais nu. Je voulus me couvrir mais je ne parvins pas à bouger les bras.

Une main se posa sur mon front. Une main douce, aimante, si tendre que je cherchai à découvrir à qui elle appartenait. Je m'efforçai d'ouvrir les yeux, de regarder à travers le vide, afin de voir qui me touchait ainsi avec tant de tendresse.

Jilly m'apparut, penchée vers moi, l'air à la fois effrayé et extrêmement contrarié. Qu'est-ce qui pouvait bien provoquer chez elle tant de peur et de colère ? Je rassemblai toute la concentration dont j'étais encore capable et murmurai :

— Jilly ? Tu vas bien ? Je me suis fait tant de souci pour toi... Pourquoi es-tu ici, Jilly ? Où sommes-nous ?

Elle effleura ma joue en me souriant.

— Tout va s'arranger, Ford. Ecoute-moi. Tu vas émerger très bientôt. Non, ne ferme pas les yeux, Ford. Ecoute-moi. Tu ne dois toucher ni à l'eau ni à la nourriture. Tu as compris ? Ne bois même pas l'eau du robinet. Ne bois absolument rien.

— Jilly... Où est Laura ?

— Laura est ici. Ne t'inquiète pas. Reprends des forces. Reste calmement allongé et reprends des forces.

Elle retira la main qu'elle avait posée sur mon bras, et quand je levai les yeux elle avait disparu. Le vide grisâtre devint alors si dense que je m'y engloutis, en me demandant pourquoi je n'avais soudain plus froid.

Puis je me sentis l'esprit plus clair, mais affamé au point que j'aurais pu avaler n'importe quoi. Les yeux ouverts, je secouai la tête. Qu'était-il arrivé ?

— Laura ?

Je la découvris allongée de côté, sur une couverture étalée à même le sol, près de mon lit. Nous étions tous les deux entièrement nus. En une seconde je me précipitai vers elle, et cherchai son pouls en appuyant sur l'aorte. Le cœur battait normalement.

Complètement déboussolé, je me demandai où nous nous trouvions. Quelque chose n'allait pas du tout, mais quoi, je n'en savais rien. Doucement je caressai l'épaule de Laura, puis la retournai sur le dos.

— Laura ?

J'embrassai ses lèvres sèches. Elle était blanche comme

un linge. Quand je l'appelai de nouveau, elle ouvrit lentement les yeux ; j'y lus une telle envie de hurler que je mis prestement ma main sur sa bouche.

— Non. Ne fais pas de bruit. J'ignore ce qui se passe ici. Tu vas bien ?

Elle fronça les sourcils, l'air perdu, les cheveux en désordre. Finalement, elle me répondit, et entendre sa voix fut un vrai bonheur.

— Mac...

— Tout va bien, ma chérie. Nous sommes encore en vie. Seulement je ne sais ni pourquoi ni dans quel lieu. On nous a entièrement déshabillés tous les deux.

Laura n'essaya pas de se couvrir. La voyant inspirer longuement, je compris qu'elle cherchait à reprendre pied, à s'accrocher à un point de repère, à quelque chose qui ait un sens.

— J'ai vu un homme derrière toi, expliqua-t-elle. Il avait surgi de nulle part, sans un bruit. Il m'a vaporisé un produit sur le visage. Avant de m'évanouir, je l'ai vu te frapper à l'arrière de la tête. C'est tout ce dont je me souviens. Je veux me lever, Mac.

Alors que je lui offrais ma main, elle me regarda, et je compris que j'étais de nouveau en érection. L'embarras et la frayeur me saisirent. La douleur était une chose facilement identifiable, mais ne plus pouvoir faire la différence entre le réel et l'irréel constituait pour moi une expérience invraisemblable. Dieu, que je détestais ça !

Je me tournai vers le lit, pris la couverture et la nouai autour de ma taille. Pour Laura, il ne restait qu'un drap miteux que j'arrachai au matelas pour le lui tendre. Elle s'enroula dedans jusqu'à la poitrine.

— Je meurs de soif, me dit-elle, assise à côté de moi sur le lit, le regard fixé sur ses pieds nus.

— Nous ne devons rien boire. Pas même l'eau du robinet, répondis-je instantanément.

— Pourquoi ?

Tourné vers elle, je pris sa main entre les miennes. Elle posa sa joue contre mon épaule.

— Ecoute, Laura. Jilly est venue me voir. Avec un air très contrarié elle m'a demandé de ne toucher ni à l'eau ni à la nourriture.

— Jilly est ici ? Mais quand l'as-tu vue, Mac ?

— Je ne sais pas, mais ce n'est pas plus fou que d'être tous les deux ici, dans ce lieu inconnu.

— Elle est donc impliquée dans cette histoire. Tu le comprends maintenant, n'est-ce pas ?

— Oui.

— Ils nous ont repris, c'est ça ? Qu'allons-nous faire ?

Je me demandai surtout comment ils avaient procédé pour nous récupérer. Ils étaient tombés sur nous et nous avaient assommés ? Ou la drogue faisait-elle effet par vagues ?

Je me levai et me mis à arpenter la petite chambre.

— Nous devons retrouver Savich et Sherlock, dis-je. Au moins, eux, nous savons qu'ils sont réels.

Bizarrement, j'avais beau manifester un comportement naturel, quelque chose clochait encore dans mon cerveau. Je me souvins d'avoir revécu de manière amplifiée ma terrible mésaventure tunisienne.

Je jetai un coup d'œil au robinet du petit lavabo, en me jurant que ni l'un ni l'autre n'avalerions une seule goutte d'eau tant que nous serions dans cet endroit.

24

La nourriture, il me semblait que Jilly ne m'en avait pas parlé. Mais si ! Je m'en souvins tout à coup, et je regardai le riz fumant, les tortillas agrémentées de beurre fondu, les morceaux de bœuf et leur sauce pimentée. J'empêchai Laura de prendre sa fourchette.

— Ne touchons à rien. C'est trop risqué. Ils peuvent mettre de la drogue là-dedans aussi facilement que dans l'eau.

L'odeur des tortillas me donna envie de jurer ; ce que je fis, entre mes dents.

Deux hommes étaient restés sur le seuil de la chambre, l'arme pointée sur nous, tandis qu'une petite fille qui ne devait pas avoir douze ans nous apportait notre repas, l'air tellement terrorisé qu'elle m'avait semblé au bord de l'évanouissement.

— Autre chose, dis-je en me levant pour poser les plateaux par terre. Nous avons vérifié la première fois que nous n'étions pas surveillés. Recommençons. On ne sait jamais. Ils ont peut-être installé un micro.

Notre inspection s'avéra vaine, mais je préférai néanmoins parler à voix basse.

— Nous devons nous préparer à sauter sur la première occasion de sortir d'ici.

— Mais aura-t-on une seconde chance ? Tu peux déjà constater qu'ils n'ont pas remis le couvercle des toilettes.

— Je n'ai jamais prétendu qu'ils étaient idiots. Trouvons autre chose.

— S'ils ont mis de la drogue dans l'eau et la nourriture, ils ne tarderont pas à venir voir comment nous réagissons. Ils ne peuvent pas imaginer qu'on n'ait ni bu ni mangé. Ils doivent s'attendre à nous trouver inconscients ou copulant sauvagement.

Les épaules affaissées, Laura n'avait jamais eu l'air aussi accablé.

— Ecoute-moi, Laura. Nous allons avoir de nouvelles idées. Nous sommes des pros. S'il y a deux personnes capables de sortir d'ici c'est bien toi et moi. En attendant, approche-toi et prends-moi dans tes bras. Je me sens un peu déstabilisé. J'ai besoin de toi.

Serrant le drap sur ses seins, Laura s'avança et, sans un mot, me serra contre elle. Je sentis ses lèvres se poser sur mon épaule nue.

Soudain, j'en eus tellement assez de cet enfermement que je me sentis prêt à tuer la première personne qui franchirait le seuil. J'embrassai Laura, puis l'écartai de moi avant d'aller arracher l'un des pieds du lit. J'en perdis ma couverture, mais plutôt que de m'en soucier, je soupesai le morceau de bois et, le trouvant assez solide pour l'utiliser comme matraque, je le tendis à Laura.

— Assomme-moi si je tente encore de te sauter dessus. S'il te plaît. Je préfère ça à un coup dans le bas-ventre.

Laura prit l'arme de fortune, la soupesa à son tour, puis me sourit.

— Je préférerais m'exercer sur l'un de ces salauds.

Arrachant un autre pied pour moi, je frappai l'air un instant, satisfait de ma trouvaille. Je regardai Laura en souriant. Toujours enveloppée dans le drap, les cheveux emmêlés, elle semblait prête à tout. Cette femme était vraiment forte, me dis-je. M'apercevant soudain qu'elle avait les yeux fixés sur mon corps, j'attrapai la couverture et la nouai de nouveau autour de ma taille.

— Tu es la meilleure, Laura. La partenaire idéale. Il ne nous reste plus qu'à attendre.

Nous attendîmes, somnolâmes, sans savoir si c'était le jour ou la nuit. Il n'y avait pas de fenêtre et la pièce était éclairée par une ampoule qui diffusait une lumière parcimonieuse.

Dès que j'entendis trois paires de bottes résonner sur le plancher du corridor, je fus sur le qui-vive, impatient d'en découdre avec ces salauds. Tourné vers Laura, je levai un doigt. La voyant hocher la tête, je fus certain qu'elle se sentait aussi hargneuse que moi.

Les yeux rivés sur la poignée de la porte, nous la vîmes tourner silencieusement. Une femme en blouse de laborantine entra, un petit plateau d'argent à la main. Aussitôt je me mis à gémir en me tenant la gorge.

Tandis que la femme s'agenouillait près de moi, je renouvelai mes gémissements, tout en observant les deux hommes. Il s'agissait de ceux qui nous avaient apporté nos repas. Le premier qui s'avança dans la chambre le fit en tenant son arme baissée : il nous fixait, la femme et moi. Je saisis alors la demoiselle sous les bras et la jetai contre l'homme. Elle poussa un hurlement quand elle heurta en plein dos le AK-47 du geôlier.

— Carlos ! cria-t-il à son compagnon.

En une seconde, le deuxième homme se précipita dans la chambre, l'arme au poing, prêt à me faucher sous sa mitraille. Derrière lui, Laura se redressa et, décrivant avec son bras armé de la matraque un arc de cercle, parfaitement gracieux je dois dire, lui asséna un coup sur la tempe. Les yeux lui sortirent de la tête, le sang jaillit de sa bouche ; il s'écroula. L'autre avait dégagé son AK-47 et le reprenait en main. Comme ma position jouait contre moi, je fis en sorte de rouler sur le côté et de lancer la jambe vers mon agresseur ; mais si je réussis à atteindre son arme elle ne lui tomba pas pour autant des mains. Il tira deux fois dans un bruit fracassant. Une balle se ficha dans le plancher, derrière ma tête, en m'envoyant une volée d'échardes dans le bras et le torse. La seconde blessa la femme, que j'entendis crier alors que je parvenais à me positionner correctement pour frapper mon adversaire. Je lui envoyai un coup de pied sous le menton, pendant que Laura le frappait sur les reins.

Les yeux révulsés, il s'écroula comme une pierre. Je me relevai lentement.

— Ces individus ne rigolaient pas !

Je m'agenouillai près de la femme et constatai qu'elle avait reçu la balle dans l'avant-bras. Ce n'était pas grave. Je lui recommandai en espagnol de ne pas bouger. Quant aux deux types, il ne nous restait plus qu'à les dépouiller de leurs vêtements.

Laura s'attaqua au plus petit. Nous coinçâmes en chœur le bas de nos pantalons dans nos bottes. Puis Laura se pencha, les yeux fixés sur le plancher, à côté de la femme.

— Regarde, me dit-elle en me montrant un revolver. Un Bren Ten, un 10 mm automatique avec onze balles dans le chargeur.

— La femme l'avait apporté sur son petit plateau, avec des seringues et deux fioles. Ça fait un bail que je n'en avais pas vu. C'est une arme efficace.

Me voyant saisir les deux petits flacons, Laura observa en souriant :

— Bonne idée. Tu es prêt ?

Je m'avançai vers la porte puis m'arrêtai net.

— Qu'est-ce qui ne va pas, Mac ?

— Rien. Juste une forte sensation de déjà-vu, dis-je avant de me glisser dans le corridor.

Nous laissions les deux hommes complètement nus, attachés à l'aide de lambeaux de drap, et la femme entravée grâce aux sous-vêtements de Laura.

— Allons dans le bureau de Molinas. Si on y trouve quelqu'un, il faudra qu'il nous conduise à Savich et Sherlock.

En passant devant une fenêtre, nous remarquâmes qu'il faisait nuit. Ce n'était pas plus mal. Mais depuis combien de temps étions-nous ici ?

Le bureau était vide, les fenêtres barricadées. Je me mis à ouvrir les tiroirs.

— Il y a peut-être un téléphone caché quelque part, dis-je.

Soudain, pris de vertige, je m'immobilisai et attendis de voir ce qui allait se produire. Etait-ce la mort qui approchait ? Envahi par le froid, je le sentis m'engourdir jusqu'au cerveau. Mon cœur s'affolait. Laura me regardait, la main tendue vers moi. Je savais qu'elle me parlait, mais je ne l'entendais pas. Je tombai à genoux en pensant que j'allais vraiment y passer.

Mais non. C'était encore un des effets de la drogue. Je me renversai contre le mur, la tête ballante. Laura vint se pencher sur moi et me secoua de toutes ses forces.

— Mac, écoute-moi. Tu m'entends, je le sais. Regarde-moi en clignant des yeux. Oui, comme ça. Quoi qu'il se passe dans ta tête, il faut que tu le contrôles. Nous devons absolument sortir d'ici.

Je jetai un coup d'œil à la baie vitrée, intacte. Avions-nous vraiment réussi à la traverser ?

— Mac, cligne des yeux, répéta Laura.

Je dus le faire puisqu'elle recommença à parler d'une voix lente, très proche, si proche que je sentais son souffle sur mon visage.

— Maintenant je veux que tu lèves la main, Mac.

Ma main semblait inerte sur le parquet. Je l'observai longuement, puis je me dis : lève-la, lève cette main. Elle se leva, et je pris le visage de Laura au creux de ma paume.

— J'ignore ce que j'ai, mais ça s'estompe. C'est une impression bizarre. Tu sais, nous avons fait l'amour sans protection au bungalow. Si tu es enceinte, ne t'inquiète pas, d'accord ? Nous allons nous marier et tout ira bien.

Laura me sourit, se pencha sur moi et embrassa mes lèvres. Ce fut un baiser très doux dont tout mon corps ressentit l'effet tangiblement bénéfique.

— Ça va mieux, affirmai-je.

— Bien. Maintenant lève-toi, Mac. Tu crois que tu peux ?

J'étais en train de me reprendre et je pouvais suivre distinctement ce retour à moi-même. Perdre le contrôle de son esprit est la chose la plus terrifiante du monde, et je doutai d'avoir un jour envie de retoucher à un médicament, ne serait-ce que de l'aspirine.

Je me levai et me tournai vers la baie vitrée barrée par des planches.

— Ma mémoire s'est détraquée. J'ai senti un engourdissement et cessé de percevoir les choses normalement. Cette saloperie de drogue est mortelle.

— Essayons de trouver Molinas, Mac.

Je pris le AK-47. Mes forces étaient revenues, j'avais retrouvé la maîtrise de moi-même, mais pour combien de temps ?

25

Je fus franchement surpris quand, après avoir découvert un couloir derrière une porte au fond du bureau, nous nous retrouvâmes dans une chambre remplie d'antiquités. Assis au bord d'un lit, l'homme que nous pensions être Molinas se tenait penché sur une jeune femme. Agée d'environ dix-huit ans, la demoiselle était recouverte d'un drap blanc qu'elle tenait sous son menton. Son visage était auréolé d'une chevelure noire, luxuriante, soyeuse, répandue sur l'oreiller.

L'attention entièrement tournée vers la jeune fille, Molinas ne nous avait pas entendus entrer. Il portait un pantalon noir, une chemise blanche, et son crâne nu brillait dans la lumière douce qui tombait du plafond, juste au-dessus du lit.

Bien qu'il parlât calmement, je ne pus comprendre ses paroles. Il caressa les cheveux de la jeune fille, se pencha sur elle pour l'embrasser. Puis il se remit à parler d'une voix chaude, douce, tout en se redressant. S'exprimait-il en espagnol ? Je n'aurais su le dire. La jeune fille leva la main et lui effleura l'épaule.

Faisant un signe de tête à Laura, je lui désignai le Bren Ten qu'elle tenait à la main. Un instant elle fronça les sourcils puis me le tendit. Comment aurait-elle pu savoir ce que j'avais à l'esprit ?

— Charge-toi de la fille, lui murmurai-je.

Elle acquiesça une seconde fois. Je posai mon AK-47 par terre, dans le couloir, juste à côté de la porte. Nous pénétrâmes sans bruit dans la pièce où régnait un parfum suave, qui rappelait vaguement celui des roses.

Ne voyant que sa compagne, Molinas se pencha sur elle tout en lui parlant. Le parquet grinça sous mes bottes sans l'alerter. De quoi parlaient-ils tous les deux ?

En douceur j'appuyai le Bren Ten sur son oreille.

— Salut, dis-je. *¿ Cómo está ?*

La jeune fille s'était assise, plaquée contre la tête de lit, totalement muette, les yeux agrandis par la terreur.

Je sentis Molinas se raidir puis se détendre de nouveau.

— Si vous me tuez, vous ne sortirez jamais d'ici vivants, nous prévint-il.

— Mais ce ne sera plus votre problème, Molinas, observa calmement ma compagne.

— Comment savez-vous qui je suis ?

— Qui d'autre auraient-ils envoyé ici ? demanda Laura. On vous a chargé de nous retenir prisonniers. Le reste, la façon dont vous vous êtes amusés avec nous, c'était votre idée, n'est-ce pas ?

— Vous êtes tombés sur des animaux. Moi, je vous ai protégés.

Je regardai la jeune fille qui tenait toujours le drap contre elle.

— N'ayez pas peur, lui dis-je en espagnol. Nous ne vous ferons aucun mal.

Lentement elle hocha la tête puis me demanda dans ma langue :

— Qui êtes-vous ?

— Je m'appelle Mac. Et vous ?

— Marran.

Comme Molinas commençait à bouger, je revins à lui. Tout en répétant à Laura de s'occuper de la jeune fille, je levai mon arme.

— Vous allez nous conduire auprès des deux autres agents que vous retenez prisonniers.

— Ils sont morts.

— Alors vous l'êtes aussi, assurai-je.

J'appuyai le revolver au coin de sa bouche et l'armai.

— Non, dit-il d'une voix étranglée. Ils ne sont pas morts, je vous le jure. Je vais vous conduire à eux.

— Vous les avez drogués, comme moi ?

— Oui, mais pas de la même manière. Ils vont bien.

— Il vaudrait mieux pour vous qu'on puisse le constater. Maintenant vous allez vous lever gentiment.

— Nous devrions emmener la fille avec nous, dit Laura.

En se levant, Molinas tenta de m'asséner un coup mais, plus prompt que lui, je le frappai avec le revolver sur la tempe. La jeune fille gémit. Laura la fit taire, la main sur sa bouche, en la rejetant sur l'oreiller.

Molinas s'écroula en râlant, et se tint la tête à deux mains. Le salaud n'avait pas perdu connaissance mais la douleur devait être vive.

— Si vous remettez ça, je vous tue, déclarai-je à voix basse afin de ne pas augmenter la frayeur de la fille.

Après avoir moi aussi pensé à l'emmener avec nous, je me dis finalement qu'elle allait plutôt nous encombrer. J'allais prévenir Laura quand je vis qu'elle avait déjà commencé à déchirer le drap afin d'entraver la jeune fille. J'attendis, le revolver toujours braqué sur la tête de Molinas. Marran était maintenant silencieuse mais des larmes coulaient sur ses joues.

— Qui est-ce ? demandai-je à Molinas qui se tenait encore le crâne.

Il se raidit comme du linge mouillé sous le gel.

— Touchez à un seul de ses cheveux, salopard, et je vous arrache la tête.

Tandis que Laura achevait d'attacher la fille, je remarquai ses bras maigres, pâles, veineux. Ses beaux cheveux brillants lui tombaient sur le visage. Laura les lui rejeta en arrière dès qu'elle l'eut bâillonnée.

Je voulus redresser Molinas, mais il grogna et se releva seul. Un homme fier, pensai-je. Terrorisée, la petite avait les yeux rivés sur lui.

— Eteins la lumière, Laura.

Dans l'obscurité, nous entendîmes un gémissement étouffé, et je sentis que Molinas essayait de me résister.

— Nous ne l'avons pas molestée, affirmai-je. Tout ira bien pour elle si vous ne faites pas l'idiot. Allez, avancez.

Quand nous fûmes dans son bureau, Laura me fit signe d'attendre un instant. Je reculai de deux pas derrière Molinas pendant qu'elle rouvrait la porte doucement et jetait un coup d'œil dans le corridor. Puis elle se retourna vers moi et hocha la tête.

— Maintenant, annonçai-je, vous allez nous conduire aux deux autres agents.

Sans un mot, Molinas ressortit de la pièce et prit le couloir sur sa gauche.

— Vous êtes mort si l'un de vos soldats essaie de nous neutraliser.

Molinas resta muet.

— Et si vous êtes mort, continuai-je, qu'arrivera-t-il à la fille ? Elle est déjà attachée. C'est une véritable offrande, n'est-ce pas ?

Cette fois-ci, Molinas hocha la tête, puis jura à mi-voix.

Si ses jurons se terminèrent par un mot en espagnol, le reste avait été du pur américain.

— Qui est cette jeune personne ? Pourquoi ne pas me le dire ?

— C'est ma fille, me répondit-il tout en continuant d'avancer.

26

— Où sont vos hommes, Molinas ? lui demandai-je à l'oreille. Ils ne peuvent pas être bien loin. Vous ne me ferez pas croire qu'ils vous ont été envoyés par les autorités locales.

— Ce ne sont pas des professionnels, non, admit Molinas, visiblement dégoûté. Ils ont du courage mais aucune discipline.

— Ça, je veux bien le croire. Maintenant dites-moi où nous sommes.

— Plutôt mourir. Mais si vous me tuez, vos amis ne ressortiront jamais d'ici. Je ne peux pas parler sans signer ma condamnation à mort et celle de ma fille. Très peu de gens connaissent l'existence de cet endroit. Si vous découvrez par vous-mêmes où vous êtes, ce sera différent. On n'aura rien à me reprocher. Vos amis sont juste là, après cet angle. Mais trois hommes montent la garde.

Soudain Laura nous fit signe de nous taire, et nous perçûmes une voix masculine. Elle s'avança doucement jusqu'à l'angle du corridor, puis revint vers nous.

— Ils sont trois, comme il vient de le dire. Ils sont assis par terre, devant la porte, la tête sur la poitrine ; mais je ne suis pas sûre qu'ils dorment.

— Nos amis sont derrière cette porte ? demandai-je à Molinas.

— Oui.

Molinas avait pâli, mais il n'ajouta pas un mot de plus.

— C'est Del Cabrizo qui tire les ficelles, n'est-ce pas ? interrogea Laura.

— Je ne peux pas vous répondre. Tuez-moi si vous le voulez. Je sais que vous ne toucherez pas à ma fille.

— Nous ferons ce que nous avons à faire, précisai-je. Pour l'instant, allez vers ces hommes, annoncez-leur que vous devez parler aux prisonniers et qu'ils doivent sortir jusqu'à ce que vous les rappeliez. Si vous nous trahissez, Molinas, je vous abattrai moi-même. Votre fille ne sera pas en danger, c'est vrai, mais, vous, je ne vous raterai pas. Faites-moi confiance.

Il plongea son regard dans le mien. Je trouvai à ses yeux bleu foncé quelque chose de familier. Peut-être à cause de leur forme : ils étaient légèrement relevés vers les tempes. C'étaient les yeux de sa sœur, Elaine Tarcher.

— Ma fille est innocente, dit-il à voix basse. Elle a beaucoup souffert. Si je libère vos amis, vous partirez ?

— Vous ne pouvez tout de même pas espérer continuer comme si rien ne s'était passé.

— Une fois que vous serez partis, je n'aurai plus rien à faire ici. Ce qui se passera par la suite, je m'en chargerai.

— Mais votre fille, qui vous est si précieuse, pourquoi est-elle ici ? demandai-je. A-t-elle été témoin de vos expérimentations ?

— Non. Nous sommes arrivés ici juste avant vous. Je ne pouvais pas la laisser seule à la maison. Elle a besoin de moi. Ne me prenez pas en otage. Elle ne peut pas rester ici. Ces hommes la violenteraient. Elle se tuerait. Elle a déjà fait une tentative de suicide. Je suivrai vos ordres, monsieur MacDougal.

Il me suppliait sans détour. L'amour de sa fille passait avant son orgueil, avant le souci de sa propre vie.

— Quand j'aurai vu dans quel état sont mes amis, je déciderai de votre sort. Mais tentez de nous avoir, Molinas, et vous êtes mort. Pensez à votre fille. Ah, à propos ! Je parle espagnol.

Molinas me fit signe qu'il avait compris, se redressa et avança vers les gardes avec toute l'allure d'un homme habitué à commander. Il donna un coup de pied dans le genou d'un des mercenaires. L'homme réveilla les deux autres en poussant un cri, puis se leva dans un flot d'excuses. Molinas envoya un coup de pied dans les côtes du deuxième garde. Le troisième se dressa d'un bond avant d'être frappé.

Il donna ses ordres d'une voix sourde, dure, et avec force gestes. S'il avait eu mon revolver, je n'aurais pas donné cher de la vie de ces hommes. Il leur fit signe de prendre leurs armes, puis les regarda déguerpir en courant, après leur avoir dit de rester dehors. Quand il revint vers nous, il tenait un trousseau dont il enleva une longue clef de cuivre qu'il me tendit.

— Voilà. C'est celle de cette porte.

Je donnai la clef à Laura.

— Sois prudente. Il y a peut-être un homme à l'intérieur.

Elle hocha la tête. Je restai derrière Molinas, le Bren Ten sur sa nuque.

— Beaux vêtements, lui dis-je à l'oreille pendant que nous attendions. Je suppose que vendre de la drogue à des enfants permet de s'habiller chez les meilleurs tailleurs.

— Il y a cinq ans que je ne fais plus ce genre de commerce. Je suis ici pour d'autres raisons.

— C'est ça ! Et vous retenez prisonniers des agents fédéraux américains pour le plaisir.

Je regardai la porte s'ouvrir lentement, puis Laura franchir le seuil en position de tir.

— Allons-y. Au moindre mouvement suspect de votre part, je tire.

Savich était à demi accroupi, prêt à passer à l'attaque. Pâle, les traits tirés, les vêtements déchirés et sales, il avait tant de rage dans les yeux que je n'eus brusquement plus envie de savoir ce qu'il avait subi.

— Je t'attendais, me dit-il en se relevant lentement.

Je pénétrai dans la petite pièce en poussant Molinas devant moi. Savich lui serra le cou aussitôt et le secoua comme un vieux torchon sans qu'il fît le moindre geste pour se défendre.

— Arrête, Savich.

J'essayai de lui arracher Molinas mais il ne se contrôlait plus.

— Sherlock ! Oh, mon Dieu ! s'écria Laura au même moment.

Elle savait ce qu'elle faisait. En entendant le nom de sa femme, Savich lâcha Molinas et tomba à genoux à côté de Sherlock, inconsciente, repliée sur elle-même, gisant sur le sol.

La serrant contre lui, il la berça, les lèvres sur ses cheveux. Lorsqu'il leva les yeux, je remarquai qu'il avait le visage tuméfié et je dus me retenir pour ne pas abattre Molinas.

— Que lui avez-vous fait, espèce d'ordure ? J'aurais dû le laisser vous étrangler.

Je poussai Molinas par terre, fermai la porte, puis

m'avançai vers Savich qui continuait à bercer Sherlock sur ses genoux.

— Merci d'être venus, les amis. Je suis content de vous voir, c'est le moins que je puisse dire. J'ai vainement tenté de sortir d'ici. J'ai assommé deux de ces types mais quatre autres me sont tombés sur le dos pour me récompenser de mes efforts.

Je retrouvais là le Savich que je connaissais. Il ne divaguait pas.

— Ils ne t'ont pas drogué ?

— Pas depuis que je me suis réveillé ici. Mais ils m'avaient séparé de Sherlock. J'imagine qu'ensuite ils ont voulu que je puisse mesurer les effets de la drogue sur elle.

— Que lui est-il arrivé ?

— Dès qu'elle se réveille, elle revit la traque de ce tueur en série, Marlin Jones.

Connaissant l'histoire, je hochai la tête et laissai Savich expliquer à Laura :

— Il avait réussi à la coincer et lui a fait vivre une expérience épouvantable. Elle en a eu des cauchemars pendant des mois. Avec la drogue, tout ça resurgit de façon amplifiée. Seigneur ! Elle est vraiment terrifiée. Je vais le tuer, ce sadique, ajouta Savich en regardant Molinas.

Mais au lieu de passer à l'acte, il continua de bercer Sherlock.

— Ils m'ont laissé seul après m'avoir tabassé, expliqua-t-il soudain, la joue sur les cheveux de sa femme. Ils ne m'ont jamais drogué.

Regardant Sherlock, je fus incapable de me contenir : je frappai Molinas. Le coup fut si bien porté que sa tête partit en arrière contre le mur. Je respirai à fond.

— Désolé, les amis. Il émergera dans une minute, et il

nous fera sortir d'ici. Il y a une piste d'atterrissage à proximité, expliquai-je à Savich.

— Ah ! Dieu merci. Ils t'ont drogué, Mac ?

— Je te raconterai plus tard, dis-je en voyant Molinas rouvrir les yeux. Vous allez utiliser votre radio, lui ordonnai-je. Vous allez faire venir un avion. Tout de suite.

— Je veux l'embarquer avec nous, intervint Savich. Je veux lui infliger moi-même l'injection fatale.

— Navré, agent Savich, observa Molinas. L'avion n'a que quatre places. L'un de vous sait piloter, j'imagine.

— Exactement, répondit mon ami en se levant, sa femme dans les bras. Si je ne peux pas vous emmener avec moi, je vous tue. De toute façon, ça vaudrait beaucoup mieux. Je n'ai pas envie que vous vous serviez de votre argent sale pour contourner la loi.

— Votre femme va se remettre, lui assura Molinas. Ce sera un peu long, mais il n'y aura pas de séquelles. Nous mélangeons deux drogues dans des proportions variables, et ce sont ces proportions que nous n'arrivons pas encore très bien à doser. Et puis chacun réagit différemment. Certaines personnes sont plus sensibles aux produits que d'autres. C'est le cas de votre femme.

Savich se retourna, posa délicatement Sherlock sur la vieille couverture étalée sur le plancher, puis regarda Molinas en le gratifiant d'un sourire glacial.

Je lui laissai le champ libre. M'abstenant de bouger, je me tournai vers Sherlock dont Laura caressait la main.

— Levez-vous, lança Savich.

Molinas obtempéra, lentement, et je n'eus pas l'occasion d'assister à une gracieuse démonstration d'arts martiaux. Le poing de Savich s'enfonça dans le ventre de Molinas, qui reçut ensuite un coup de genou un peu plus bas. Il tomba comme une pierre.

— Parfait, dit Laura. Il le méritait. Mais maintenant il faut le remettre sur pied si nous voulons voir arriver un avion.

— Je veux que Jilly vienne avec nous, dis-je.

— Comment, Mac ? Jilly est ici ?

— Elle est venue me voir pendant que j'étais entre deux délires. Elle m'a recommandé de ne toucher ni à l'eau ni à la nourriture. J'ignore ce qu'elle fait ici, mais c'est grâce à elle que nous sommes encore en vie.

— Si elle est ici, nous aurons besoin d'un avion plus grand, observa Laura.

— Jilly est petite, Sherlock aussi. Nous pourrons tous tenir dans un Cessna.

— Mac, intervint Savich, Paul est également ici ?

— Je n'en sais rien, et je m'en moque. On peut le laisser derrière nous de toute façon. C'est lui le salopard qui a élaboré cette drogue.

Laura fixait le plancher, et je la vis plisser les yeux de rage. Suivant la direction de son regard, je m'aperçus que Savich était attaché à un anneau par une chaîne. Molinas avait eu la malchance que je le pousse assez loin dans la pièce pour se retrouver à portée du poing de Savich. Je m'expliquais maintenant pourquoi Savich n'avait pas réussi à s'enfuir.

— Ça alors ! m'exclamai-je.

— Ils se délectaient de me voir m'agiter et jurer sans pouvoir les atteindre. Ils connaissaient exactement la longueur de la chaîne. Merci d'avoir flanqué ce salaud près de moi.

Pendant que je cherchais sur le trousseau la clef correspondant au fer qui entravait mon ami, Laura expliqua calmement :

— Vous savez, Savich, ce type n'est autre que le beau-frère d'Alyssum Tarcher, John Molinas.

— Je me souviens de ce nom.

Dès qu'on put enfin le libérer, Savich s'accroupit, se frotta la cheville et, baissant sa chaussette, découvrit une peau violacée, mais pas blessée.

— Je peux remercier Sherlock pour ses épaisses chaussettes de laine. Ce que ça fait du bien d'enlever cette chaîne, bon dieu !

Comme nous avions besoin de Molinas au plus vite, Laura attrapa le seau d'eau qui se trouvait sur une petite table et le lui jeta au visage.

— Sherlock, réveille-toi, mon amour, murmura Savich en tapotant les joues de sa femme. Ouvre les yeux. Hé ! Je te laisserai m'envoyer au tapis la prochaine fois que nous serons en salle de gym si tu te réveilles maintenant.

Sherlock finit par ouvrir les yeux.

— Dillon ?

Elle avait encore du mal à articuler.

— Au moins elle vous reconnaît, observa Laura. C'est un bon début.

— C'est moi, Sherlock. Ne t'inquiète pas. Mac et Laura nous ont rejoints. Nous allons partir.

— Il est ici, Dillon, articula Sherlock en se frottant la tempe. Il rit. Il ne veut pas me laisser tranquille. Oh, oui, il rit ! Il ne cesse pas de rire. Je t'en prie, Dillon, fais-le taire.

Sherlock referma les yeux et sa tête retomba sur le bras de Savich.

— Elle parle de Marlin Jones ? demandai-je tout en donnant un petit coup de pied dans les côtes de Molinas qui cherchait à retrouver son souffle.

— Oui, me répondit Savich, le regard fixé sur le visage blafard de sa femme. Il s'ancre dans son esprit avec une monstruosité accentuée, et il lui paraît aussi réel que vous et moi.

— Je suis passé par ce genre d'expérience, dis-je. Mais seulement une fois. J'ai revécu l'explosion de la voiture en Tunisie, en plus spectaculaire, en plus terrifiant. Paul nous avait pourtant expliqué que cette drogue était censée faire disparaître les effets des souvenirs négatifs.

Molinas se redressa laborieusement, s'assit et expliqua :

— Oui, elle devait réduire les symptômes physiques et, à doses répétées, supprimer le sentiment d'horreur lié aux mauvais souvenirs. Mais ça ne marche pas. J'ai essayé différentes doses, utilisé des additifs. Vainement. C'est un échec.

J'allai m'accroupir devant Molinas.

— Qu'est-il arrivé à votre fille ?

— Il y a trois ans, dans son lycée, elle a été violée par quatre garçons. Elle n'avait que quinze ans. Ça l'a détruite. Alors quand j'ai entendu parler de cette drogue, j'ai voulu qu'elle en bénéficie. C'est la raison pour laquelle je me suis impliqué dans cette affaire auprès d'Alyssum et de Del Cabrizo. Je voulais aider ma fille. Je lui ai injecté la drogue moi-même. Les souvenirs de la nuit du viol ont alors empiré. Cette saloperie est en train de la tuer.

— C'est pour ça que vous avez expérimenté sur Sherlock une dose encore plus forte en la mélangeant à d'autres drogues ? demandai-je.

Plongeant son regard dans celui de Savich, Molinas vit sa propre mort et, se penchant en avant, vomit sur le plancher.

Savich porta dans ses bras une Sherlock consciente mais aux yeux lourds, au regard vague. Il l'avait enveloppée dans toutes les couvertures qui se trouvaient dans la cellule. Muette, totalement apathique, elle m'inquiétait avec son allure de zombie. Laura les suivait en portant deux AK-47. Moi, je marchais derrière Molinas, le Bren Ten sur ses reins, un autre AK-47 en bandoulière.

— Conduisez-moi à Jilly, dis-je à Molinas. Elle part avec nous.

— Votre sœur n'est pas ici, me répondit-il, la gorge encore douloureuse.

— Je ne vous crois pas. Elle est venue me voir. Elle m'a parlé, et m'a mis en garde.

— C'était à cause de la drogue. Votre sœur n'est jamais venue ici. Jamais. Je n'ai aucune raison de vous mentir à ce sujet. Je vous assure que c'est la drogue. Ses effets sont imprévisibles, mais personne jusqu'à présent ne m'avait parlé de ce genre de délire.

Etait-ce possible ? Mais, bon sang, j'avais vu Jilly aussi clairement que la lumière du jour. Et elle m'avait parlé, s'était penchée sur moi !

— Elle n'est jamais venue ici, répéta Molinas.

— Néanmoins vous la connaissez ? demanda Laura.

— Je sais qui elle est, expliqua-t-il prudemment.

Brusquement nous nous arrêtâmes et nous tûmes. Des hommes parlaient à quelques mètres devant nous. Au bout de trois minutes, le bruit de leurs bottes s'estompa puis disparut.

De retour dans le bureau de Molinas, nous allâmes jusqu'à la chambre où nous l'avions trouvé avec sa fille. Marran n'y était plus. Elle avait défait ses liens elle-même pour aller s'enfermer dans la salle de bains. Son père lui demanda d'y rester jusqu'à son retour. Nous entendîmes la jeune fille pleurer.

— Regardez ce que j'ai trouvé, lança Laura.

Elle avait ouvert un placard que nous n'avions pas remarqué auparavant.

— Des revolvers, des vêtements, et... deux autres AK-47, annonça-t-elle.

Puis elle se retourna avec un large sourire, en brandissant une machette.

— On peut aussi avoir besoin de ça. On ne sait jamais. Ils ont tous des couteaux sur eux. Vous, les garçons, vous feriez bien de changer de tenue. Je m'occupe de Sherlock, ajouta-t-elle en regardant Savich.

— Vous devez avoir une radio, dis-je à Molinas. Sortez-la.

Il ouvrit le troisième tiroir de son imposant bureau et en sortit effectivement une petite radio.

— Faites venir l'avion. Immédiatement.

Nous l'observâmes tandis qu'il cherchait une fréquence. Il communiqua dans un espagnol si rapide que je ne pus tout saisir. Quand il eut terminé, il se tourna vers nous.

— Je ne vous ai pas trahis, affirma-t-il.

Savich s'avança vers Sherlock, assise sur le parquet. Il se pencha et la souleva.

— En route, dit-il.

— Priez pour que ce Cessna arrive, chuchotai-je à l'oreille de Molinas.

— Il sera au rendez-vous, assura-t-il en jetant un coup d'œil à la radio.

Il n'avait pas du tout l'air réjoui.

27

La piste d'atterrissage nous apparut aux environs de 5 h 30, selon la montre que j'avais prise à Molinas. Derrière la demi-lune qui commençait à s'estomper, quelques étoiles scintillaient encore dans le ciel gris. A l'horizon, les montagnes, tantôt dressées comme des épées, tantôt rondes, avaient des allures fantomatiques dans les lueurs naissantes de l'aube. Nous aurions bientôt suffisamment de clarté pour utiliser la piste. Trois jours plus tôt, songeai-je, nous étions à Edgerton, et nous achetions des sandwiches chez Grace.

Le silence n'était troublé que par le craquement de nos bottes sur le sol pierreux. La forêt tropicale commençait à moins de dix mètres de nous et s'étendait, à l'est, jusqu'au flanc des montagnes lointaines. Nous tournions le dos aux baraquements. Si nous étions suivis, c'était dans la discrétion la plus absolue. En pensant à des tireurs isolés, je me rapprochai un peu plus de Molinas, espérant ainsi offrir au reste du groupe une couverture suffisante ; à condition, bien sûr, que personne n'eût pour mission de descendre Molinas...

Nous arrivâmes au bord de la piste sous un ciel gris clair, strié de rose. Comme nous étions en terrain découvert, nous nous avançâmes courbés, tout en constituant encore des cibles faciles contre le ciel de plus en plus clair.

Savich se retourna, le sourcil levé.

— La forêt commence juste là ? Et ici le terrain est nu, et il fait chaud. Comment explique-t-on cela ?

— C'est l'effet de la déforestation, répondit Molinas. Les gens sont très pauvres ici.

— Mac et moi, nous nous sommes retrouvés dans cette jungle, observa Laura. C'est d'une beauté incroyable mais l'humidité rend l'air suffocant. Et il y a tellement d'animaux qui s'y cachent que c'est l'angoisse garantie. Je suis soulagée que nous n'ayons pas eu à y remettre les pieds.

Sherlock se mit à rire, d'un rire un peu tremblant mais réel.

— Il faut que je tue de nouveau Marlin. J'entends son rire, ses hurlements. Oui, je vais le tuer. Et on verra s'il peut ressusciter une seconde fois.

— Oui, tue-le, Sherlock, lança Savich, le regard plongé dans celui de sa femme. Tu es la seule capable de le faire. Tu as déjà réussi une fois. Tu peux recommencer. Envoie-le en enfer, puis reviens-moi. J'ai besoin de toi.

— Moi aussi j'ai besoin de toi, Dillon.

Sherlock ferma les yeux. L'expression de Savich était terrifiante, et je lui serrai fraternellement l'épaule quand je compris brusquement que Jilly était sous l'influence de la drogue quand elle avait plongé avec la Porsche du haut de la falaise. A partir du moment où elle avait découvert que Laura était un agent des stups, elle n'avait cessé d'être hantée par elle. Finalement, à bout, elle avait jeté sa voiture dans l'océan.

J'observai Laura qui regardait encore l'horizon montagneux, sans bouger, sans un mot. J'aurais voulu lui dire que tout se passerait bien, que quelque chose dans son silence, dans sa façon de contempler ces montagnes, me rassurait. Elle s'était retrouvée. Je lui souris, intimement persuadé qu'en dépit du fait que nous nous connaissions depuis moins d'une semaine elle savait qu'il valait mieux vivre avec moi que sans moi.

Afin de limiter les risques, nous nous assîmes serrés les uns contre les autres, avec Molinas, et tournés dans la direction de la fausse caserne. Personne ne semblait nous avoir suivis, mais je ne pouvais en être absolument certain.

Un bruit de moteurs se fit entendre dans le ciel. Un ronflement un peu laborieux. Les sourcils froncés, Savich regarda vers les montagnes. Deux minutes plus tard, un petit Cessna 310 apparut au-dessus du pic culminant, prit un virage sur l'aile, puis entama sa descente, entouré d'un halo de lumière par le soleil levant.

Je n'aimais pas le bruit de ses moteurs entrecoupé de crachotements qui donnait l'impression d'un vol précaire.

Molinas nous avait-il bernés ? Je me tournais vers lui quand, soudain, deux hélicoptères surgirent au-dessus des montagnes.

— Nom de Dieu ! s'exclama Savich, la main en visière. Des McDonnell Douglas, AH-64 Apaches. Ce sont les nôtres. Ils sont équipés d'une mitrailleuse M230, de missiles Hellfire, et d'un lance-roquettes. A terre ! Tout le monde à terre !

A peine nous étions-nous allongés qu'un des Apaches fit feu sur le Cessna. Les moteurs du petit avion crachotèrent. Deux hommes étaient visibles à l'intérieur. L'un d'eux hurla, avant que l'avion n'explose dans le ciel de l'aube. Des débris de la carlingue, des moteurs, des sièges s'éparpillèrent sur le sol. Un morceau d'aile vint se ficher dans la terre à quelques mètres de nous.

— Seigneur ! fit Savich. Ces bons vieux Apaches US ! Mais que sont-ils venus faire par ici ?

— Ils ont dû réussir d'une façon ou d'une autre à déterminer notre position.

Laura faisait de grands signes aux hélicoptères en criant. Ils s'approchèrent, puis firent du sur-place au-dessus de la piste au lieu de se poser.

— Oh ! Non ! Laura, recule, sauve-toi ! Cours !

Brusquement, ils tirèrent sur nous.

— On se replie dans la forêt ! hurlai-je.

J'attrapai Molinas et le poussai devant moi. Les Apaches, qui avaient repris de l'altitude, revinrent sur nous, et arrosèrent le terrain en provoquant des giclées de terre tout autour de notre groupe. Nous eûmes juste le temps de nous mettre à l'abri sous les arbres. Ce fut à ce moment-là que je me rendis compte que nous n'avions pas besoin de nous encombrer de ce traître de Molinas.

Je le tournai vers moi et lui hurlai au visage :

— Salopard !

— Non, je ne vous ai pas trahis. Vous avez vu, ils ont descendu le Cessna. L'un de mes hommes a dû prévenir Del Cabrizo de votre évasion. C'est le cartel qui a envoyé ces hélicos, pas moi.

— Eh bien, vous allez rester ici ! Ça vous permettra de vous expliquer avec Del Cabrizo.

Je l'obligeai à s'asseoir au pied d'un petit arbre. A l'aide de sa ceinture je lui liai les mains au tronc, puis déchirai sa belle chemise italienne pour en faire un bâillon.

— Il ne vous reste plus qu'à espérer qu'ils vous trouveront encore quelque utilité. Sinon, vous et votre fille, vous êtes foutus. Savich, criai-je alors à mon ami, nous sommes en train d'aller vers le nord. Oblique sur la gauche. Il faut suivre l'axe nord-ouest.

Grâce à Dieu, il y avait maintenant assez de clarté pour nous permettre de nous repérer. Les hommes de Molinas commenceraient par le chercher et ne se lanceraient à notre poursuite que dans un deuxième temps.

Savich hocha la tête, Sherlock serrée contre lui. Je regardai Laura, intrigué. Pourquoi n'était-elle pas venue m'aider ? A trois mètres de moi, immobile, elle vacilla et laissa tomber l'un des AK-47.

— Laura ?

Au même moment, les Apaches arrivèrent au-dessus de la forêt dans un bruit effroyable. J'entendis leurs armes automatiques fonctionner, tout en me disant qu'il leur faudrait une sacrée chance pour nous toucher à travers l'épaisse canopée. Mais, comme depuis quelque temps la déveine nous poursuivait, je voulus écarter les risques au maximum.

— Laura ? Viens ! Dépêchons-nous. Je prendrai l'autre arme. Bon sang ! Qu'est-ce qu'il y a ?

Muette, elle s'appuya à un arbre en se tenant l'épaule.

— Laura ?

— Une minute, Mac.

La voyant fermer les yeux et serrer les mâchoires, je compris qu'elle était blessée. Les balles pleuvaient à travers le feuillage, et nous étions encore trop proches de la lisière de la forêt : il fallait absolument qu'on s'y enfonce. Sans un mot, j'enlevai la main de Laura de son épaule.

— La balle m'a traversé l'épaule, me dit-elle.

J'ouvris sa chemise et évaluai les dégâts.

— Ne bouge pas.

Déboutonnant la mienne, je m'en servis pour bander la blessure sanglante de mon mieux. Laura tremblait. Du sang macula mes mains.

— Tu peux tenir encore un peu ?

Son sourire me donna envie de pleurer.

— Bien sûr que je peux. Je fais partie des stups.

Je lui rendis son sourire, reboutonnai sa chemise et, après avoir pris les deux AK-47, l'installai sur mon épaule.

— Non, Mac. Je suis encore capable de marcher.

— Il est temps pour l'agent des stups de se taire. Laura a été touchée, expliquai-je alors à Savich. Au-dessus de la clavicule. Ça ira. A condition de s'occuper de la blessure. Nous...

Un Apache vint se positionner au-dessus de nos têtes, au ras de la canopée. Cette fois-ci il n'allait pas nous rater.

Je déposai Laura par terre et pris son visage entre mes mains.

— Ne bouge pas. Je reviens tout de suite avec une boîte à pharmacie pour jouer les médecins.

Elle me regarda comme si j'étais de nouveau sous l'influence de la drogue. Mais je me contentai de lui sourire, d'attraper l'une des mitraillettes et de partir en courant vers la petite clairière lumineuse située à quelques mètres de nous. Là, je levai les yeux vers l'Apache dont les pales ventilaient allègrement le sommet des arbres. Des oiseaux poussaient leurs cris en se sauvant à tire-d'aile, pendant qu'un homme scrutait la forêt avec des jumelles.

— Hé, salopards ! hurlai-je en tirant en l'air.

Mon premier chargeur vidé, je le remplaçai par un autre et attendis une réaction. Il fallait qu'ils viennent plus près, plus bas. L'Apache descendit en zigzaguant d'un côté à l'autre. Oui, ils m'avaient certainement vu ! Un homme cria quelque chose. Ils étaient juste au-dessus de ma tête maintenant. Je vidai le second chargeur dans le ventre de l'hélico.

Le pilote se démena pour reprendre le contrôle de l'appareil. Son passager hurla de nouveau. Puis, comme s'il sortait d'un lance-pierres, l'Apache partit en flèche vers le ciel avant de plonger sur la gauche. Je tirai encore six fois et le vis trembler, tandis que son rotor se grippait et que ses formidables turbopropulseurs crachotaient : tout ce beau mécanisme enrayé par mes volées de balles ! Un instant il se cabra, puis remonta comme une flèche, le nez pointé vers le ciel. Soudain il s'immobilisa, trembla encore, se retourna et finalement piqua vers le sol. J'entendis deux hommes crier avant le crash. Il y eut alors un court silence. Le bourdonnement de l'autre appareil se fit entendre mais à distance. Allait-il se diriger lui aussi vers nous ? Avait-il vu ce qui venait de se passer ?

J'attendis un moment avant de courir vers l'Apache dont le nez s'était enfoncé dans le sol tandis que le rotor pendait contre la carlingue. Au-dessus de cette ferraille luisante, encastrée dans le feuillage, des singes hurlaient en sautant de branche en branche. Malgré le risque d'explosion, je tenais à dénicher la boîte à pharmacie, incapable de laisser Laura sans soins dans cet enfer tropical.

Le pilote et le mitrailleur étaient morts. Comme les hommes de Molinas, ils portaient un treillis. Mais ces deux-là devaient être aux ordres de Del Cabrizo. En tout cas, si l'hélicoptère était américain, ces types ne l'étaient pas.

Je trouvai avec soulagement la trousse de secours sous le siège du pilote. J'eus en outre la surprise de tomber sur une demi-douzaine de bouteilles d'eau, dans un filet suspendu à une lanière. Il y avait aussi des couvertures sur le siège arrière. En les prenant, je vis qu'elles étaient imprégnées d'une lourde et récente odeur de sexe. Au moins je savais ce que ces types avaient fait avant de décoller.

Je décrochai le filet, jetai les couvertures sur mon épaule et, en poussant des cris de dément, courus rejoindre les autres. Ce qui ne m'empêcha pas de réfléchir en même temps. Car, si je n'entendais personne venir et que l'autre Apache semblait avoir disparu, j'estimais néanmoins que nous étions trop en lisière du terrain découvert, donc que nous prenions stupidement des risques.

— Mon Dieu ! s'exclama Savich en me voyant. Tu as trouvé une pharmacie et de l'eau ! Je te promets de t'obtenir une promotion et une augmentation de salaire, Mac.

— Tu peux encore résister un peu ? demandai-je à Laura en m'agenouillant près d'elle.

— Oui. Mais ensuite je compte me détendre au bord d'une piscine avec un bon bouquin.

— Pas de problème. En attendant, voyons ce que j'ai rapporté. Il doit bien y avoir quelques antalgiques.

J'en trouvai effectivement et lui en donnai trois, avec de l'eau à volonté. Grâce à Dieu et à Savich, la blessure ne saignait plus. Pour l'instant, il n'y avait rien d'autre à faire et je me relevai sans plus attendre.

— Continuons dans la même direction sur un kilomètre, puis je retournerai sur mes pas effacer nos traces. Le Seigneur nous protège, les enfants. Regardez toutes ces bouteilles d'eau. Et il n'y a même pas de drogue dedans.

Cinq cents mètres plus loin, nous fûmes arrêtés par un mur de végétation. Mais cette fois-ci nous avions la machette que j'enlevai à la ceinture de Laura en l'embrassant sur la joue.

— Tu es géniale, lui dis-je. Ce truc marche du tonnerre, ajoutai-je en donnant un grand coup de machette dans un rideau de lianes entrelacées.

— J'aimerais assez boire un margarita, Mac, me dit Laura, alors que je la soulevais un peu pour la soulager.

— Moi aussi, mais pas avant de savoir où nous sommes. J'aurais dû arracher ce renseignement à Molinas.

— Il nous a au moins fait sortir de là. A mon avis, nous sommes en Colombie, Mac.

J'entendis Sherlock gémir, puis Savich lui parler à voix basse. L'instant d'après, il installa sa femme sur son épaule, me prit la machette des mains, et nous fîmes ainsi quelques mètres de plus. Puis, essoufflé, il décida de s'arrêter. Déposant doucement Sherlock par terre, il cala le AK-47 et la machette contre un arbre, à côté d'elle.

— Je n'en peux plus, Mac. Etale les couvertures sur le sol pour ta blessée. Chut, ma chérie ! Tout va bien.

Sherlock ouvrit les yeux et me regarda tandis que je posais mon AK-47 près de celui de Savich. Mais je me détournai de ce regard dont elle était absente et que je trouvais insupportable. Je regrettais vraiment de ne pas avoir tué Molinas.

Dès que j'eus appuyé Laura contre un tronc, j'ouvris les couvertures qui l'enveloppaient, les étalai autour d'elle et l'allongeai sur le dos. Quand je vis que la douleur assombrissait son regard, je me penchai sur elle et posai un baiser sur ses lèvres sèches.

— Reste comme ça. Savich va te donner de l'eau.

Je dépliai les autres couvertures et les étendis sur elle avant de me tourner vers Savich.

— Je vais essayer de trouver un moyen d'effacer nos traces.

Avant de retourner sur nos pas, je donnai à Laura un autre antalgique.

A mon retour, j'entendis Laura murmurer :

— Franchement, je suis désolée. J'aurais dû me débrouiller pour esquiver la balle. Je vais peut-être être rétrogradée et renvoyée au FBI.

— Il faudrait que vous ayez commis une faute beaucoup plus grave pour vous retrouver avec des collègues comme nous, répondit Savich qui se découvrait l'envie de plaisanter. Reposez-vous donc, Laura.

— Et accroche-toi, ajoutai-je. Je vais jouer au médecin.

Je rouvris la boîte à pharmacie et, devant les antibiotiques, l'aspirine, les compresses, le sparadrap, les seringues, les allumettes, le fil, les antalgiques, je remerciai le Ciel que l'hélicoptère n'ait pas explosé. J'avais le sentiment de tenir la plus heureuse découverte de ma vie – après Laura.

— Nous sommes peut-être en Thaïlande, me dit-elle. Ou dans n'importe quel autre pays où pousse la forêt tropicale.

— On ne trouve pas une ville nommée Dos Brazos n'importe où. Avale ces comprimés. C'est un antibiotique plus un nouvel antalgique.

J'attendis quelques minutes, le temps que les médicaments commencent à faire de l'effet. Je dégageai alors l'épaule de Laura et examinai la blessure. Devant, elle se réduisait à un petit trou, d'où suintait un peu de sang. J'imbibai une compresse d'alcool et l'appuyai sur la blessure.

Les yeux fermés, les paupières crispées, Laura se mordit la lèvre.

— Ça va. Je ne suis pas en état de choc, du moins pour le moment. Ne me regarde pas comme ça. J'ai déjà reçu une balle il y a deux ans. Je sais que ça pourrait être pire que ce que je ressens en ce moment.

— Où l'avais-tu reçue ?

— Dans la cuisse droite.

Je hochai la tête, puis l'aidai à se retourner afin d'examiner l'endroit où la balle était ressortie. De ce côté-ci, la plaie était plus importante, à vif, couverte de petits lambeaux de chair sanguinolente et de tissu.

— Je ne peux pas faire de points de suture et je n'ai aucun moyen de stériliser la plaie, Laura. Elle risque par conséquent de s'infecter. Je vais la nettoyer et appliquer une compresse qu'il faudra changer tous les jours. D'accord ?

— Oui. Ça me va. Je déteste les aiguilles.

Après avoir nettoyé la plaie à l'alcool, j'appliquai une pommade antibiotique. Savich sortit une compresse stérilisée de son emballage et me la tendit. J'en couvris la blessure en utilisant le sparadrap. Puis je répétai l'opération de l'autre côté, nettoyant ensuite le sang sur sa poitrine. Du sang séché, presque noir sur sa peau laiteuse. Un spectacle que je détestai.

Je terminai mes soins en bandant son épaule et en me disant qu'hélas je ne pouvais rien faire de plus.

— Hé, Sherlock ! lança soudain Savich. Tu es toujours là, ma chérie ?

— Oui, Dillon.

— Tu crois qu'on se débrouille bien ? Concentre-toi, Sherlock. Parle-moi.

— Je suis avec vous, répondit-elle d'une voix ténue, presque irréelle. Je me concentre de toutes mes forces.

Au bout d'un moment, je demandai à Laura si elle avait encore mal.

— Un peu, me dit-elle.

Elle avait l'air de planer légèrement, et d'en être agréablement surprise.

— Ces substances font de l'effet. Ce n'est pas magnifique ? Non, franchement, ça ne va pas trop mal.

28

Je lui remis sa chemise et remontai les couvertures sur elle.

— Maintenant tu restes tranquille. Tu ne t'en fais pas.

Puisqu'elle avait déjà été blessée par balle, elle connaissait le genre de douleur qu'on peut éprouver dans ces cas-là et s'en accommoder. Je n'avais qu'une chose en tête : la maintenir en vie dans cette jungle qui offrait plus d'occasions de trépasser que les voies rapides de Los Angeles.

Savich se penchait de nouveau sur sa femme.

— Qu'en dis-tu, Sherlock ? Tu nous trouves suffisamment efficaces ?

— Je n'en sais rien, Dillon. Excuse-moi mais je n'arrive pas à me concentrer. Je...

Une fois de plus, elle s'absentait.

— Elle est en train de cauchemarder, remarqua Savich. Elle revoit ce malade. Bon sang, Mac, c'est injuste !

— Cette fois-ci elle est restée plus longtemps avec nous.

— Elle va peut-être enfin réussir à tuer Marlin Jones, avança Laura. C'est ce qui pourrait lui arriver de mieux.

— Après tout, c'est peut-être possible, dit Savich, songeur, en se penchant un peu plus sur le visage de sa femme. Tu as entendu, Sherlock ? Tue-le, ce salaud, s'il ose revenir. Tire-lui une balle entre les deux yeux. Applique-toi, d'accord ?

Cessant de parler, Savich releva la tête. Nous tendîmes l'oreille en entendant le bruit d'un Apache qui semblait inspecter le terrain.

J'en profitai pour expliquer ce qui, selon moi, avait poussé Jilly à franchir la falaise avec la Porsche.

— Je suis sûre qu'elle était sous l'influence de cette drogue, et qu'elle cherchait à échapper à Laura. Laura la hantait comme Marlin Jones hante Sherlock. Quand j'ai revécu l'explosion en Tunisie c'était la même chose : tout était là, très présent dans mon esprit. A la différence près que Sherlock va s'en sortir, comme je l'ai fait. Il est probable que Jilly avait pris une dose excessive, car quand elle s'est réveillée à l'hôpital elle était encore obsédée par Laura. Ensuite, s'est-elle sauvée parce qu'elle ne voulait pas me revoir ? C'est possible. Je l'ignore. Il faudra attendre de la retrouver pour connaître la réponse.

— Le gros problème, remarqua Savich, c'est que nous ne savons rien des effets à long terme de cette substance.

— Je crains que Paul n'en sache pas plus que nous.

Un scarabée, noir, orange et vert, s'immobilisa un instant sous mes yeux, remua ses antennes, puis alla précipitamment se réfugier sous de petites feuilles orangées. Je vis d'autres feuilles bouger. Tout autour de nous grouillaient un tas de bestioles affamées. La vie et la faim étaient partout, les uns pourchassaient les autres et, pourriture ou ingestion immédiate, la mort n'était jamais bien loin.

Tourné vers Laura, je caressai légèrement ses lèvres du bout des doigts.

— Puisque tu sais coopérer, je vais te donner encore un peu d'eau.

Elle étancha sa soif tandis que je regardais la

demi-douzaine de bouteilles. Fallait-il songer à faire une réserve ? Combien de temps allions-nous rester dans cet endroit ? Laura frissonna. Je voulus retirer ma chemise et la lui donner mais elle m'arrêta.

— Non, Mac. Ici tu dois rester couvert le plus possible. N'oublie pas tous les insectes qui attendent pour piquer. Sans parler des sangsues.

Des sangsues. Grands dieux ! Elle avait raison. Je rabattis une couverture autour de sa poitrine et de son cou.

— Soyons très prudents, me dit-elle.

Le front plissé, elle tentait visiblement de rassembler ses pensées.

— Ne t'affole pas, Laura. Prends ton temps. Nous n'avons aucun rendez-vous.

— Je pensais à mon patron, Richard Atherton. Je me demandais s'il avait fait investir Edgerton.

Elle se tut et je compris qu'elle avait mal. Incapable de la laisser souffrir, je lui donnai encore un antalgique. Au bout de quelques minutes, elle me sourit. Mais elle était rouge, peut-être à cause de la fièvre, de la chaleur, ou de la lourdeur de l'air saturé d'humidité.

— Respire profondément, Laura. Pense à ce margarita que je te préparerai bientôt. Pense aux massages aux huiles que je vais te faire jusqu'à ce que toutes tes contractures disparaissent. Ce sera agréable, non ?

J'effleurai sa joue, lissai ses cheveux. Quelques minutes plus tard elle était dans les vapes. Je jetai un coup d'œil à ma montre ; il était près de 8 heures. Plus de calmant avant midi, me dis-je, sous peine de la tuer.

— Reste tranquille, Laura. On parlera de tout ça quand tu te sentiras mieux. Tu n'as pas froid ?

Je la vis s'interroger, mais elle resta muette. Quant à

Sherlock, elle était encore visiblement la proie de Marlin Jones.

— Quand l'ont-ils droguée pour la dernière fois, Savich ?

— Je n'en sais trop rien. Tout ce que je peux te dire, c'est qu'elle était de nouveau elle-même une demi-heure avant que vous arriviez avec Molinas.

— Donc, il y aurait six heures seulement.

Des singes crièrent, un oiseau battit des ailes précipitamment, d'autres bruits inconnus s'élevèrent des branchages.

— Que se passe-t-il ? demandai-je.

— J'ai entendu quelque chose. Je crois qu'on va avoir de la visite. Je me demande s'ils ont trouvé Molinas.

Je serrai la main de Laura afin de l'inciter à rester tranquille, et je tendis l'oreille. Oui, on venait dans notre direction. Ils étaient plusieurs, non loin de nous, à fouiller la jungle. Savich tenait l'un des AK-47. Je pris le Bren Ten coincé à ma taille.

— Ne bouge pas, murmurai-je à Laura.

Un instant elle s'alarma puis retrouva son calme.

— Je ne suis pas complètement hors circuit, Mac. Donne-moi une arme.

— Il n'en est pas question. Tu es blessée, tu ne bouges pas. Pense à ta blessure qui risquerait de s'aggraver. Notre premier devoir est de survivre. Reste allongée et…

— Je ne veux pas que Sherlock et moi mourions parce que je suis impuissante, Mac. Elle n'est plus dans le coup. C'est à moi de la protéger. Donne-moi le Bren Ten.

Je cédai, sans plus de commentaire.

— Ils sont tout près, Mac, m'annonça Savich. Allons-y.

Le AK-47 en bandoulière, je glissai la machette à ma ceinture, tâtai la cartouchière que je portais autour de la taille et emboîtai le pas à Savich. Au moins Laura avait le

Bren Ten pour se défendre s'il le fallait. Je préférais ne pas y penser, mais je jetai tout de même un regard en arrière : la voyant le revolver à la main, je lui fis un signe optimiste.

Quelques mètres plus loin nous avions déjà nos poursuivants presque sous la main. Loin de chercher à se camoufler, ils parlaient fort, en espagnol, jurant tant et plus.

Nous attendîmes, accroupis sous d'immenses feuilles, plus larges que mon torse. La chaleur croissait. L'humidité devenait tellement pesante qu'on ne pouvait pas bouger sans avoir l'impression de soulever des haltères. Même respirer était difficile. Les hommes arrivèrent à une dizaine de pas de notre cache en continuant à pester.

— On va les talonner, me dit Savich.

Ils avançaient en file indienne à quelques mètres devant nous. Leurs pas lourds couvrirent le bruit des nôtres. Je regardai Savich dont le profil semblait taillé dans la pierre. Une pierre dangereuse, redoutable. Une intense concentration et une envie de tuer durcissaient son regard.

Il trancha la gorge du dernier homme si rapidement que je n'entendis qu'un gargouillement rauque. Celui qui le précédait ne se retourna même pas. Savich avait utilisé le petit scapel qu'il avait trouvé dans la boîte à pharmacie. Il traîna le cadavre sous les branchages puis leva les yeux vers moi.

— Occupons-nous des deux autres.

Ces deux-là risquaient de se retourner d'une seconde à l'autre, et nous ne voulions pas nous retrouver à leur faire face bêtement. Un instant j'écoutai ce qu'ils disaient, puis j'informai Savich à mi-voix.

— Ils pensent que l'autre type s'est arrêté pour pisser.

— On les liquide tous les deux en même temps.

Ce fut fait en un clin d'œil. Savich répéta son geste avec le scalpel. Je me précipitai sur l'autre dès qu'il pivota sur ses talons. Il hurla, et voulut me frapper avec son AK-47. Du tranchant de la main je lui coupai le souffle. La tête renversée, il tomba sur les genoux. Je l'achevai en lui assénant un coup de crosse.

En relevant la tête, je rencontrai le regard d'un gros chat, allongé sur une branche basse. Dans ses yeux se lisait, tout au plus, un intérêt mitigé. Attendait-il de dévorer les vaincus ?

— Ce n'est qu'un jaguar, Mac, observa Savich. Il ne prendra pas le risque de se mesurer à toi. En revanche il peut te soustraire ta proie. Hé ! Ça va ? Ne t'en fais pas. Occupons-nous plutôt de ramasser ce qui pourrait nous servir.

— Regarde ce qu'il avait sur lui. Des barres chocolatées. Ça je l'embarque. Voyons ce que l'autre a dans ses poches. Tu sais, Savich, rien n'est écrit en espagnol sur l'emballage. C'est comme dans la boîte à pharmacie. Et les hélicos sont américains. Tout vient des Etats-Unis à l'exception des hommes de Molinas. Qui sont ces types, bon dieu ? Qu'est-ce qu'ils fabriquent par ici ?

Savich n'eut qu'un haussement d'épaules, et il avait raison. Pour le moment, on se fichait pas mal de savoir d'où sortaient ces individus, dont les cadavres me laissaient en outre étrangement indifférent.

— Maintenant on retourne auprès de Laura et de Sherlock, dis-je.

Lorsque nous les retrouvâmes, je crus m'effondrer. Un homme se dressait au-dessus de Laura, son AK-47 pointé sur sa poitrine. Elle avait les yeux fermés, et je me demandai où elle avait mis le Bren Ten.

L'homme, qui semblait hésiter, découvrit soudain notre présence.

— Pas de bêtises, *señores*, dit-il, ou je tue les femmes. Déposez vos armes et reculez.

Ce furent ses derniers mots. Je vis Laura brandir le Bren Ten et tirer dans le front de son adversaire d'un seul mouvement.

29

— Bravo, Laura ! dis-je.

— Il a surgi une minute après votre départ, expliqua-t-elle en remettant le revolver sur son ventre. Vous l'avez déstabilisé. Je n'attendais qu'une occasion de ce genre.

Nous nous emparâmes de son arme et des trois barres chocolatées qu'il avait dans sa poche. Puis Savich s'empressa d'échanger ses bottes contre les siennes.

— Elles me vont parfaitement. Et en plus il a de l'eau.

— Le coup de feu risque d'avoir été entendu, remarquai-je. Savich et moi allons inspecter les parages. On en a pour dix minutes.

— Allez-y, fit Laura. Il n'y aura pas de problème.

Nous retournâmes sur nos pas. Au passage, nous vîmes un énorme boa vert, enroulé trois fois autour d'un arbre. Un frisson me parcourut l'échine.

— Il y a trop de choses vivantes ici. A chaque pas, il faut regarder autour de soi, au-dessus et en dessous. Je viens de frôler un tronc couvert d'épines. C'est vraiment la jungle, et ça n'a rien d'agréable !

— Si Laura n'avait pas pris la machette, nous ne serions même pas ici.

Je suivis des yeux le vol d'un ara rouge vif, à la queue

jaune et bleu. Il vint se poser à un mètre au-dessus de nos têtes, au bout d'une branche qui se balança sous son poids. Je me demandai ce que Nolan penserait de ce concurrent exotique.

— On ne voit aucun signe d'une autre présence humaine, remarqua Savich. Laissons tomber.

L'air était devenu irrespirable, l'humidité accablante. Nous étions trempés de sueur. Les insectes se noyaient dans notre transpiration avant d'avoir eu le temps de nous piquer.

— Dire que ce n'est encore que le matin, observa Savich. J'ai hâte de voir ce que ça va donner cet après-midi. Regarde par terre, c'est de la glaise. Il ne faudrait pas qu'il pleuve. Tu crois que c'est la saison des pluies ? ajouta-t-il avant de secouer la tête dans un éclat de rire.

— Tu sais qu'il n'est même pas 10 heures ? Mais il vaut mieux qu'on bouge, je crois. Qu'en penses-tu ? Avec Sherlock, Laura et tout le reste sur le dos, tu penses qu'on pourra faire cinq cents mètres sans s'écrouler sous un arbre ?

— Ce sera le maximum. Et si on doit utiliser la machette, on sera par terre au bout de deux cents mètres.

— Heureusement que ce sont les femmes qui ne sont pas en état de marcher. Je vois mal Laura trimballer ma carcasse sur son épaule.

Savich rit puis redevint sérieux.

— Si sa blessure s'infectait, sa vie serait menacée, remarqua-t-il.

— Nous avons encore des chemises pour la couvrir au mieux. A défaut de sentir bon, elles la protégeront contre la saleté et les insectes.

Levant les yeux vers la canopée, je découvris un gros singe rougeâtre qui nous observait.

— Que de couleurs ! Partout ! Regarde, Savich, des mangues. Bien mûres. Nous les mangerons en dessert, après nos barres chocolatées.

Je cueillis les six plus belles mangues, en m'étonnant qu'elles soient encore intactes dans ce zoo.

A 13 heures, nous nous arrêtâmes dans une petite clairière où, moins dense, la végétation laissait filtrer plus de lumière. Nous eûmes soudain la sensation de respirer plus facilement. Pendant quelques instants, Laura dans mes bras, je restai planté sous un grand rayon de soleil. Puis, après avoir étalé une couverture sur le sol, j'allongeai mon cher fardeau dans cette flaque de lumière.

— Imprègne-toi de ce soleil. Laisse-le te sécher jusqu'aux orteils.

Je traînai ensuite le filet contenant les bouteilles d'eau jusqu'à un arbre. Deux serpents traversèrent mon chemin en un éclair. Etaient-ils venimeux ? Je n'en avais aucune idée. En revanche, je ne me faisais pas de souci pour leur peau. Quel prédateur aurait pu être plus rapide qu'eux ?

Depuis deux heures, Laura était pratiquement muette. Les médicaments la faisaient somnoler. Je découvris qu'elle avait le front brûlant, mais dans cet enfer, y avait-il de quoi s'étonner ? Au sol, le taux d'humidité devait approcher les cent pour cent. Je me rassurai en me disant qu'au moins elle n'avait pas de sueurs froides.

Sherlock était finalement sortie de son délire. Assise en tailleur sur une couverture, elle regardait Laura.

— Ne la laisse pas mourir, me dit-elle.

Puis elle se mit à tirer sur des fils au bas de sa chemise qu'elle avait déjà déchirée pour attacher sa crinière rousse.

— Je n'aurais jamais soupçonné l'existence d'un tel endroit, déclara-t-elle. Je viens de voir un crapaud voler entre deux arbres. Il était long, tout maigre, d'une laideur incroyable. Rouge ou peut-être orange, je ne sais plus. Il est passé comme une fusée. Vous savez que ce n'est pas humain, ici ?

— On pourrait peut-être considérer ce petit séjour comme des vacances hors normes, commenta Savich. Le Club Med pourrait même s'y intéresser, qui sait ? Mac et moi avons vu un jaguar. C'est rare. Même ici. Bois ça, ma chérie. Non, pas poliment. Pas à petites gorgées. Goulûment. Voilà, c'est bien, Sherlock.

Quand elle eut terminé, Savich lui essuya les lèvres, puis lui caressa la joue. Elle posa sa main sur la sienne.

— Dillon, je sens que je me retrouve. Ce n'est pas un citron vert que je vois ?

— Bien. Très bien. Effectivement, nous sommes tombés sur des limes. Si l'eau nous manque, ou si nous avons besoin de nous laver, on pourra les utiliser.

— Elles serviront aussi pour les margaritas de Laura. Je te vois bien maintenant, Dillon. C'était dur d'être séparée de toi, comme ça. Et puis, désormais, tu n'as plus à me porter.

Penché sur elle, Savich imprima un baiser sur ses lèvres.

— Parfait. Dans ce cas, tu vas nous aider à porter les bouteilles.

En retrouvant le vrai rire de Sherlock, je regrettai une fois encore d'avoir épargné la vie de Molinas après ce qu'il lui avait fait subir, et ce que j'avais subi pour ma part.

Les paupières closes de Laura trahissaient sa douleur mais, ne pouvant augmenter la dose d'antalgiques, je lui donnai de l'eau, des antibiotiques et deux cachets d'aspirine.

— C'est l'heure du déjeuner, annonçai-je ensuite. Il n'y aura que du sucre et des graisses. Ce que je préfère au monde. Ah ! On va déborder d'énergie et sauter dans les arbres comme les singes.

— J'ai vu tout un groupe de singes hurleurs à quelques mètres d'ici, dit Savich. Ils se balançaient tranquillement au-dessus de nos têtes en nous observant. Simplement comme si nous n'étions pas des voisins très réjouissants. Je me suis dit qu'ils avaient sûrement l'habitude de voir des gens. Au lieu d'être en pleine jungle, au fond de la Colombie, à cent lieues de la civilisation, nous nous trouvons peut-être à deux pas d'un village ou d'une ville. Quoique je ne voie pas qui aurait envie de vivre dans un endroit où on respire du feu.

— Tu dois avoir raison, observai-je. Le jaguar aussi nous a regardés sans grande curiosité, comme s'il faisait uniquement son travail en gardant un œil sur nous.

— Oh, c'est probablement l'air que prennent ces félins avant de sauter sur leur proie ! me répondit Savich en riant devant mon expression. Non, je crois qu'on n'a pas à s'en faire. Alors, ce déjeuner ?

— Je veux mon margarita, réclama Laura, bien qu'elle eût du mal à articuler. J'ai entendu Sherlock parler de citrons verts.

J'ouvris les deux chemises qu'elle portait et examinai son pansement. Que devais-je faire maintenant ? J'avais bien suivi un stage de premiers secours, mais ça n'allait pas plus loin. Sur un sein, j'avais laissé une tache de sang séché lorsque je l'avais nettoyée avec l'alcool et, sans réfléchir, je me mis à la gratter délicatement. Laura ouvrit les yeux.

— Un peu de sang, expliquai-je. Que je ne supportais pas de voir sur ta peau.

— De quoi ai-je l'air ?

J'aurais aimé lui dire que je restais un homme avec des pensées d'homme, enclin à admirer ses seins, à les caresser les yeux fermés, à la complimenter sur sa beauté.

Un insecte me piqua le bout de l'index.

— Tu ne saignes plus. Le pansement est propre. Tu transpires, et c'est bon signe parce que ce n'est dû qu'à la chaleur. Demain matin, j'examinerai la plaie et changerai la compresse. En attendant, comme tu es une malade très sage, tu as droit à une récompense.

J'ouvris une barre chocolatée, en cassai un morceau et l'agitai sous son nez. Sans commentaire, elle ouvrit la bouche, puis sourit en mâchant. Je lui donnai le reste.

— Tu vas avoir envie de danser avec tout ce sucre.

— Sherlock peut l'accompagner, dit Savich qui léchait les doigts couverts de chocolat de sa femme.

— Sherlock, vous allez bien maintenant ?

— Beaucoup mieux que vous, Laura. Vous souffrez ?

— Je ne laisse pas la douleur me submerger. Mais je n'aime pas voir Mac profiter de la situation et manger ma part de friandise. C'est vraiment pénible. Je salive comme une folle. Si j'en avais la force, je lui arracherais cette barre de la bouche.

Je lui donnai encore un petit morceau qu'elle savoura, les paupières closes, pendant que je comptais ce qui nous restait : seulement cinq barres et des mangues. Dénicher d'autres fruits me parut s'imposer.

— Que chacun ouvre les yeux. Nous avons besoin de trouver de la nourriture.

— Commençons par les mangues, proposa Savich.

Il en pela et nous les tendit.

— Elles sont à point. Allez-y.

— J'ai des allumettes, annonça Sherlock, le menton

dégoulinant de jus. A la prochaine pause, on fera un feu. C'est un bon moyen de tenir les bestioles à distance.

— Un feu ? Ça, je sais faire ! intervint Laura. Ma famille aimait beaucoup le camping, et j'ai appris ce genre de chose sous la houlette de mon père et de mon frère aîné. J'ai remarqué des hêtres et quelques chênes par ici. Leur bois brûle facilement.

Sherlock rampa jusqu'à Laura.

— Je viens d'arracher une autre bande de tissu à ma chemise. Laissez-moi m'en servir pour arranger un peu vos cheveux.

De la longue chevelure de Laura, tout emmêlée, Sherlock retira plusieurs insectes avant d'entreprendre de faire une natte. Le résultat eut au moins le mérite de dégager son visage.

— Qu'est-ce que ça donne ? s'inquiéta Laura en se tournant vers moi.

— Tu es magnifique. Sherlock a un vrai talent de coiffeuse.

A l'aide d'un pan de chemise humecté d'eau, j'essuyai le jus de mangue sur ses lèvres avant qu'il n'attirât un essaim d'insectes. Elle me sourit et ferma les yeux. Je me relevai, m'étirai, rassemblai ce qu'il fallait emporter, puis la soulevai dans mes bras. Prudemment, j'inspectai les abords de la clairière. Ni fauve ni mercenaire en vue.

Grâce à Dieu, Sherlock marchait de nouveau. Suivant de près Savich, elle portait la pharmacie et un AK-47.

— Je m'abstiens de te raconter de mauvaises blagues pour te tenir éveillée, annonçai-je à Laura. Je préférerais que tu dormes.

— Bonne idée, Mac, me répondit-elle d'une voix faible, appuyée contre mon épaule.

Au bout d'une heure elle me parut plus légère, comme si

elle s'en allait lentement. Il n'y avait malheureusement rien à faire, sinon trouver du secours.

Jouant de la machette à tour de bras, Savich nous imposait un rythme soutenu sur ce terrain peuplé de bruits de fuite dans les feuillages. Soudain, nous entendîmes comme des aboiements dans la canopée. Toute une famille de singes-araignées, environ une dizaine, sautait de branche en branche. Savich reçut dans le dos un morceau de fruit brun, racorni, que nous ne connaissions pas. Nous eûmes ainsi droit à différents projectiles, mais rien qui pût nous blesser. Voulant néanmoins accélérer le pas, j'eus le visage fouetté par une lourde feuille aux bords effilés. Nous ne faisions pas peur à ces singes, nous les dérangions simplement ; ils nous ignorèrent dès que nous sortîmes de leur territoire.

En milieu d'après-midi une pluie chaude nous surprit. Elle tomba à seaux. J'aurais volontiers échangé deux barres de chocolat contre un grand parapluie. Heureusement, par endroits, la canopée était si épaisse qu'elle nous permettait de nous abriter. Je couvris Laura de mon mieux. Lorsque le déluge s'arrêta, de la vapeur monta du sol. Loin de diminuer, l'humidité resta en suspens dans l'air. Nos vêtements se mirent à fumer, nous nous sentions poisseux de la tête aux pieds.

Je redressai Laura en l'appuyant contre moi.

— Tu t'imagines sous une bonne douche froide, Mac ?

— Oh, oui ! fis-je, les yeux un instant fermés. Je ne rêve que de ça. Mais avec toi, Laura. Toi, en grande forme et riant aux éclats.

Son silence m'inquiéta. Nous repartîmes, et pour comble de bonheur nous nous retrouvâmes dans la boue. Avancer sur la glaise détrempée devint aussi difficile que de sucer un citron à l'aide d'une paille. Quand je faillis tomber, ce fut Sherlock qui me retint.

Nous dégoulinions de sueur. Savich grognait à chaque coup de machette. Des singes et des oiseaux criaient au-dessus de nos têtes, sans qu'on pût en voir un seul. Leur vacarme était par moments assourdissant.

J'avais envie de m'arrêter, de me laisser tomber sur les genoux et de ne plus jamais bouger. Ce fut alors que je vis une nuée de papillons étonnamment parés de rouge, de jaune, de vert. L'un d'eux nous suivit longtemps en venant voler à deux doigts de ma joue. D'un bleu éclatant, il avait de grandes ailes ourlées d'un noir d'ébène. Dans cette forêt redoutable, monstrueuse, ces papillons nous procuraient le plus beau spectacle du monde.

Quand tous disparurent, emportant avec eux leur incroyable beauté, je me rendis compte que nous avions progressé d'au moins six cents mètres en direction de l'ouest.

Sherlock repéra deux serpents corail. Elle s'arrêta net et suivit du regard les reptiles aux rayures caractéristiques, blanches et d'un orange vif, qui se faufilaient dans la végétation. Je m'assurai alors que nous avions tous le bas du pantalon enfilé dans des bottes soigneusement lacées. Avec le sol boueux, il fallait particulièrement se méfier de tout ce qui pouvait échapper à notre vigilance.

Survivre, pensai-je. Nous n'avions plus que ça à faire. Pendant le reste de la journée, nous n'entendîmes aucun bruit d'hélicoptère, aucun bruit révélateur d'une autre présence humaine. Nous n'étions plus que quatre humains dans cette fournaise grouillante de vie.

— Bon dieu ! s'écria Savich. Regardez ce que j'ai trouvé ! Des bananes mûres à ajouter à nos mangues.

Nous tombâmes aussi sur des *pipas*, des noix de coco

vertes qu'il était facile de fendre pour en boire le lait. Comme Sherlock avait eu le réflexe de confectionner sous l'averse un entonnoir avec de grandes feuilles, nous avions rempli les bouteilles vides et possédions donc aussi une nouvelle réserve d'eau. Par prudence, nous emportâmes avec nous quelques *pipas*.

C'était à mon tour de dégager le chemin pendant que Savich portait Laura. Après m'être acharné sur un paquet de feuillages entremêlés, je lançai par-dessus mon épaule :

— Je me demande s'ils ont trouvé Molinas, ce salaud. Peut-être que non. Peut-être qu'il s'est fait mordre par un serpent corail. Ou bien il est au même endroit, encore vivant mais couvert de bestioles.

— A moins que Del Cabrizo ne l'ait tué en découvrant notre évasion.

Je me refusai à imaginer le sort réservé à la fille de Molinas.

En fin d'après-midi, quand nous atteignîmes une autre petite clairière, nous décidâmes d'y camper jusqu'au lendemain. Un groupe de dindes sauvages s'engouffra dans les sous-bois dès que nous nous avançâmes sous les rayons du soleil.

Laura s'était affaiblie au point de ne plus trouver assez d'énergie pour parler. Je lui redonnai des antibiotiques, de l'aspirine, et deux antalgiques sur les six qui restaient. Elle n'avait pas de fièvre, le pansement était propre, mais ses forces diminuaient.

Sherlock balaya le périmètre de notre campement à l'aide du filet qui servait à transporter les bouteilles. Grâce à l'ensoleillement de la clairière, elle parvint à dégager complètement un sol presque sec.

— Il faut que l'oxygène circule au maximum pour que notre feu brûle le mieux possible, expliqua-t-elle.

J'allai ramasser du petit bois avec Savich. Nous trouvâmes effectivement du hêtre que Laura nous avait recommandé. Sherlock entreprit de creuser un petit fossé autour de nous afin d'éloigner les bestioles. Savich utilisa les ciseaux de la boîte à pharmacie pour faire des incisions dans le petit bois.

— Ça permet au feu de prendre plus vite, nous informa-t-il. Un truc de mon grand-père.

Nous utilisâmes aussi des herbes sèches et de l'écorce de hêtre. Quand tout fut prêt je tendis les allumettes à Savich et m'émerveillai de constater que le feu prenait immédiatement. Malgré la chaleur des flammes, nous regardâmes bouche bée le brasier naissant.

— Je mangerais bien un hot-dog, ou des chips avec des pickles à l'aneth, dit Sherlock.

— Moi, des galettes de maïs avec du piment, avoua Savich en se frottant les mains.

Derrière lui, une branche vibra : un gecko à taches brunes sortit la tête de derrière l'arbre, nous observa, puis s'aplatit si bien sur l'écorce que j'aurais pu jurer qu'il s'était enfui.

— Je mangerais peut-être le hot-dog avec des cornichons, rêva Sherlock. Oublions les pickles à l'aneth, ajouta-t-elle, tournée vers Laura qui se reposait, muette.

Devenus les personnages d'un tableau de Jérôme Bosch, nous réussîmes pendant un moment à croire à une scène ordinaire, à faire tomber le rideau sur notre invraisemblable odyssée. A l'approche de la nuit, on s'affaira dans la végétation environnante. Un tas de coléoptères et leurs cousins trottinèrent dans tous les sens, affamés. Je souris à Laura.

— Nous sommes des génies. Regarde ce feu !

Mais Laura avait le regard rivé ailleurs, sur sa droite,

juste à la limite de notre campement marquée par le fossé de Sherlock. Blanche comme un linge, elle prononça mon nom d'une voix étranglée.

Le Bren Ten au poing, je me retournai lentement.

30

Dressé sur ses pattes postérieures, toutes griffes dehors, un tatou brun doré nous fixait de ses petits yeux ronds. Oh ! ce n'était pas l'un de ces tatous de taille réduite qui se fait de temps à autre écraser par une voiture sur une autoroute texane, mais un animal gigantesque, comme je n'en avais vu qu'en photo. Il avait un long museau, et ses babines se retroussaient de plus en plus.

— Ce n'est pas un carnassier, murmura Laura. Il ne mange que des vers.

— Ah, je me sens mieux ! dis-je en baissant le Bren Ten, heureux d'éviter le bruit d'une détonation qui aurait pu nous faire repérer.

Savich m'envoya une pierre que je lançai à quelques centimètres du tatou. L'animal émit un drôle de sifflement et, à notre grand soulagement, disparut dans la végétation.

Il était temps de nous restaurer. Savich pela des mangues avec les ciseaux de la pharmacie, tandis que j'épluchais les bananes.

Quels risques courons-nous ? me demandai-je avant d'en porter un morceau à ma bouche. Non, nous ne risquions ni de nous empoisonner ni d'attraper la diarrhée avec des fruits qu'on venait d'éplucher. Nous mangeâmes seulement deux mangues, une banane, et parachevâmes notre repas avec l'une de nos précieuses friandises.

— Il n'est que 20 heures, remarqua Sherlock. Quant à la date, qui saurait dire quel jour nous sommes ?

— Vendredi, affirma Savich. Nous devrions en ce moment mettre Sean au lit et ensuite redescendre au salon déguster un super café.

Ces douces images firent naître le sourire de Sherlock. Elle se pencha ensuite sur Laura, posa sa main sur sa joue, puis tâta son front.

— Mac, il y a longtemps que tu lui as donné de l'aspirine ?

— Deux heures.

— Elle a de la fièvre. Il faut la faire boire. Beaucoup. C'est ce que le médecin me recommande quand Sean a une forte fièvre.

J'avais déjà connu des nuits très longues, mais comme celle-là, jamais. Jusqu'au matin, nous eûmes droit à une cacophonie de crissements infernale. Un tas de choses rampèrent autour de nous, tandis que d'autres volaient au-dessus de nos têtes. Mais rien ne fut plus terrible que ce concert discordant.

Savich maintint le feu allumé. Tatous géants et serpents nous laissèrent en paix.

Je somnolais lorsque je sentis Laura trembler à côté de moi. Ce sont les soubresauts provoqués par la fièvre qui s'estompe, pensai-je. Je la fis boire autant que je pus, puis l'installai plus confortablement contre moi. Elle cessa de trembler et, pendant plusieurs heures, put au moins dormir d'un sommeil intermittent.

Il devenait urgent de retrouver la civilisation, mais avec notre veine, nous risquions encore de tomber sur d'autres trafiquants de drogue.

Le lendemain matin, nous bûmes une bouteille d'eau, mangeâmes deux autres mangues et savourâmes notre dernière barre chocolatée.

Au moment de nous remettre en route, Savich me regarda, les bras ouverts. Je secouai la tête en serrant Laura plus étroitement contre mon torse.

— Mais si, donne-la-moi ! me dit-il. Tu en fais trop, Mac. Tu es à peine remis de ta mésaventure tunisienne. Prends la machette jusqu'à midi. Ensuite, on inverse les rôles.

Je n'eus pas besoin de la machette : aucun obstacle ne se dressa devant nous. Une véritable bénédiction.

La fièvre de Laura était tombée depuis l'aube, mais elle restait affaiblie. Sa plaie, rouge et boursouflée, n'était cependant pas infectée. Je lui appliquai le reste de la pommade antibiotique. Sa peau était chaude, ce qui n'était pas forcément un signe alarmant, mais il ne demeurait pas moins urgent de sortir de ce cloaque. Nous arrivions au bout des réserves de médicaments, de nourriture et d'eau. Je priais pour qu'apparût un médecin parlant notre langue et agitant une sacoche noire dans notre direction.

Pendant que Savich portait encore Laura, j'imbibai d'eau le bord d'une de ses chemises et l'utilisai pour lui rafraîchir le visage. Quand je la vis ouvrir la bouche, je lui donnai à boire.

— J'ai l'impression que nous avions un peu bifurqué vers le sud avant de nous arrêter hier soir, remarquai-je. Nous devons reprendre vers l'ouest, et garder ce cap.

— On ne peut pas être complètement perdus, dit Sherlock en enlevant un insecte sur son genou. La planète est petite, non ?

— Tu as raison, observa Savich. Passe devant, Sherlock.

Mac, tu fermes la marche. Et on ouvre les yeux : j'ai une terrible envie de bananes.

Lorsqu'une averse tomba en fin de matinée, Sherlock confectionna de nouveau un entonnoir avec des feuilles et réussit à emplir une bonne demi-bouteille d'eau. Les cheveux sur son visage couvert de piqûres d'insectes, elle brandit son trésor en souriant comme une folle, fière comme un paon.

Si nous ne pûmes éviter d'être trempés jusqu'aux os, Savich parvint à protéger la plaie de Laura contre le déluge.

Tandis que le sol redevenait de la boue, nous tombâmes de nouveau sur une végétation enchevêtrée. Je repris la machette, les articulations en feu. Heureusement, nous atteignîmes bientôt une petite zone dégagée, en plein soleil. Aussitôt, Savich allongea Laura sur une couverture ; il en prit une autre pour envelopper une bouteille, et faire ainsi un oreiller qu'il mit sous sa nuque.

Grâce au soleil, nous dénichâmes rapidement du petit bois, et dix minutes nous suffirent cette fois-ci pour allumer un feu.

— J'ai toujours aimé ces fruits, déclara Savich en pelant une mangue.

Il en donna une tranche à Sherlock, puis m'en tendit une que j'approchai des lèvres de Laura. Avec bonheur je constatai qu'elle avait encore de l'appétit et, comme dopée par la mangue, elle s'assit tout à coup et demanda :

— Sherlock, ressentez-vous parfois l'impression d'être en manque, depuis que vous avez pris cette drogue ?

— Grâce à Dieu, non ! Pourquoi cette question ? Oh, je vois ! Si une drogue ne crée pas de dépendance, un dealer n'y retrouve pas son compte.

— Exact. Et toi, Mac ?

— Non, je n'ai rien ressenti de tel, non plus.

— Vous n'y avez peut-être pas suffisamment goûté. Il faut peut-être plus de trois doses pour devenir accro.

— Tu crois que Jilly était accro, Mac ? demanda Sherlock.

— Oui, répondis-je à contrecœur.

— Je me demande qui d'autre, à Edgerton, a expérimenté cette substance.

— Je parierais que Charlie Duck en avait pris. Le légiste m'a dit qu'il avait trouvé quelque chose de bizarre dans son sang ; il se proposait de faire des tests supplémentaires. L'ex-flic cherchait probablement à comprendre de quoi il retournait.

— Et il n'en fallait pas plus pour qu'on le supprime, observa Laura.

— Ça se tient, remarqua Savich en mangeant un morceau de banane.

— Mac, dit soudain Sherlock, tu as eu ce lien psychique avec Jilly quand elle a franchi la falaise. Tu n'as pas compris ce qui s'était passé. Eh bien, il t'est peut-être arrivé la même chose ici, quand tu as cru qu'elle venait te voir pour te mettre en garde.

— Il n'y a sans doute pas d'autre explication, intervint Savich en pliant la peau de sa banane. Ou alors, c'était un effet de la drogue cette fois-ci.

— Drogué, je l'étais, c'est certain. Cela dit, j'espère que cela signifie que Jilly est toujours en vie. Bon dieu, c'est dur ce genre d'incertitude ! ajoutai-je en touchant le front de Laura. Comment te sens-tu ?

— Quelque chose monte le long de ma jambe, là, à l'extérieur.

Du dos de la main, je balayai la salamandre qui grimpait effectivement sur sa jambe. Le petit amphibien agita sa queue puis s'empressa de disparaître dans la végétation.

Savich tailladait de petites branches afin d'alimenter rapidement le feu, et s'y prenait si bien qu'il semblait s'adonner à un travail d'artiste. Je cessai de le regarder lorsque j'entendis Laura gémir, les paupières closes, blanche comme un linge, les lèvres bleuies. Aussitôt je lui fis avaler de l'aspirine, tout en remarquant que la pharmacie se vidait dramatiquement.

Nous parcourûmes laborieusement quelque trois kilomètres supplémentaires en terrain boueux avant de nous arrêter pour la nuit. Le lendemain matin, Laura, toujours aussi faible, était fiévreuse et secouée de frissons, sa plaie plus rouge et plus enflée. Nous ne pouvions plus nous faire d'illusions : son état empirait. Il fallait trouver un hôpital, et nous nous remîmes en route dès le lever du soleil.

Savich portait Laura, pendant que je déblayais le chemin.

— Gardons le cap à l'ouest, rappelai-je.

A 9 heures, nous trouvâmes un régime de bananes que Savich s'empressa de cueillir dans un concert de protestations. La bande de singes qui voyait s'envoler son petit déjeuner s'abstint tout de même de nous tomber sur le dos.

Aux alentours de midi, respirant une odeur inattendue, je m'arrêtai net, levai la tête et reniflai l'air. Il était si intensément iodé que je crus avoir du sel sur la langue. J'allais pousser un cri quand j'entendis des hommes parler d'une voix forte, tout près de nous.

— Oh, non ! fit Sherlock.

Elle recula en laissant tomber ce qu'elle portait à l'exception de son AK-47.

— Comment ont-ils réussi à nous retrouver ? Merde, ce n'est pas juste !

Laura dormait ou était inconsciente dans les bras de Savich, qui s'écarta pour me laisser rejoindre Sherlock.

— Ils ne se préoccupent pas d'être entendus, murmurai-je. Je me demande combien ils sont. Est-ce qu'ils se seraient déployés dans la forêt ?

— Je sens l'iode maintenant, Mac. On doit être près de l'océan.

Les voix s'éloignèrent. Puis je fus stupéfait d'entendre, dans notre langue, des femmes, des éclats de rire, des appels, encore des rires, des échanges joyeux. C'était incroyable.

La végétation se fit de moins en moins dense. Je repris la tête du groupe, le Bren Ten à la main, Sherlock fermant la marche et Savich, qui portait Laura, entre nous. Tandis que nous accélérions le pas, j'aperçus des perroquets verts voler entre les bananiers ; du rouge et du jaune dans un amas de verdure. L'odeur de l'océan s'accentuait ; la forêt s'éclaircissant, le soleil parvenait jusqu'à nous. Une brise me caressa le visage. Je franchis un ultime rideau de feuillage et posai le pied sur du sable blanc. Savich et Sherlock en eurent le souffle coupé. Nous restâmes quelques instants immobiles, les yeux écarquillés.

Au sortir de la forêt vierge s'étendait devant nous une plage de sable d'une blancheur de diamant. Je n'avais jamais rien vu de plus beau.

A moins de deux cents mètres, une vingtaine d'hommes et de femmes en maillot de bain jouaient au volley-ball. On apercevait des serviettes de plage, deux châteaux de sable, des parasols, des chaises longues et, installé sur un haut tabouret, un maître nageur.

Laura eut un petit bruit de gorge, ouvrit les yeux et me regarda.

— Que se passe-t-il ?

— Je crois que nous avons finalement eu de la chance,

ma chérie. Accroche-toi encore un peu, et nous allons la prendre, cette douche dont nous rêvions.

Les rires s'interrompirent soudain sur la plage. Tout le monde se tourna vers nous. Deux des hommes firent signe aux autres de ne pas bouger tandis qu'ils s'avançaient vers nous. Je laissai retomber ma main armée du Bren Ten, et Sherlock cessa de brandir son AK-47, l'air un peu plus détendu.

— Nous avons besoin d'aide, criai-je. Nous avons une blessée.

Les femmes s'empressèrent de rejoindre les hommes. L'un d'eux courut vers nous. Petit, très bronzé, il portait des lunettes et un chapeau vert.

— Je suis médecin, expliqua-t-il, essoufflé, en arrivant devant nous. Mon Dieu ! Que vous est-il arrivé ? Qui est blessé ?

— Par ici, dit Savich.

Avec précaution, il allongea Laura sur une couverture que Sherlock venait d'étaler précipitamment sous un palmier. Je découvris le pansement, puis le médecin s'agenouilla près de moi.

— Une balle lui a traversé l'épaule il y a deux jours, expliquai-je. Grâce à Dieu, j'ai trouvé une boîte à pharmacie. Je ne lui ai pas fait de points de suture par peur de l'infection. J'ai changé le pansement chaque jour et nettoyé la plaie de mon mieux. Mais j'ai l'impression qu'elle s'est tout de même infectée.

Un cercle d'hommes et de femmes se forma autour de nous. Savich leur sourit, mais il avait tout d'un sauvage crasseux et redoutable avec son pantalon boueux et sa barbe de plusieurs jours. Il fallut que Sherlock éclate soudain de rire pour que l'atmosphère s'allège.

— Après deux jours passés dans cette forêt, dit-elle, où sommes-nous arrivés ? Au Club Med ?

Les femmes et les hommes se regardèrent.

— Non. Notre hôtel se trouve un peu plus au nord, le long de la côte, répondit l'un des estivants.

En maillot de bain à rayures rouges et blanches, trop grand pour lui, il scrutait nos visages.

— Vous avez perdu votre guide ?

— Nous n'en avions pas, répondit Sherlock. Où sommes-nous ?

— Dans le parc national de Corcovado.

— A proximité de Dos Brazos ? demandai-je en me débarrassant d'un insecte sur mon cou.

— Oui. Dos Brazos est situé au sud-est de la forêt.

Ouvrant les yeux, Laura regarda le médecin qui soulevait lentement son pansement.

— Ça ira. La plaie n'est pas trop infectée. Mais il faut que vous alliez à l'hôpital. Comment vous appelez-vous ?

— Laura. Et vous ?

— Tom. Je suis en voyage de noces. Et c'est un pays de rêve, ici. Enfin, pas pour tout le monde apparemment. Que s'est-il passé ?

— Nous sommes quatre agents fédéraux ; nous avons eu affaire à des trafiquants de drogue, expliqua Laura. J'ai reçu une balle. Nous avons passé les deux derniers jours dans la jungle.

Le médecin s'assit sur ses talons puis se tourna vers une femme, très grande.

— Glenis, va dire au surveillant que nous avons besoin d'un hélicoptère immédiatement. C'est une urgence médicale.

— Il faut aussi que la police vienne, dis-je.

— Ils seront ici dans un moment. Le poste de police de

Sirena est tout près. Vous avez vraiment bien soigné votre blessée. Elle n'est pas en danger.

— Merci.

— Je veux un margarita, dit Laura. Avec beaucoup de citron vert.

Regardant ceux qui nous entouraient, je remarquai :

— J'ai entendu parler de ce parc national. On ne serait pas au Costa Rica ?

Une femme en string rouge vif hocha la tête.

— Où pensiez-vous être ?

— En Colombie. Mais ça tombe bien ! J'ai toujours eu envie de visiter le Costa Rica.

— Pas étonnant que la faune ne se soit pas affolée en nous voyant, remarqua Sherlock.

— Vous avez rencontré des gens ? demanda l'un des hommes.

— Oui, mais infréquentables, répondit Sherlock. Nous avons marché en direction de l'ouest afin de ne pas nous égarer davantage.

— Vous n'avez pas vu le téléphérique fonctionner au-dessus de la forêt ? demanda Tom, le médecin. Non ? Pourtant, hier, nous l'avons emprunté. Quelle vue étonnante !

Il me tendit la main en me disant :

— Bienvenue à Playa Blanca.

31

Je regardais Tom quand j'entendis Laura s'étouffer. En un éclair, je m'accroupis près d'elle, la soulevai et la pris dans mes bras. Elle était secouée de violents tremblements.

— Laura ?

— Non ! me cria Tom.

Me repoussant, il lui ouvrit les paupières, lui prit le pouls puis, immédiatement, réclama des serviettes de plage.

Ses compagnons arrivèrent en courant, les bras chargés de draps de bain multicolores, décorés de perroquets, de léopards et de soleils radieux. Il en mit au moins six sur Laura, humecta un coin de l'une d'elles, le posa sur son front, puis s'assit sur ses talons.

— Qu'on m'apporte aussi des boissons fraîches. Et sucrées, surtout.

Quelqu'un lui tendit une bouteille de soda.

— Soulevez-lui la tête, m'ordonna-t-il. Il faut qu'elle avale ça.

Surpris de la voir boire aussitôt, je me dis qu'elle devait répondre à un instinct de survie.

— Le sucre lui fait du bien, expliqua Tom. Et elle avait sérieusement besoin de s'hydrater. Où est l'hélicoptère ? cria-t-il à la cantonade.

— Le surveillant dit qu'il sera là dans dix minutes.

Tous s'étaient assigné une tâche. Certains apportaient des boissons, d'autres de la nourriture, des sprays anti-moustiques, des serviettes de plage. Une femme en string, particulièrement sexy, traîna un grand parasol jusqu'à Laura afin de mieux la protéger du soleil.

Une éternité sembla passer. Puis, apaisée, elle ouvrit enfin les yeux et plongea son regard dans le mien. Elle avait le teint blafard mais son regard était clair. Enfin elle était revenue à elle. Elle me sourit. Tom lui redonna du soda.

— Vous tenez bien le coup, Laura, dit-il. Continuez comme ça. Respirez lentement, sans forcer. Oui, voilà. Ne replongez pas. D'accord.

— D'accord, répondit-elle d'une voix encore faible.

— Je vois l'hélico, dis-je. Ne me laisse pas tomber maintenant, Laura. Je serais vraiment très contrarié, et je crois que Tom deviendrait fou. Concentre-toi sur ta respiration, mais n'oublie pas de me sourire toutes les deux minutes. J'ai besoin d'être rassuré. OK ?

— Ça va, murmura-t-elle. C'est très douloureux, mais je peux le supporter. Comment trouves-tu mon sourire ?

— Je n'en ai jamais vu de plus beau. Tu sais, je suis désolé, mais je n'ai plus d'antalgiques. Quand la douleur s'accroît sérieusement, serre ma main dans la tienne.

Lorsque l'hélicoptère se posa sur la plage, j'étais à bout de résistance. Deux hommes portant chacun un brancard en bandoulière, et une femme munie d'une sacoche noire coururent vers nous. Pour la première fois, je fus réellement convaincu que Laura s'en sortirait. Je faillis pleurer de soulagement.

Au moment du décollage, je lui tenais la main alors qu'un des infirmiers la mettait sous perfusion.

— Ce n'est que de l'eau, du sucre et du sel,

m'expliqua-t-il. N'ayez aucune inquiétude. Le médecin m'a dit qu'elle avait bu du soda. Mais ça, c'est encore mieux.

— Elle est déshydratée, précisa une jeune infirmière qui portait une casquette de base-ball à l'envers.

La jeune femme mit un masque à oxygène sur le visage de Laura.

— Elle est allergique à certains produits ?

— Je n'en sais rien.

— Je vais lui injecter un antibiotique qui est généralement bien toléré. C'est votre femme ?

— Pas encore.

Un infirmier examina Sherlock pendant que l'hélicoptère prenait de l'altitude et offrait une vue panoramique de la forêt. Touffue, d'aspect hostile, elle était avant tout d'un vert si dense qu'il suffisait de la regarder pour se sentir transformé en humus. Un épais brouillard stagnait, çà et là, au ras des arbres, en accentuant l'aspect mystérieux d'un monde qui ne semblait pas fait pour les hommes.

Nous avions survécu. Survécu, oui, et à de sérieuses épreuves. Il était d'autant plus surprenant de penser que des touristes pouvaient faire une balade en téléphérique au-dessus de cette jungle, appareils photo et sodas à la main.

En raison du bruit du rotor, nous préférions éviter de nous époumoner, et nous restions là, le regard fixé sur l'immense forêt vierge qui avait été à la fois une prison et un paradis.

L'infirmière à la casquette de base-ball me toucha l'épaule. Je me penchai tout près d'elle.

— Nous allons directement à San José. La *señorita* a besoin d'un bon hôpital.

— Ce sera encore long ?

— Environ une heure.

Je pris la main de Laura qui marmonnait, à demi inconsciente. Le vol me parut extrêmement long. J'aurais préféré visiter le Costa Rica dans d'autres circonstances.

Quand l'hélicoptère finit par se poser sur le parking de l'hôpital San Juan de Dios, deux brancardiers nous attendaient. Ils emmenèrent Laura, sa longue chevelure humide et emmêlée sur le côté. Mais je la trouvais quand même magnifique, sa chevelure. Bon sang, j'étais tellement amoureux que j'aurais admiré son crâne brillant si Laura avait été chauve !

La jeune infirmière se tourna vers moi en souriant.

— Allez au troisième étage quand ils vous auront tous examinés. Elle sera en chirurgie.

Sherlock prit mon bras et m'entraîna vers le service des urgences.

— Nous nous en sommes sortis, Mac, me murmura-t-elle. Ne te fais pas de mauvais sang pour Laura. Elle se rétablira vite.

Une heure plus tard, les examens étaient terminés. Nous nous étions un peu rafraîchis, mais Savich et moi ressemblions encore à des sauvages avec notre barbe de plusieurs jours, nos treillis sales et déchirés, et de grosses piqûres d'insectes sur le cou et les mains. Quant à Sherlock, le visage blême, couvert de terre, nimbé d'une crinière rousse en bataille, elle faisait penser à une petite orpheline. Je me penchai sur sa joue et l'embrassai en respirant une odeur de produit antimoustiques.

J'appelai le patron de Laura, Richard Atherton. Savich joignit à la fois le sien, Jimmy Maitland, et le mien, Carl Bardolino. Nous fîmes un rapport détaillé de la situation, un rapport d'une heure qui, par moments, arracha à Atherton d'énormes jurons. Nous fûmes d'accord pour qu'ils informent notre ambassade et chargent les autorités locales de notre protection. Il fut prévu de prendre d'assaut le repaire de Molinas avec l'aide de la police costaricaine. A Edgerton, nos agents étaient partout, interrogeaient tout le monde, mettaient la ville sens dessus dessous. J'eus peur en pensant à ma sœur.

Savich appela ses parents et je l'entendis, avec Sherlock, parler à leur petit Sean. Puis le Dr Manuel Salinas vint vers nous.

— Vous vous êtes très bien débrouillés, nous félicita-t-il. Je peux vous dire que je suis surpris que Mlle Bellamy ait pu survivre à un séjour dans l'humidité de cette forêt avec sa blessure. Vous avez vraiment su vous occuper d'elle. Nous avons nettoyé la plaie. Fort heureusement l'infection n'était pas profonde. Nous avons fait des points de suture. Pour l'instant, elle est encore sous l'influence des médicaments, mais elle va bien. Vous pourrez bientôt la voir. Excellent travail, insista le médecin en me serrant la main. J'aimerais la garder quarante-huit heures, afin d'éviter toute éventuelle complication. Ensuite vous pourrez tous rejoindre les Etats-Unis.

J'aurais voulu embrasser cet homme.

Rassurés, nous laissâmes Laura pour aller acheter des vêtements. Comme nous n'avions sur nous ni portefeuille ni carte de crédit, le Dr Salinas accepta de nous dépanner. De retour à l'hôpital, nous prîmes tous trois une douche et nous changeâmes dans le vestiaire du médecin. Ensuite, vêtus de neuf, nous nous restaurâmes en attendant l'arrivée de la police. On nous interrogea et on nous plaça sous haute protection, ce qui nous soulagea étant donné la ténacité des hommes de Molinas. Nos interlocuteurs, visiblement préoccupés et coopérants, acceptèrent d'attendre les représentants du FBI et des stups. Un inspecteur nous apprit qu'il avait entendu parler d'une ancienne caserne près de Dos Brazos. Il s'étonna cependant que des trafiquants de drogue aient osé s'en servir dans un pays comme le Costa Rica, qui ne faisait preuve d'aucune clémence envers eux.

La journée sembla s'éterniser. Laura dormit presque constamment. Nous nous rangeâmes à l'avis des six officiers de police qui nous incitaient à passer la nuit à l'hôpital sous leur surveillance.

Le lendemain matin, de la chambre de Laura où nous parlions doucement afin de ne pas la réveiller, j'entendis une voix d'homme dans le couloir. Soudain, la porte s'ouvrit et Savich se leva d'un bond.

— Ah, monsieur ! Ce que je suis heureux de vous voir !

Jimmy Maitland, son patron, fit irruption dans la pièce comme un attaquant monte au but. Un grand sourire fendit son visage dès qu'il découvrit ses deux agents.

— S et S, heureux de constater que vous êtes sur pied ! Je vous avouerai que je ne suis pas mécontent non plus d'avoir toute cette histoire derrière moi, ou presque.

Maitland prit Sherlock dans ses bras puis serra la main de Savich. Derrière lui s'avançait mon patron, Carl Bardolino, un homme pour qui j'étais fier de travailler, un homme d'une loyauté forcenée envers ses agents ; exactement comme Maitland avec les siens. Un mètre quatre-vingt-dix, cent kilos, il était d'une souplesse qui lui permettait d'envoyer tout le monde au tapis.

— Monsieur, dis-je, bienvenue au Costa Rica.

— Content de vous revoir entier cette fois-ci, Mac.

Un troisième homme, que je voyais pour la première fois, s'avança vers le lit de Laura. Je sentis d'emblée qu'il n'appartenait pas au FBI. Je sus aussi qu'il n'allait pas me plaire.

— Nous avons rencontré ce monsieur à l'aéroport, expliqua Maitland. Il est des stups. Nous l'avons pris avec nous parce qu'il est le patron de Laura Bellamy, du moins c'est ce qu'il dit. Je vous présente Richard Atherton.

Grand, mince, très blond, Atherton respirait le dédain, et je le trouvai trop bien habillé pour un agent fédéral. Je remarquai ses mocassins de cuir, à petits glands, puis je lui dis :

— Je n'étais pas en mission à Edgerton. J'y faisais un séjour privé, dans le but d'aider ma sœur. Vous vous êtes trompé de bout en bout.

— C'est ce que vous m'avez raconté au téléphone, dit-il à l'adresse de Bardolino.

Il posa un instant son regard sur Laura, puis se tourna vers Savich :

— Et j'imagine que vous, vous rendiez visite à un ami...

— Exact. Je suis sûr que vous avez également appris qu'on a tenté de tuer Mac. Sherlock et moi n'aimons pas beaucoup qu'on essaie de supprimer nos amis.

— Ah ! C'est vous, Sherlock ? L'agent qui a descendu le tueur à la corde ? demanda Atherton avec une admiration évidente.

Savich fronça les sourcils, et Sherlock tiqua. Je compris qu'elle revivait les cauchemars inspirés par le souvenir de cette chasse à l'homme. Ignorant la question, elle s'adressa à Bardolino et à Maitland :

— Les flics tiennent à investir cette ancienne caserne. Je leur dis que vous êtes ici et prêts à y aller ?

— Nous les avons déjà vus, Sherlock. Un plan commun est arrêté, répondit Maitland.

— C'est notre affaire, intervint Atherton. Pas celle du FBI. C'est à moi d'être informé en premier.

— Vous êtes toujours aussi con ? lui demandai-je.

Il s'avança vers moi, l'air hésitant, puis s'immobilisa.

— Laura m'avait dit que vous étiez ambitieux, sans me dire que vous étiez aussi un crétin, ajoutai-je. Ce n'est pourtant pas ce que l'on exige d'un patron des stups, si ?

La main sur la bouche, Maitland toussa tandis qu'Atherton faisait un pas de plus vers moi.

— Non, fit Savich à son oreille, en lui prenant le bras. Croyez-moi, Atherton, ce ne serait pas malin. Moi aussi je trouve votre attitude inappropriée, et si vous voulez sauvegarder vos jolies couronnes, je vous conseille de vous asseoir et d'écouter. Il est temps que nous coopérions sans restrictions. Ce n'est pas un jeu. Regardez Laura. Elle a vraiment failli y laisser la peau.

— Ouais, parce qu'elle a désobéi à mes ordres.

Ça, je savais que c'était exact.

— Vrai ! m'écriai-je. De fait, nous avons tous les quatre foncé tête baissée. Mais je peux vous dire que nous l'avons payé.

— Vous avez fait capoter mon opération.

— C'est à démontrer, intervint Maitland. En ce moment même, nos agents fouillent Edgerton de fond en comble.

— Nous voulions demander des renforts, expliqua Sherlock, mais nous avons été pris de court. Ils nous sont tombés dessus dès le premier soir.

— Ce qui est fait est fait, intervint Maitland. Carl et moi connaissons les méthodes de francs-tireurs de S et S, et réglerons nos comptes plus tard. Quant à Mac, encore une fois, il n'était pas en mission. Maintenant nous sommes là-bas, sur le terrain, et si Tarcher et Paul Bartlett sont impliqués dans ce trafic de drogue, nous ne manquerons pas de le prouver.

S'éloignant de moi, Atherton se tourna vers Maitland, le regarda durement et soupira.

— Soit ! Mais s'il y a une chance de coincer Del Cabrizo, je veux faire partie de l'opération. Malheureusement je pense qu'ils ont commencé par vous neutraliser dans le seul but de se donner le temps de fermer boutique et d'effacer tout indice.

Toujours aussi diplomate, Maitland lui répondit :

— Del Cabrizo serait en effet une belle prise pour les stups. Nous ferons notre possible.

— Dès à présent, précisa Bardolino, nous pouvons décréter qu'il s'agit d'une collaboration entre nos services. Ça vous va, Atherton ?

Ce dernier acquiesça, le regard tourné vers Laura, toujours sous oxygène et perfusion, plus pâle qu'une morte. Il s'approcha d'elle et lui toucha l'épaule. Finalement, il se souciait peut-être un peu de son sort.

Avec un filet de voix, elle sortit soudain de son mutisme.

— Je vous en prie, coincez Molinas. Il a voulu se faire passer pour un être noble, soucieux du sort de sa fille, mais ce n'est qu'un salaud. Il se fichait qu'on meure ou qu'on devienne fous. Il est aussi pourri que Del Cabrizo.

Laura battit des paupières, ferma les yeux et appuya sa joue sur l'oreiller.

— Il est temps que nous allions ensemble voir de quoi il retourne dans cette ancienne caserne. La coopération FBI-stups est en marche, annonça Maitland.

32

— Allez, raconte, Mac ! Que s'est-il passé ?

— Molinas est mort, répondis-je à Laura. Exécuté par les gens de Del Cabrizo qui sont arrivés avant nous.

— Il avait peur de lui, en effet.

— Il pouvait ! Malheureusement, sa fille a disparu. D'ailleurs, il n'y avait plus personne quand nous avons débarqué là-bas. Les Costaricains ont incendié les bâtiments, afin d'éviter qu'une telle situation se renouvelle. Ils font également effectuer des patrouilles aériennes.

— Pas de nouvelles d'Edgerton ?

— On a perquisitionné chez les Tarcher. Leurs dossiers seront passés au crible. Pour l'instant, leurs documents financiers ne révèlent rien. Paul s'est volatilisé avec tout ce qu'il y avait dans son labo, y compris, bien sûr, l'ordinateur. Tarcher fait l'innocent. Pour le moment, on ne peut retenir aucune charge contre lui. Quant à Jilly, elle est toujours dans la nature. En bref, on n'avait encore rien dans les mains il y a deux heures.

J'aidai Laura à se caler contre l'oreiller.

— Voilà, c'est mieux ! me dit-elle. Mais tu ne m'as pas parlé de Charlie Duck, des traces de drogue dans son sang.

— Tarcher raconte qu'il ignore comment Charlie s'est

procuré cette drogue. Selon lui, c'est peut-être Paul qui l'a tué.

Je posai un baiser sur la main de Laura. Sa peau était douce et lisse. Elle prit ma main et la serra avec une force renouvelée.

— Comme tu peux l'imaginer, Maggie Sheffield est furieuse. Atherton et elle sont comme chien et chat. Ou comme deux chiens sur le même os, si tu préfères. Mais dans la bouche d'Atherton, ça a donné : « Ce shérif nous gonfle ! »

Laura éclata de rire.

— Qu'allons-nous faire, Mac ? me demanda-t-elle ensuite.

J'embrassai ses lèvres, le bout de son nez et posai un troisième baiser sur son oreille.

— Nous restons ici jusqu'à ce que tu sois en état de voyager. Après... il faudra que je retourne à Edgerton. Je veux retrouver Jilly.

— Laisse-moi encore quarante-huit heures, Mac, et nous irons là-bas ensemble.

Quatre jours plus tard, nous débarquions tous les quatre à Portland, dans l'Oregon. Sherlock et Savich refusaient de nous abandonner.

A l'aéroport, Savich loua une Toyota Cressida et moi, une Ford Explorer. Nous eûmes droit à des regards soupçonneux. Toutefois l'agence de location avait récupéré les voitures que nous avions louées la première fois, réparations faites et factures réglées.

Je suivis la Toyota rouge de Savich. Une bonne heure plus tard, nous nous arrêtâmes devant chez Paul. Il était 14 heures, un jeudi, début mai. Un épais brouillard coiffait la falaise et venait se répandre jusqu'à la maison, située à moins de mille cinq cents mètres de l'océan.

Aux alentours, personne ne risquait de me voir forcer la porte d'entrée. Savich me couvrit comme il le put tandis que j'entrais dans la maison.

— On ne peut pas dire que tu commettes vraiment une effraction, remarqua-t-il. Après tout, c'est chez ta sœur.

A l'intérieur, l'atmosphère me parut froide et artificielle, comme d'habitude. De plus, toute trace de vie avait disparu. Si Paul avait laissé derrière lui des notes, des revues, de l'équipement, la police avait déjà tout embarqué. Cela dit, à mon avis, il avait lui-même fait le ménage.

— Cherchons quand même, dit Laura. On ne sait jamais.

Tout en chantonnant, Sherlock se dirigea vers les pièces du fond tandis que je restais dans le séjour à me demander où Paul aurait éventuellement eu l'idée de cacher quelque chose.

Je regardai les tableaux, les baies vitrées, les meubles, tous ces noirs et ces blancs réfrigérants que je continuais à détester. Une demi-heure plus tard, je rejoignis Savich dans le labo de Paul. Le nez dans un placard vide, il fredonnait un air de country.

Je regardai attentivement la pièce tout en longueur, à la recherche, j'imagine, de quelque chose d'intrigant. Mais ce fut en vain.

Savich ressortit la tête du placard.

— J'ai même ausculté les murs, me dit-il. Et ça n'a rien donné. Allons chez Tarcher. Je serais curieux de voir leur tête quand nous débarquerons.

— Ecoute, j'aimerais qu'on passe d'abord chez Rob Morrison. Maggie m'a dit que Jilly couchait avec lui. Il n'est peut-être pas dans le coup, mais il peut savoir quelque chose.

Devant le bungalow de Morrison, nous ne trouvâmes aucune trace de pneus récente. L'endroit était désert et semblait l'être depuis plusieurs jours.

Savich essaya d'ouvrir la porte et constata qu'elle était fermée à clef.

— Je prends ça à mon compte, Mac, me prévint-il.

Il sortit son petit matériel, s'attaqua à la serrure, mais sans succès.

— Intéressant, remarqua-t-il.

— Tu peux le dire, observa Sherlock. Pourquoi barricader une cabane de cette façon ?

— Bonne question.

Je passai derrière le bungalow et cassai en douceur la grande vitre au-dessus de l'évier. Cette fois-ci c'était à coup sûr de l'effraction pure et simple.

Evitant soigneusement de me couper, je me hissai à l'intérieur et, de l'évier, sautai sur le lino. Le système de verrouillage de la porte d'entrée tenait de l'œuvre d'art. Je dus réfléchir une minute avant de trouver l'ordre d'ouverture des trois verrous.

— C'est un homme qui vit ici ? s'étonna Sherlock. Seul ? Regarde, Dillon, c'est nickel, comme chez nous après le passage de la femme de ménage.

— Morrison a aussi quelqu'un qui fait le ménage. Un ancien pêcheur qui travaillait en Alaska, M. Thorne. Je ne l'ai jamais rencontré mais à l'évidence il est efficace.

Nous pûmes constater en vingt minutes que nous ne tenions rien de nouveau. Nous n'avions trouvé qu'un dossier d'assurance, des bilans médicaux, des factures de garagistes et quelques vieilles lettres de la famille. Çà et là étaient disposées quelques photos encadrées, dont une de

Jilly, retournée sur la table de nuit, qui me donna un coup au cœur. Debout sur une falaise, en robe d'été, elle arborait un grand sourire et portait des lunettes noires.

— Il y a une remise à côté de la maison. Je vais aller y jeter un coup d'œil, annonça Savich.

Nous le suivîmes. La remise devait dater de Mathusalem. Elle empestait le moisi. La porte était fermée à clef mais suffisamment branlante pour qu'un coup de poing de Savich suffît à l'arracher à ses gonds. Aussitôt une odeur pestilentielle nous assaillit.

— Qu'y a-t-il, Dillon ? demanda Sherlock en se pressant contre son mari.

— Bon dieu !

Savich se retourna et prit les bras de sa femme.

— N'avance pas.

Ce n'était pas Jilly que nous venions de trouver, mais Rob Morrison.

33

Maggie suivit du regard les gestes des deux hommes qui mettaient le corps de son amant dans une housse en plastique afin de le transporter dans le fourgon du médecin légiste. Puis elle regarda le véhicule s'éloigner et disparaître dans un tournant, à environ cinq mètres du cottage.

Elle n'avait accordé qu'un seul regard au cadavre, en se couvrant de la main le nez et la bouche. Elle s'était ensuite tenue à l'écart, muette, pendant un petit quart d'heure. Nous attendîmes près d'une heure l'arrivée de l'expert du laboratoire de Salem, accompagné de l'inspecteur Minton Castanga. Il nous salua, sans dire un seul mot à Maggie, puis nous fit signe d'entrer dans la maison. Dehors, il s'était mis à pleuvoir.

— Dites-moi ce qui s'est passé, nous demanda-t-il en s'asseyant sur le canapé.

Nous fûmes précis, en prétendant toutefois être entrés dans la maison après la découverte du corps. Castanga se gratta le menton avec son stylo et essaya de résumer notre situation :

— Vos collègues ratissent cette ville depuis près d'une semaine, et vous quatre, vous débarquez ici en espérant retrouver Jilly, la sœur de Mac. Ou peut-être en vous disant que Morrison savait où la trouver. C'est ça ?

— Oui, répondis-je.

Assise à côté de moi, Laura basculait légèrement contre mon épaule.

— Qui a tué Rob Morrison ? Vous avez une petite idée ?

Castanga prit une pomme rouge dans la coupe pleine posée sur la table basse, la frotta sur la manche de sa veste et mordit dedans à belles dents.

— Aucun d'entre nous ne sait qui a tué Rob Morrison, dis-je. Son assassinat est très probablement lié à toute cette affaire de drogue, mais nous n'en avons aucune preuve. Nous étions simplement venus jeter un coup d'œil ; la porte de la remise était ouverte, cassée, elle pendait sur un gond. Nous sommes entrés et avons trouvé le corps de Morrison.

J'avais menti à propos de la porte afin de rester dans le droit fil de notre version respectable.

— Deux balles dans le dos, remarqua Castanga. On ne voulait pas le rater. Il semble qu'il soit mort depuis quatre jours.

Il posa le trognon de la pomme sur la table, fronça les sourcils puis l'enleva pour le mettre par-dessus les autres pommes.

— Je ne veux pas salir le bois, expliqua-t-il.

— Tu ne faisais pas autant attention aux meubles quand nous étions mariés, observa Maggie Sheffield.

— J'étais jeune et insouciant à l'époque.

— Oui, tu n'avais pas plus de trente-cinq ans. remarqua le shérif en se levant.

— Maggie, j'ai cru comprendre que tu voyais Rob Morrison, dit Castanga avec douceur. Tu ne t'étais pas demandé où il était passé ?

La jeune femme haussa les épaules. Nous pouvions tous lire le chagrin dans ses yeux.

— Il n'était pas connu pour sa fidélité. J'ai attendu un appel, j'ai essayé de le joindre deux fois, et puis j'ai laissé tomber.

— Nous sommes navrés, Maggie, lui assura Sherlock.

— Je le suis d'autant plus qu'il a sauvé la vie de Jilly, ajoutai-je.

Maggie releva le menton.

— Merci. Maintenant je vais voir ce que je peux découvrir en interrogeant les gens.

Sur le point d'émettre une objection, Castanga se contenta finalement d'un haussement d'épaules.

— Vas-y doucement, Maggie, conseilla-t-il d'une voix presque tendre. Sois prudente. Il semble qu'on prend l'habitude de se faire tuer par ici.

— Bon dieu, j'aurais dû rester à Eugene !

Castanga regarda Laura qui s'appuyait contre mon épaule.

— Prenez soin d'elle, nous dit-il. Elle devrait être alitée.

Puis il referma son carnet de notes, le glissa dans la poche intérieure de sa veste et se leva en s'essuyant les mains à son pantalon.

— Ah ! J'oubliais. Toujours aucune piste en ce qui concerne vos ravisseurs. Comme vous le savez probablement, les stups nous ont retiré l'enquête. De toute façon, elle ne menait nulle part.

Nous déjeunâmes à la viennoiserie, sur la Cinquième Avenue. A mon avis, à Edgerton, Grace était la seule personne contente de nous voir. Elle regarda Laura, lui caressa le bras et la conduisit à une chaise.

Tout en nous faisant des sandwiches, elle ne cessa de parler du remue-ménage que connaissait la ville.

— On a dû avoir une trentaine de fédéraux. Ils étaient partout, postés même dans les coins. Ils ont interrogé tout le monde. Vous savez quoi ?

Grace tendit à Laura son sandwich au thon et répondit à sa propre question.

— Non, bien sûr, vous ne savez rien, mes pauvres enfants. Vous étiez prisonniers d'une bande de trafiquants de drogue qui vous ont torturés.

— Comment êtes-vous au courant ? demandai-je.

Incapable d'attendre plus longtemps, je mordis dans mon sandwich au corned-beef.

— Tout le monde est au courant de tout. Il y a eu une réunion de la ligue et nous en avons parlé. Ce ne serait pas en rapport avec la drogue que M. Bartlett a inventée ? Et on aurait tué Rob Morrison parce qu'il était au courant et comptait arrêter les trafiquants. Pauvre garçon ! Bien entendu, Cotter Tarcher prétendait que tout ça était ridicule, que cette drogue permettait simplement d'améliorer les performances sexuelles, et qu'il n'y avait rien de mal à ça.

— Elle améliore les performances sexuelles... répétai-je, songeur.

— Je me demande, intervint Laura, si le nombre de viols n'a pas augmenté par ici, ces derniers temps.

Quand nous nous garâmes devant la maison des Tarcher, Laura sembla entendre un signal d'alarme. Elle se redressa, battit des paupières et m'affirma qu'elle se sentait merveilleusement en forme depuis qu'elle avait mangé son sandwich et fait un petit somme.

— De cinq minutes, remarquai-je.

— Une femme sait tirer parti du minimum

Sherlock et Savich vinrent se garer derrière nous.

— Bon sang ! s'exclama Cotter Tarcher en ouvrant la porte. Revoilà ces clowns ! Qu'est-ce que vous voulez ?

Je lui souris tandis qu'il bloquait l'entrée. Avec son jean et ses bottes noirs, ainsi que son tee-shirt blanc, il semblait surgi de l'enfer pour chercher la bagarre.

— Salut, Cotter ! Vous vous souvenez de Savich et de Sherlock, n'est-ce pas ? Et de Mme Scott ? Mais surtout de Savich. Vous aviez tenu à faire un peu de grabuge avec lui.

Je le vis reculer dans l'intention de nous claquer la porte au nez.

— Non, pas question, dis-je.

Je poussai le battant en envoyant le fils Tarcher glisser sur le dos à travers le hall de marbre.

— Contrôlez-vous, Cotter. Nous sommes venus parler à vos parents. Il est temps pour vous de faire preuve de bonnes manières.

Je pénétrai dans le hall, Laura, Savich et Sherlock sur mes talons.

— Franchement, ajoutai-je, il faut que vous abandonniez votre image de mauvais garçon.

Cotter se releva, voulut s'élancer vers moi, mais une voix féminine l'en empêcha.

— Non, Cotter, ne gâche pas ton énergie avec ces agents fédéraux. Ils sont quatre contre toi, quoique je doute de la force des femmes. Tu pourrais toujours te charger de celle qui a le bras en écharpe. Mais n'oublie pas autre chose : ils peuvent t'arrêter.

Elaine Tarcher se tourna vers nous.

— Je constate que vous entrez chez moi sans y être invités. Seule mon excellente éducation m'oblige à vous accueillir un moment. Vous désiriez me parler ? Sans doute voudrez-vous me suivre dans le salon. Dieu sait que nous en avons vu des agents fédéraux, dans cette maison ! Et ils ont tout mis sens dessus dessous sans prendre la peine de ranger avant de partir.

Vêtue d'un jean blanc, serré, d'un ample pull de cachemire couleur pêche, et de ballerines crème, la coiffure vaporeuse, Elaine Tarcher prouvait encore son élégance. Elle nous précéda sans même s'assurer que nous la suivions.

— Pauvre Maggie, dit-elle en s'asseyant avec grâce dans un superbe fauteuil qui devait avoir deux cents ans. Est-elle profondément éprouvée par la mort de Rob ?

Installée sur un petit canapé bleu, Sherlock décroisa les jambes pour se pencher en avant.

— Vous êtes déjà au courant ?

— Oh ! Vous savez, les nouvelles vont vite à Edgerton. C'est peut-être le facteur qui l'a dit à notre gouvernante, qui me l'a rapporté il y a quelques minutes. Je ne peux pas me souvenir de tout.

— Morrison n'est pas simplement mort, remarquai-je. Il a été assassiné. Deux balles dans le dos. Nous l'avons retrouvé par hasard dans sa remise.

— Je sais. Rob n'était pas fidèle à Maggie. Et elle n'y était pour rien. De fait, Rob n'a jamais été fidèle à une femme plus de deux semaines et demie. C'était son maximum.

Renversé dans mon fauteuil, jumeau de celui d'Elaine, je serrai mes mains entre mes genoux.

— Et c'est vous, madame, qui avez eu droit à ce record ?

— J'imagine qu'il y aura une enquête, me répondit-elle avec un sourire triste. Alors je vous réponds oui, et je précise que le record fut juste de deux semaines et demie ! Je vous dirai qu'il m'a beaucoup surprise le jour où il m'a annoncé qu'il partait, alors que nous venions de faire l'amour. C'était évidemment une façon de parler puisque j'étais chez lui et que c'était à moi de partir. Que c'était propre dans cette petite maison ! M. Thorne s'occupait si bien de tout ! Je n'ai jamais eu à me faire de souci quant à la propreté des draps.

Elaine soupira, s'essuya le coin des yeux avec un délicat petit mouchoir blanc, et poursuivit :

— Rob était si séduisant ! Je pouvais passer avec lui des heures entières sans parler, heureuse de toucher son corps splendide... Quelle résistance il avait ! Et plus le temps passait, plus on pouvait compter sur lui. Je veux dire, dans le domaine de la chair, précisa-t-elle après m'avoir regardé à travers ses cils.

— Qui vous a succédé ? demanda Savich.

Il était resté debout derrière Sherlock, la main posée sur l'épaule de sa femme.

— Maggie. J'ai voulu la mettre en garde, lui dire que Rob n'était pas du genre à s'attacher, mais elle m'a ri au nez en me répondant que j'avais trop compté sur ma fortune pour le retenir.

— Maman, débarrasse-toi de ces salauds. Dis-leur de prendre la porte. Ils n'ont aucun mandat. Ils ne peuvent rien nous faire.

— Il n'y a pas lieu d'être grossier, Cotter, observa Elaine en posant sur son fils un regard mi-affectueux mi-contrarié. Où sont passées les bonnes manières que nous t'avons inculquées ?

— Ce garçon a une araignée dans le plafond, intervint Sherlock avec un petit salut à l'adresse de Cotter.

Ce dernier faillit bondir, mais fut retenu par l'expression de Savich.

— Je ne suis pas fou, se défendit le jeune homme.

— Bien sûr que non, mon cher enfant, le rassura Elaine. Tu es simplement un peu trop sous pression, comme je l'étais à ton âge. Sois calme. Nos visiteurs ne tarderont plus à se retirer.

— Vous savez quelque chose au sujet du meurtre de Rob Morrison ? demandai-je à Cotter.

— Rien du tout, répliqua-t-il avec violence. Mais ce n'est pas une grosse perte. Ce connard est mort et bien mort, et tout le monde s'en fout.

— J'en ai assez de ce langage, Cotter, déclara Savich de sa belle voix profonde et calme. Vous n'êtes qu'un gamin indiscipliné dans un corps d'homme.

Le jeune homme regarda Savich un long moment puis recula d'un pas avant de riposter :

— Je dis ce que je veux, connard.

— Ça suffit, intervint Elaine Tarcher.

Elle se leva et se planta devant ce fils bon pour une sérieuse thérapie.

— Tu te crois où, Cotter ? Je te rappelle que tu es chez moi, dans le salon de ma maison.

Le changement de ton de son fils fut à la fois une surprise et un soulagement.

— Je suis désolé, maman, dit-il d'une voix calme, posée. Mais rassure-toi, je ne veux rien abîmer. Il y a tant de jolies choses ici !

— Oui, mon enfant. Je suis heureuse que tu t'en souviennes. Tu devrais aller chercher ton père, maintenant.

Cotter s'éloigna, franchit l'élégante porte voûtée du salon, puis se retourna.

— Il fallait que Morrison soit aveugle pour te laisser tomber. Tu es si belle que ce salaud aurait dû ramper devant toi. Ce type était franchement malade.

Sur ces mots, il s'éclipsa.

— Veuillez l'excuser, dit Elaine en nous gratifiant d'un

sourire charmant. Mon fils est parfois un peu trop exalté. Ma mère était exactement pareille. Je crois qu'il boit trop de café. Mais il ne pense pas à mal. Consentez-vous à partir, maintenant ? L'heure tourne et j'ai encore beaucoup à faire cet après-midi.

Tandis que Sherlock réprimait difficilement un frisson, Laura observa :

— Madame Tarcher, votre fils est sérieusement perturbé. C'est un psychopathe. Il a besoin d'être aidé, sinon il deviendra dangereux, pour les autres ou pour lui-même. Vous vous en rendez compte, n'est-ce pas ?

— Laura a raison, madame, ajouta Savich. Ce garçon risque d'aller jusqu'au bout de ses pulsions un de ces jours.

— Si cela devait se produire, je saurais réagir. Mais je n'y crois pas. Je pense même que c'est absurde. A mon avis, Cotter a tout simplement pris de cette fameuse drogue élaborée par Paul. Avec le temps il redeviendra lui-même, j'en suis persuadée. Maintenant j'aimerais que vous partiez. J'ai été coopérative, mais assez est assez. Pourquoi me regardez-vous ainsi, agent Savich ?

— Vous avez dit que votre fils a pris de la drogue de Paul ?

— Hélas, oui ! Du moins, il me semble. J'ignore de quelle substance il s'agit exactement, mais Cotter est devenu plus agressif, moins maître de lui-même.

— Ma chère, ce que nous avons donné à notre fils n'est qu'un simple tranquillisant recommandé par Paul, rien de plus.

Alyssum Tarcher venait d'entrer dans la pièce et se tenait devant nous, avec sa haute taille et son air imposant, vêtu d'un pantalon sortant de chez un tailleur italien et d'une chemise blanche au col ouvert. Qu'avait-il entendu des révélations de son épouse ?

— Revoici donc dans mon salon des agents fédéraux qui menacent ma femme et maltraitent mon fils ! Ce pauvre Cotter est dans tous ses états. Je commence à en avoir par-dessus la tête. Si vous n'avez pas de mandat, je vous demande de sortir d'ici.

— Monsieur, dis-je, nous étions venus pour parler de Jilly. Ma sœur n'a pas réapparu. Je m'inquiète. L'avez-vous croisée ? Savez-vous où elle se trouve ?

— La dernière fois que nous l'avons vue c'était avant son accident.

— Pensez-vous qu'elle prenait de cette drogue ? demanda Savich. Au point d'être perturbée mentalement et de lancer intentionnellement sa voiture par-dessus la falaise ?

— Je ne sais pas ce que vous voulez dire. Vous ennuyez ma femme.

Je la sentais souffrir, mais Laura domina sa douleur et intervint :

— Savez-vous que John Molinas a été assassiné au Costa Rica dans un domaine où Del Cabrizo se livre à un trafic de drogue ?

— Je l'ai appris par la télévision.

Alyssum gardait un œil sur sa femme qui ne bougeait pas, le regard rivé sur ses ballerines.

— Ni Elaine ni moi n'avions vu John récemment. La nouvelle de sa mort nous attriste.

— Votre nièce, malheureusement, a disparu, remarqua Sherlock.

— Mon frère aimait tendrement sa fille, précisa Elaine en se levant pour se tenir aux côtés de son mari. John n'était pas un mauvais homme.

— Je vous prie de partir, maintenant, nous lança Alyssum. Je ne suis impliqué dans aucun trafic de drogue, et je ne suis nullement responsable de ces horribles meurtres que votre sœur et vous, monsieur MacDougal, semblez avoir provoqués. Il n'y a rien dans cette maison qui puisse vous intéresser. Je ne vais pas vous faire des aveux quand je n'ai rien à avouer. Sortez d'ici sans plus attendre.

Nous avions déjà franchi le seuil lorsque nous l'entendîmes ajouter :

— Vous avez laissé mon bungalow dans un triste état. Je vous ferai parvenir la facture des réparations.

J'admirai le culot d'Alyssum Tarcher, et je n'étais pas le seul.

— Sacré bonhomme ! lança Savich tandis que nous sortions.

En me retournant, je vis Cotter qui nous regardait depuis une fenêtre du premier étage. Quand il se rendit compte que je l'avais repéré, il laissa retomber le rideau. Je savais ce que la drogue lui avait fait, et j'étais sûr que ça ne lui avait pas déplu. Son père en avait-il pris également ? Et sa mère ? Non, c'était peu probable. Quant à Cal, j'avais des doutes et aucun moyen de les dissiper.

Je me sentais vidé. Nous ne savions toujours pas où chercher Jilly. Nous avions perdu notre temps.

— Allons passer la nuit chez moi, à Salem, proposa Laura. J'aimerais voir Grubster et Nolan. Quand j'ai appelé le gardien de l'immeuble depuis San José, il m'a assuré qu'ils mangeaient bien mais que je leur manquais. Je remercie Maggie de les avoir ramenés à la maison.

— Ils dormiront avec nous ?

— C'est possible. Le lit est grand. Ah ! Pour Sherlock et Savich, il y a une jolie chambre d'amis.

J'appelai Maggie Sheffield pour lui indiquer où elle pourrait nous joindre s'il y avait du nouveau, ce dont je doutais fort. Elle aussi, mais elle eut la gentillesse de ne rien en dire.

Dans le lit très confortable, je m'endormis sans problème, mais à quelque distance de Laura, étant donné que Grubster avait décidé de ronronner toute la nuit contre le flanc de sa maîtresse.

En rêve, je vis des phares trouer un brouillard si dense qu'il recouvrait tout comme un épais voile blanc. Mais la lumière puissante permettait de voir nettement la route. Elle défilait à une telle allure que je voulais hurler et écraser le frein, mais je ne le trouvais pas. Je voulais me sauver, m'arracher à cette route, et je n'avais aucun moyen de le faire. J'étais piégé.

Le souffle coupé par la terreur, j'entendis soudain un doux gémissement à côté de moi. La plainte d'une femme qui constatait sans révolte qu'elle avait tout perdu, qu'elle n'avait plus rien à quoi se raccrocher.

La route défilait de plus en plus vite dans la lumière des phares. J'essayai de dire à la femme que j'étais là, avec elle, que je voulais l'aider si c'était possible. Mais elle ne m'entendait pas.

Soudain elle se mit à parler. A prier, plus exactement. A implorer le pardon. J'eus alors l'impression d'être une part d'elle-même.

La route disparut. Je fus violemment projeté en avant, puis tout s'estompa tandis que nous volions dans le brouillard. Nous volâmes très haut avant de plonger dans l'océan.

Une immense douleur me pénétra. Ensuite j'eus conscience d'une pression énorme qui s'exerçait sur mon torse. Une pression qui céda la place à une sensation aérienne de calme, au sentiment qu'un but était enfin atteint. Que c'était simple, si simple, si doux que j'en souris. Et j'en souriais encore quand finalement tout se fondit dans le noir et que toute sensation disparut.

*

Debout au bord de la falaise, nous regardions tous les quatre l'océan. Au bout d'un moment, un homme-grenouille fendit la surface de l'eau et s'écria :

— Elle est là en dessous !

J'avais fini par comprendre où se trouvait Jilly.

Un deuxième homme remonta à son tour.

— Il y a deux voitures, côte à côte. Une Porsche blanche, et une autre qui doit être une voiture de location.

EPILOGUE

Washington, trois mois plus tard

— Squawh !

— Ne t'affole pas, Nolan !

Je versai des graines de tournesol au creux de ma paume et passai la main dans la cage.

— Allez, vas-y !

Grubster vint se frotter contre ma jambe.

— Oui, mon vieux, c'est à ton tour maintenant.

Le poids de ce chat laissait croire qu'il dévorait tout ce qu'il rencontrait, mais c'était une erreur. Grubster était adepte des préparations pour chats gourmets. Et ce depuis le jour où nous avions emménagé dans une nouvelle maison de ville, à Georgetown. « Il estime qu'il est monté dans l'échelle sociale, avait observé Laura. Et il tient à manifester son importance. »

Je mis une tranche de pain dans le toaster pour Nolan, ouvris une boîte de saumon au riz, et quand je l'eus vidée dans son bol, je caressai le dos de Grubster, lui frottai les oreilles, et l'écoutai ronronner en avalant sa pâtée.

Nolan se manifesta de nouveau. Je pris le toast, l'agitai

pour le faire refroidir, puis le rompis en plusieurs morceaux que je mis dans la cage.

— Ça va ? Tout le monde est content maintenant ?

Un silence béni succéda à ma question.

Nous étions un samedi matin, la température était déjà élevée. Laura dormait encore. Je m'apprêtais à retourner dans la chambre pour la réveiller d'un baiser lorsque la sonnette de la porte d'entrée résonna.

— Une minute, criai-je en me précipitant dans la chambre pour passer un jean.

— Monsieur MacDougal ? J'ai une lettre recommandée pour vous.

— Qui l'envoie ?

— Je sais simplement qu'elle vient de l'Oregon.

J'ignore ce que j'aurais pu attendre, mais jamais je n'aurais songé à ce mot d'un avocat de Salem qui m'expédiait une lettre de Jilly en me disant que ma sœur avait voulu que ce courrier fût posté exactement trois mois après la confirmation de sa mort.

D'une main tremblante, je dépliai les pages.

Ford chéri,

Je me demande si tu m'accompagneras cette nuit. Si c'est le cas, tu sauras exactement ce qui se sera passé. Je regrette de te causer du chagrin, mais j'aimerais vraiment que tu sois avec moi.

Par quoi commencer ? Par le début, j'imagine. Paul et moi avions beaucoup attendu de ma découverte qui consistait en un mélange d'une substance opiacée et d'un neuroconducteur agissant sur la mémoire ; mélange qui s'avérait stable et non-toxique. Devant les résultats obtenus en laboratoire, nous pensions tenir quelque chose d'essentiel : un moyen d'analyser le fonctionnement de la mémoire, et peut-être aussi des pulsions sexuelles. Mais en dépit de nos expérimentations répétées, nous ne sommes parvenus ni à contrôler ni à prévoir suffisamment les effets de cette substance, et nos salauds d'employeurs nous ont coupé les vivres.

En vérité, Ford, ils ont pris cette décision lorsqu'ils ont découvert que nous expérimentions la drogue sur nous-mêmes. Une stupidité, bien sûr... Mais au début, tout allait bien. Nos relations sexuelles étaient devenues tout simplement formidables. J'étais déjà sérieusement accro quand nous avons dû quitter VioTech. Paul, lui, était resté plus prudent. Bien qu'il appréciât l'exaltation de sa sexualité, cette substance lui faisait peur, si bien qu'il s'en était tenu à des doses plus faibles. Ce qui l'a sauvé.

Décidée à poursuivre nos recherches malgré tout, à tenter d'améliorer encore le contrôle de cette substance, j'ai demandé à Paul de prendre contact avec Cotter Tarcher. Paul le connaissait suffisamment pour penser qu'il serait intéressé. Cotter a fait un essai, et a accepté de nous aider à persuader ses parents de nous financer, en se disant qu'il allait faire fortune. Nous ignorions que son oncle, John Molinas, était un trafiquant de drogue, et que Cotter lui parlerait de nous. Et nous avions encore moins prévu qu'il mettrait dans le coup ce baron de la drogue qu'est Del Cabrizo.

Nous n'avons pas progressé, les effets de la drogue nous ont progressivement échappé, et mon état a empiré. Je ne suis pas fière de ce que j'ai fait ces six derniers mois, et encore moins des hommes qui ont été mes amants, dont Del Cabrizo lui-même. Quand il nous a appris, par l'intermédiaire de Molinas, que Laura faisait partie des stups, je suis devenue complètement psychotique. J'ai été hantée, tourmentée par elle, jusqu'à l'insupportable. J'ai voulu me tuer afin de la tuer en même temps.

Et puis tu es arrivé. Tu m'as été d'un immense réconfort.

Mais j'ai quitté l'hôpital quand Cotter m'a prévenue que Del Cabrizo savait que tu étais allé voir Laura et menaçait de vous tuer tous les deux. Comment l'avait-il appris ? Je l'ignore. J'ai eu très peur pour toi, et c'est alors que je suis allée me cacher chez Rob Morrison, un autre amant dont je ne suis pas fière. Et ce fut sa perte. Ils ont considéré qu'il les avait trahis en me cachant. Ils l'ont tué.

Del Cabrizo ayant besoin de moi pour mettre la drogue au point, je me suis servie de cette situation comme d'un contrepoids. Je leur ai dit que je continuerais la recherche à condition qu'ils te laissent en vie. Mais je n'ai pas pu les empêcher de te kidnapper, et j'ai dû les aider à transférer le labo et tous les éléments de preuve dans un chalet, aux abords de Spokane.

Ils ont aussi supprimé Charlie Duck, ce vieil homme qui n'a pu se retenir de creuser et de creuser encore à partir du moment où il a eu des soupçons. C'est moi qui ai dit à Molinas que je craignais qu'il n'ait découvert quelque chose et qu'il ne parle. J'ai ainsi signé son arrêt de mort. Del Cabrizo a envoyé ses sbires fouiller la maison de Charlie. Paul m'a dit qu'ils l'ont bourré de ma drogue, avant de le tuer quand il a tenté de s'enfuir.

Ce qu'ils t'ont fait, Ford, me navre. Pardonne-moi, s'il te plaît. J'ai su que tu avais réussi à t'enfuir. Bravo, mon frère le flic ! Tu as toujours été mon héros.

En définitive, je suis la seule responsable de tant de souffrance et de morts. Oui, tout ça, c'est ma faute.

Comme tu le sais, je leur ai échappé. Mais ils retiennent encore Paul. Tu es capable de le retrouver, j'en suis sûre, mais ils le tueraient sans hésiter si tu arrivais jusqu'à lui. Laisse-le vivre. Il n'en sait pas assez pour les aider. S'il te plaît, laisse-le vivre.

Je voulais que tu saches la vérité afin que tu puisses m'écarter de ta mémoire ou, peut-être, m'y laisser dans un coin, comme un souvenir aigre-doux. Au-delà de ce que j'ai été, de ce que je suis devenue, je n'ai jamais cessé de t'aimer, Ford.

A propos, tu devrais vivre avec Laura. C'est la femme rêvée pour toi.

Adieu, Ford chéri.
Jilly.

Lentement je repliai les feuillets et les remis dans l'enveloppe. J'allumai alors un feu dans la cheminée. Quand il flamba, je glissai doucement la lettre dans les flammes et, accroupi, je la regardai brûler, jusqu'à ce qu'elle fût complètement consumée.

— Mac ? Il fait une chaleur d'enfer, ici. Tu as allumé un feu ?

Je me relevai, m'avançai vers ma femme et la serrai très fort contre moi.

— Tu ne vas pas me croire, mais je suis tombé sur une vieille photo de moi avec une ancienne petite amie que je tenais dans mes bras, exactement comme je te tiens maintenant. Alors je l'ai brûlée. Je n'aurais pas voulu qu'elle te rende jalouse.

Nolan poussa son cri.

— Tu vois, Nolan me croit.

— Je n'en doute pas, Mac.

Laura ne pouvait pas comprendre mais acceptait de se passer d'explication.

Je la serrai contre moi très longtemps.

Impression réalisée sur CAMERON par

BUSSIÈRE CAMEDAN IMPRIMERIES

GROUPE CPI

à Saint-Amand-Montrond (Cher)
en novembre 2001

N° d'édition : 6945. — N° d'impression : 015079/1.
Dépôt légal : novembre 2001.

Imprimé en France